LA
GENÈSE

Ce fascicule a été revu, pour le Comité de Direction, par M. l'Abbé ROBERT, *P. S. S., Professeur à l'Institut Catholique de Paris, et par M.* H.-I. MARROU, *Professeur à la Sorbonne.*

LA SAINTE BIBLE

traduite en français

sous la direction de l'École Biblique de Jérusalem

LA

GENÈSE

traduite par

R. DE VAUX, O.P.

Directeur de l'École Biblique

(2e édition revue)

LES ÉDITIONS DU CERF

29, boulevard Latour-Maubourg, Paris

1962

NIHIL OBSTAT :

Hierosolymis, die 14ᵃ junii 1951.

fr. L.-H. VINCENT, O. P.

fr. B. COUROYER, O. P.

Romae, die 15ᵃ augusti 1951.

fr. F. CEUPPENS, O. P.

IMPRIMI POTEST :

Romae, die 18ᵃ octobris 1951.

fr. St. GOMEZ, O. P., Vic. Mag. Gen.

IMPRIMATUR :

Parisiis, die 23ᵃ octobris 1951.

Petrus BROT, v. g.

INTRODUCTION GÉNÉRALE
AU PENTATEUQUE

Le nom. Les cinq premiers livres de la Bible composent un ensemble que les Juifs appellent la *Tôrâ*, la Loi. Le premier témoignage certain se trouve dans la préface de l'*Ecclésiastique* (vers 132 av. J. C.), qui distingue, dans l'Écriture, la « loi », les « prophètes » et les « autres livres », et l'appellation était courante au début de notre ère : le Nouveau Testament parle de la Loi, Lc **10** 26, pour ces cinq livres, et de la Loi et des Prophètes pour désigner les deux premières parties de la Bible hébraïque, Lc **24** 44, ou par extension tout l'Ancien Testament, Mt **5** 17; **11** 13; Jn **1** 45; Ac **13** 15; Rm **3** 21, etc.

Les Juifs parlant hébreu appelaient aussi la première partie de leur Bible « les cinq cinquièmes de la Loi », à quoi correspondait, dans les milieux de langue grecque, ἡ πεντάτευχος (sous-entendu βίϐλος) : « le livre en cinq volumes », qui fut transcrit en latin, *pentateuchus* (sous-entendu *liber*) et en français, le Pentateuque.

Cette division en cinq livres est attestée antérieurement à notre ère par la version grecque des Septante. Celle-ci — et son usage s'est imposé à l'Église — nommait les volumes d'après leur contenu : *Genèse* (qui s'ouvre par la naissance du monde); *Exode* (qui débute par la sortie d'Égypte); *Lévitique* (qui contient la loi des prêtres de la tribu de Lévi); *Nombres* (à cause des dénombrements des ch. **1** à **4**); *Deutéronome* (la « seconde loi », donnée par Moïse avant de mourir). Mais, en hébreu, les Juifs désignaient — et désignent encore — chaque livre par le premier mot, ou le premier mot important, de son texte : ainsi la *Genèse* s'appelle *Beréshît* « Au commencement », l'*Exode* s'appelle *We'éllèh shemôt* « Et voici les noms », etc.

Le contenu. Le Pentateuque retrace une histoire qui va des origines du monde à la mort de Moïse; à mesure que l'humanité se différencie, cette histoire se restreint à la lignée d'où sort le peuple élu, puis elle s'attache aux aventures de ce peuple, depuis la servitude en Égypte jusqu'à l'arrivée dans la vallée du Jourdain, face à la Terre Promise. Ces narrations servent de cadre aux dispositions législatives, qui commandent la vie religieuse et civile des Israélites et ont valu au Pentateuque son autre nom : c'est la Loi.

Après une grande fresque des origines du monde et de l'humanité, Gn 1-11, la *Genèse* raconte la vie des Patriarches depuis l'arrivée d'Abraham en Canaan jusqu'à la mort de Jacob et de Joseph en Égypte, Gn 12-50. Dans l'*Exode,* les Hébreux opprimés quittent l'Égypte sous la conduite de Moïse, Ex 1-15. Ayant traversé la mer Rouge, ils arrivent par étapes au Sinaï, Ex 15-18. L'alliance entre Dieu et son peuple est conclue sur la montagne sainte, le code de l'alliance est promulgué, le tabernacle est construit, Ex 19-40. La narration est alors interrompue par un recueil de lois, réglant le culte qui s'instaure : c'est tout le *Lévitique*, Lv 1-26. Les *Nombres* reprennent le récit des faits : la fin du séjour au Sinaï, Nb 1-10, le voyage puis l'arrêt à Cadès, où de nouvelles prescriptions sont données, Nb 10-20, enfin les stations et les combats qui amènent les Israélites jusqu'aux plaines de Moab; cette installation temporaire donne encore occasion à plusieurs séries d'ordonnances, Nb 20-36. Le *Deutéronome* contient, comme le testament de Moïse, les derniers discours qu'il adresse au peuple en Moab, Dt 1-11 et 27-30, enchâssant un grand code législatif à la fois religieux et civil, Dt 12-26. Il se termine par les adieux et la mort de Moïse, Dt 31-34.

Histoire de la critique. La composition de ce vaste recueil était attribuée à Moïse par les Juifs, au moins dès le début de notre ère : Philon et Josèphe en sont les témoins, et aussi le Nouveau Testament. Non seulement on parle de la « loi de Moïse », non seulement on « lit Moïse », Mc **12** 26 ; Ac **15** 21 ; 2 Co **3** 15, et l'on se réfère à ce que « Moïse a dit », Mc **7** 10 ; Ac **3** 22 ; Rm **10** 19, à ce que « Moïse a prescrit », Mc **10** 3-5, mais on invoque ce que « Moïse a écrit », Rm **10** 5. Le Christ lui-même renvoie à une loi de Lv **14** comme à un précepte de Moïse, Mt **8** 4, à un texte de Dt **24** 1 comme à une permission de Moïse, Mc **7** 10, plus explicitement il oppose à ses adversaires le témoignage de Moïse, « car c'est de moi qu'il a écrit », Jn **5** 45-47.

Cette tradition juive, à laquelle se conformèrent le Christ et les Apôtres, fut acceptée sans contestation notable (Aben Esra au XIIᵉ siècle est une exception) jusqu'à la fin du Moyen Age. Les doutes sérieux se multiplièrent à partir du XVIᵉ siècle : le réformé Carlstadt souligne que Moïse n'a pas pu écrire le récit de sa propre mort, Dt **34** 5-12, qui est cependant du même style que le reste du livre, des catholiques comme l'orientaliste belge Masius et les jésuites Pererius et Bonfrère, le calviniste (plus tard converti au catholicisme) Isaac de la Peyrère, le philosophe juif Spinoza refusent à Moïse au moins une partie du Pentateuque dans sa dernière rédaction. Enfin, Richard Simon, qui fut oratorien, détaille dans son *Histoire critique du Vieux Testament* (1678) les difficultés chronologiques, les répétitions et les désordres des récits, les différences de style qui empêchent de considérer Moïse comme l'auteur de tout le Pentateuque ; il lui rapporte les sections législatives et la *Genèse,* rédigée avec l'aide de documents antérieurs, mais le reste proviendrait d'annalistes dont l'œuvre aurait été altérée au cours des temps.

Le livre fit scandale, mais la question restait posée. Le second pas de la critique fut de déterminer les éléments divers dont était composé le Pentateuque. Le travail décisif fut celui de

Jean Astruc, médecin de Louis XV, qui publia en 1753 ses *Conjectures sur les mémoires originaux dont il paraît que Moyse s'est servi pour composer le livre de la Genèse*. Remarquant que Dieu est appelé tantôt *Élohim* et tantôt *Yahvé,* il mit bout à bout les textes ayant *Élohim* puis ceux ayant *Yahvé* et obtint deux récits parallèles suffisamment cohérents : il pensa que Moïse avait utilisé deux documents principaux, outre des documents secondaires, qu'il les avait disposés en synopse, et que les copistes avaient ensuite brouillé les colonnes. Astruc est ainsi l'inventeur de la « théorie documentaire » ou « théorie des sources » du Pentateuque. Le médecin français ne s'était occupé que de la *Genèse ;* l'orientaliste allemand Eichhorn (1780-83) étendit sa théorie aux cinq livres, puis Ilgen (1798) discerna que les textes qui emploient *Élohim* se répartissaient entre deux documents, qu'on devait appeler ensuite le Code Sacerdotal et l'Élohiste.

La première moitié du XIXᵉ siècle marque un temps d'arrêt : frappés par le caractère composite que gardaient les documents ainsi isolés, certains les dissocièrent à l'infini et présentèrent le Pentateuque comme l'assemblage d'une multitude de courts récits isolés (Vater, hypothèse des fragments, 1802-05). Puis d'autres, insistant au contraire sur la composition ordonnée du Pentateuque, proposèrent d'y reconnaître un écrit fondamental qui aurait été surchargé d'additions (Ewald, hypothèse des compléments, 1831).

Mais on revint bientôt à l'hypothèse documentaire, sous une forme plus élaborée. En 1853, juste un siècle après la tentative d'Astruc, Hupfeld étudiait les sources de la Genèse et, retrouvant la solution d'Ilgen, y distinguait trois documents, deux « élohistes » et un « yahviste »; l'année suivante, Riehm détachait le *Deutéronome* et le constituait à part du document « yahviste ». La théorie des quatre sources était fondée : elle distribue le Pentateuque entre quatre documents qu'on classa d'abord ainsi : P (de l'allemand *Priesterkodex,* le « Code Sacerdotal »); E (le document Élohiste); J (le document Yahviste): D (le Deutéronome).

Puis on s'attacha à déterminer l'âge de ces différents sources. Le *Deutéronome,* mis en rapport avec la réforme de Josias en 622, devint le pivot de la démonstration. Le Code Sacerdotal, qui contient des lois que l'âge monarchique n'appliquait pas encore, qui suppose reçue la centralisation du culte pour laquelle luttait le *Deutéronome,* qui distingue nettement les prêtres et les lévites comme Ézéchiel commence de le faire, fut attribué à l'époque exilique ou post-exilique : c'est la loi promulguée par Esdras. Le Yahviste et l'Élohiste représenteraient les traditions anciennes, le Yahviste mis par écrit au IXe siècle en Juda, l'Élohiste rédigé en Israël un peu plus tard. Après la ruine du Royaume du Nord, les deux documents auraient été fusionnés en un seul écrit (JE); après Josias, le *Deutéronome* y aurait été adjoint (JED); après l'Exil, le Code Sacerdotal, lois et narrations, aurait été uni à cette compilation, à laquelle il servit d'armature et de cadre (JEDP). Ainsi serait né notre Pentateuque et, comme la même trame paraissait se prolonger dans le livre de *Josué,* on parla aussi volontiers d'un « Hexateuque ». Telles sont les conclusions auxquelles, après des tâtonnements, aboutit Graf (*Die geschichtlichen Bücher des Alten Testaments,* 1866) et qu'imposa le talent de Wellhausen (*Die Composition des Hexateuchs...,* 1889). Cette théorie a dominé pendant plus d'un demi-siècle la critique littéraire du Pentateuque et beaucoup d'exégètes maintiennent encore ses principes et ses lignes essentielles.

Cependant, la simplicité de ce schéma ne fit pas longtemps illusion : déjà Wellhausen avait reconnu que les quatre « documents » ainsi déterminés étaient eux-mêmes composites et l'on en vint à distinguer dans J deux ou même trois sources, dont l'une fut isolée par certains exégètes comme un récit indépendant; on trouva aussi deux couches dans E, deux autres dans D et l'on isola dans P plusieurs recueils législatifs. Dans la Bible du Centenaire (1941), A. Lods distingue trois couches dans J, quatre dans E, six dans D, neuf dans P, sans compter les additions réparties entre huit rédacteurs. Il semble qu'en appliquant jusqu'au bout ses propres critères, la théorie documentaire se dissolve elle-même. Ses partisans, d'ailleurs, ne s'accordent pas toujours sur le découpage précis des textes.

Une réaction se dessine nettement depuis une vingtaine d'années. Les progrès faits par l'archéologie et l'histoire des civilisations orientales voisines d'Israël ont montré, d'une part, que l'écriture et l'activité littéraire avaient commencé bien plus tôt qu'on ne pensait, d'autre part, que beaucoup des institutions ou des lois du Pentateuque avaient des parallèles extra-bibliques très antérieurs aux dates qu'on attribuait aux « documents », enfin, que nombre des récits du Pentateuque supposaient un milieu autre — et plus ancien — que celui d'où seraient sortis ces « documents ». La construction historique que Wellhausen avait associée à la théorie documentaire était ainsi ébranlée. On se désaffectionnait en même temps d'une critique littéraire poussée à l'extrême et l'on s'intéressait moins à la rédaction des « livres » qu'à la formation des « traditions ». Ce fut surtout l'œuvre de la nouvelle école scandinave d'exégèse (Nyberg, Birkeland, Pedersen et surtout Engnell, 1945). Elle reconnaît sans doute que certains textes ont pu être fixés très tôt par écrit, mais elle accorde une part prépondérante à la tradition orale, extrêmement fidèle pour le fond, mais s'exprimant différemment selon les milieux. Aux yeux de ces exégètes, il importe peu que la rédaction du Pentateuque soit tardive si son contenu est ancien et la tâche difficile des exégètes est de déterminer l'histoire des traditions particulières qu'il contient.

Il est d'ailleurs malaisé de définir brièvement l'état actuel de cette question. Il n'y a plus d'opinion commune, le conformisme du début de ce siècle est rompu et chaque exégète est à la recherche d'une solution personnelle. C'est une crise dont la théorie documentaire classique ne sortira pas indemne, mais on ne voit pas encore se dégager une théorie nouvelle qui s'imposera comme elle. On s'oriente certainement vers une conception moins livresque, plus proche des réalités vivantes.

**Composition
du Pentateuque.**

On comprendra, dans ces conditions, que la Commission Biblique Pontificale, le 27 juin 1906, ait mis les exégètes catholiques en garde contre la théorie documentaire et leur ait demandé de maintenir l'authenticité mosaïque substantielle du Pentateuque considéré dans son ensemble, tout en reconnaissant l'existence possible, d'une part, de traditions orales et de documents écrits antérieurs à Moïse, d'autre part, de modifications et d'additions postérieures. Plus explicitement, dans une lettre au Cardinal Suhard (16 janvier 1948), le secrétaire de la Commission Biblique a admis l'existence de sources et un accroissement progressif des lois mosaïques et des récits historiques, dû aux conditions sociales et religieuses des temps postérieurs, et il a invité les savants catholiques à étudier ces problèmes sans parti pris.

Quelle que soit la solution sur laquelle on s'accorde un jour, l'énorme travail de critique poursuivi depuis deux siècles n'aura pas été perdu. Il a mis en lumière des faits indéniables. D'un bout à l'autre du Pentateuque, on rencontre des doublets, des répétitions et des discordances. La *Genèse* débute par deux récits juxtaposes de la création, Gn **1** 1-2 4ᵃ et **2** 4ᵇ-3 24. Il y a deux généalogies de Caïn-Qénân, Gn **4** 17 s et **5** 12-17. Les ch. **6-8** contiennent deux histoires du déluge, où le cataclysme est produit par des agents différents et a une durée différente, où Noé embarque dans l'arche un nombre différent d'animaux. Deux fois, Abraham risque l'honneur de Sara en la faisant passer pour sa sœur, Gn **12** 13 s et **20** 1 s, et la même aventure est racontée d'Isaac et de Rébecca, **26** 7 s. Il y a deux manières de raconter l'enlèvement de Joseph (par les Madianites, avec l'intervention de Ruben; par les Ismaélites, avec l'intervention de Juda, Gn **37** 18-35), ses débuts en Égypte (chez Potiphar qui lui confie des prisonniers; chez un anonyme qui le fait mettre en prison, Gn **39**), le second voyage des fils de Jacob en Égypte (Ruben, puis Juda se portant garants pour Benjamin, Gn **42** 37 et **43** 9). Le beau-père de

Moïse est appelé tantôt Réuel, Ex 2 18; Nb 10 29, tantôt
Jéthro, Ex 3 1; 18 1. Il y a deux vocations de Moïse, Ex 3 et 6,
avec deux révélations du nom de Yahvé, qui était cependant
invoqué dès avant le déluge d'après Gn 4 26. Il y a plusieurs
présentations différentes des plaies d'Égypte, Ex 6 à 12. Il est
question deux fois des eaux de Mériba, où les Israélites contes-
tèrent avec Yahvé, Ex 17 7 et Nb 20 13. On peut relever bien
d'autres cas analogues.

On pourrait répondre — et on a répondu — qu'il n'est pas
inouï qu'un même fait se reproduise deux fois, que les récits
oraux aiment les répétitions, que la mentalité primitive n'a pas
nos exigences de logique. Mais ces explications paraissent
insuffisantes, car ces textes qui, quant au fond du récit, apparaissent comme des doublets, diffèrent par le style, par le vocabulaire, par la façon dont ils représentent Dieu et ses rapports avec les hommes. Sans doute, il est trop mécanique de
se représenter le Pentateuque comme une compilation de
« documents », matériellement fixés par écrit et qu'on aurait
démembrés, reclassés, interpolés par des procédés de composition littéraire : on a vu à quelles difficultés aboutissait une
« hypothèse documentaire » ainsi entendue. Mais les faits
observés imposent avec force l'idée que, du moins, plusieurs
traditions ou cycles de traditions se combinent dans le
Pentateuque.

Les textes se groupent par des affinités de langue, de manière,
de concepts, ce que l'on peut appeler des « constantes », qui
déterminent des lignes parallèles que l'on suit à travers le Pentateuque. Ce groupement peut ne pas différer beaucoup de
celui que propose la critique littéraire, car celle-ci utilise les
mêmes critères, mais il est plus souple et ne prétend pas aboutir
à la reconstitution de « documents » suivis, entre lesquels sont
répartis tous les versets ou les demi-versets de la Bible. On ne
parlera donc pas ici des « documents » J, E, D et P, mais des
« traditions yahviste, élohiste et sacerdotale » dans les quatre
premiers livres du Pentateuque, le *Deutéronome* et la « tradition
deutéronomique » posant un problème à part.

Caractères des diverses traditions. Astruc avait, le premier, dégagé la « constante » des noms divins : une série de textes désigne Dieu par le nom de forme plurielle *Élohim,* commun aux langues sémitiques, jusqu'à la révélation faite au Sinaï du nom propre du Dieu d'Israël, *Yahvé.* Mais une autre série utilise *Yahvé* dès le récit de la création : c'est la tradition « yahviste ». Les récits qui en proviennent se caractérisent, outre des particularités de vocabulaire, par leur style vivant et coloré, leur psychologie délicate; il y a de merveilleux morceaux : le paradis terrestre et la chute des premiers parents, l'histoire de Sodome et de Gomorrhe, le mariage d'Isaac, Joseph reconnu par ses frères. Sous une forme imagée, presque naïve, on donne une réponse profonde aux graves problèmes que pose l'existence du mal dans un monde créé bon par Dieu : pourquoi la mort, les douleurs de la femme et les sueurs de l'homme, Gn **3** ? pourquoi la dispersion et l'incompréhension mutuelle des peuples, Gn **11** ? les justes peuvent-ils intercéder pour les coupables, Gn **18** ? Le développement moral de l'humanité est retracé en couleurs sombres, mais l'histoire de ces chutes répétées est transformée en une histoire de salut par les interventions éclatantes ou par la providence cachée de Dieu, qui sauve Noé, conduit Abraham, ramène Jacob, élève Joseph, fait sortir le peuple d'Égypte et le guide au désert. Des rapports étroits, concrets, unissent l'homme à Dieu qui apparaît sous forme humaine, agit à la manière humaine, éprouve des sentiments humains : Yahvé modèle l'homme comme ferait un potier, il se promène au paradis à la brise du soir, il reçoit l'hospitalité d'Abraham et converse avec lui, il se repent et il s'irrite. Mais ces anthropomorphismes recouvrent un sens très élevé de Dieu, qui reste toujours le maître de sa créature, qui ne s'abaisse pas en s'occupant d'elle, qui garde inaltérée sa sainteté essentielle.

En dehors de l'emploi du nom divin *Élohim* et d'expressions particulières, la tradition « élohiste » se distingue par un style plus sobre. Surtout, elle évite les anthropomorphismes en parlant de Dieu, qu'elle sépare davantage de l'homme : les révélations se font généralement de manière plus immatérielle, Dieu demeure invisible, il parle du milieu du feu ou des nuages, souvent en songe, et la médiation des anges est plus fréquente. Sa réaction contre les usages religieux populaires, comme les *teraphim,* Gn 35 2; cf. 31 19, paraît plus nette que dans les passages « yahvistes » et sa morale est plus exigeante (comparer 20 et 12, ou Gn 31 5 s et 30 37 s). Les grands récits des origines manquent dans cette tradition, qui ne commence qu'avec Abraham (Gn 20, moins probablement dès Gn 15).

Les traditions « yahviste » et « élohiste » ne contiennent, en dehors des narrations, que deux courts recueils législatifs, le code de l'alliance « yahviste », Ex 34, et le code de l'alliance « élohiste », Ex 21-23. Les lois constituent au contraire le noyau de la tradition « sacerdotale » et tout le *Lévitique,* qui lui est attribué, ne contient rien d'autre. Le caractère « sacerdotal » se manifeste par l'intérêt porté, dans l'*Exode,* à l'organisation du sanctuaire, dans les *Nombres,* aux sacrifices et aux fêtes, d'un bout à l'autre, à la personne et aux fonctions d'Aaron et de ses fils. Mais en plus des sections juridiques ou institutionnelles, cette tradition comporte aussi des parties narratives, à commencer par le premier chapitre de la *Genèse,* et l'on retrouve jusque dans ces narrations l'esprit liturgique et légaliste qui l'anime. S'il est difficile de lier les différents récits « sacerdotaux » en une trame continue, il apparaît néanmoins que cette tradition a donné au Pentateuque son cadre définitif. Elle divise l'histoire religieuse du monde en quatre âges : celui de la Création, celui de Noé, celui d'Abraham, celui de Moïse, et toute cette histoire est ponctuée d'indications chronologiques précises, permettant de restituer une ère de la création, qui est restée celle du comput juif. De longues généalogies montrent la continuité des lignées humaines et des recensements détaillés attestent la croissance du peuple élu, de Gn 46 8-27 à Nb 1-3 et 26. Les progrès de la révélation sont marqués par les différents noms divins : d'abord le commun *Élohim*, puis *El-Shaddaï* pour les Patriarches, enfin *Yahvé* pour Israël. L'idée de Dieu y est transcendante, tout anthropomorphisme est banni et la distance entre Dieu et l'homme s'exprime concrètement dans l'ordre du camp au désert, Nb **2**, où les prêtres et les lévites sont placés entre le Tabernacle et le peuple, comme une barrière et aussi comme des intermédiaires obligés. Le style de ces morceaux « sacerdotaux » se reconnaît aisément. Il est généralement abstrait et redondant, il ne varie guère ses formules et bien rarement il descend au détail de Gn **23** ou atteint la majesté de Gn **1**.

Les « sources » yahviste, élohiste et sacerdotale ne paraissent plus dans le *Deutéronome* et, inversement, la rédaction deutéronomiste ne s'est pas étendue, sauf peut-être par quelques retouches, aux quatre premiers livres du Pentateuque. A ceux-ci, le *Deutéronome* se rattache par sa matière : ses lois doublent en partie celles des autres codes, ses récits et ses discours reprennent les événements qui se sont déroulés depuis le départ de l'Horeb et les conduisent jusqu'à la mort de Moïse. Mais l'esprit et la forme sont différents : cette histoire est interprétée en fonction de l'amour que Yahvé porte à Israël et qu'Israël doit lui rendre. Yahvé a élu Israël pour être son peuple et Israël doit reconnaître Yahvé pour son Dieu, à l'exclusion de tout autre, lui rendre un culte dans son unique sanctuaire. S'il est fidèle, il jouira paisiblement de la Terre Promise, s'il abandonne Yahvé, il sera sévèrement puni. Cet enseignement est donné dans un style parénétique, qui affecte même la formulation des lois. Ce style, ces exhortations, cette doctrine de l'élection se poursuivent dans les livres de *Josué*, des *Juges*, de *Samuel* et des *Rois*, qui forment avec le *Deutéronome* un ensemble littérairement homogène. Pour réunir dans le Pentateuque tout ce qui concernait l'œuvre de Moïse et l'établissement de la Loi, on aurait détaché de cet ensemble le *Deutéronome* et on l'aurait ajouté au « Tétrateuque », en place d'une conclusion primitive qui relatait simplement la mort de Moïse et dont les vestiges seraient conservés dans Dt **34**.

Dates et milieux d'origine. Si l'on considère les éléments ainsi distingués dans le Pentateuque comme des « documents » écrits, on cherchera à établir la date de leur « composition », de leurs « éditions » successives, des « rédactions » qui les ont combinés, des « additions » qu'ils ont reçues. Les partisans de la théorie documentaire s'y sont toujours essayés, mais les plus autorisés d'entre eux renoncent généralement aujourd'hui à préciser autant qu'on le faisait naguère. Si les composants du Pentateuque sont des « traditions » qui se sont formées, ont vécu, se sont développées parallèlement, l'on ne peut que déterminer approximativement l'époque où chaque tradition s'est constituée avec ses traits essentiels à partir de récits oraux ou écrits, parfois beaucoup plus anciens. En face de cette question de fond, la date des rédactions finales est un problème de moindre importance.

Dans les deux théories, le point fixe est fourni par le *Deutéronome,* qui a un rapport certain avec la réforme de Josias, à la fin du VIIᵉ siècle. Mais ce livre a une préhistoire et ensuite une évolution, qui sont exposées dans l'introduction qui lui est spéciale. La tradition « sacerdotale » est postérieure : elle s'est constituée comme telle pendant l'Exil et ne s'est imposée qu'après le Retour. Les traditions « yahviste » et « élohiste » sont antérieures : la tradition « yahviste » a pris corps et a peut-être été couchée par écrit pour l'essentiel dès le règne de Salomon, la tradition « élohiste » ne peut pas être beaucoup plus jeune.

Il est plus important de déterminer les milieux d'où émanent ces courants de pensée. On les rattachera volontiers aux sanctuaires où se rassemblait Israël. On y exaltait les actions puissantes de Dieu, ses bienveillances pour le peuple qu'il avait choisi, on y racontait les aventures et les hauts faits des ancêtres. Ces récits épiques servaient de commentaire aux fêtes où l'on commémorait les interventions de Dieu dans la vie du peuple. Plus aisément encore que pour ces sections narratives, on admettra que les recueils législatifs se sont formés dans les sanctuaires : ceux-ci avaient besoin de lois sacrées, réglant l'ordonnance du culte, le statut des prêtres, les devoirs des fidèles; on y venait chercher des décisions juridiques et des directives morales, tout ce qu'incluait pour un esprit hébreu le concept de *tôrâ,* la Loi.

La tradition « yahviste » est certainement d'origine judéenne. Pour ne citer que deux indices, elle est seule à s'étendre sur les épisodes qui ont pour théâtre Hébron et ses environs, elle donne à Juda le beau rôle dans l'histoire de Joseph. Par contraste, on attribue communément la tradition « élohiste » aux tribus du Nord, bien que les arguments ne soient pas absolument probants. Le code deutéronomique paraît repré- senter, pour son fond, les coutumes du Nord, apportées à Jérusalem par des Lévites après la ruine du royaume d'Israël. Par contre la tradition « sacerdotale » provient des prêtres du Temple de Jérusalem.

Moïse et le Pentateuque. Mais, d'avoir déterminé ap- proximativement la date et les milieux où se sont constituées ces traditions ne décide pas encore de leur origine première.

Car il est un fait remarquable : malgré les traits qui les dis- tinguent, ces traditions diverses ont une ressemblance pro- fonde, une parenté indéniable. Les récits « yahviste » et « élohiste » peuvent ne pas se recouvrir toujours et suivre cha- cun sa voie, mais ils courent parallèlement l'un à l'autre, ils racontent substantiellement la même histoire : ces deux tradi- tions ont donc une origine commune. D'autre part, elles supposent des conditions politiques et sociales, un cadre géo- graphique et historique qui ne correspondent pas à l'époque présumée où elles se sont constituées mais que l'archéologie et les textes orientaux justifient pour l'époque où se passèrent les événements qu'elles racontent. Leur origine commune remonte donc à cette époque, qui est celle où se forma le peuple d'Israël.

Les mêmes remarques peuvent être faites, avec des nuances, pour les sections législatives. Sans doute, le Code de l'Alliance, le *Deutéronome,* le *Lévitique* présentent des différences d'esprit et de formulation qui s'expliquent par les milieux différents, par le changement des circonstances et des idées, mais, outre certaines dispositions semblables, on y retrouve les mêmes principes juridiques, les prescriptions d'une même religion, les règles d'un même culte. C'est le droit civil et religieux du peuple d'Israël : il a évolué en même temps que la communauté qu'il gouvernait, mais son origine se confond avec celle du peuple. Il a toujours conservé des éléments anciens : le « code sacerdotal » peut bien n'avoir été fixé qu'après l'Exil, mais la Loi de Sainteté de Lv 17-25 remonte à la Monarchie, les prohibitions alimentaires de Lv 11, comme celles de Dt 14, ou les règles de pureté de Lv 15 sont héritées d'un âge primitif, le rituel des fêtes et des sacrifices dans tout le Pentateuque reste, pour l'essentiel, celui des débuts du Yahvisme et continue même des usages antérieurs. Pour le droit civil, le Code de l'Alliance, Ex 21-23, se rencontre d'une manière frappante avec les lois de Babylone ou d'Assyrie, promulguées les unes bien avant, les autres très peu après l'Exode des Israélites.

Ainsi, le fond du Pentateuque, la substance des traditions qu'il incorpore, le noyau de sa législation remontent au temps où Israël se constitua en peuple. Or cette époque est dominée par la figure de Moïse : il a été l'organisateur du peuple, son initiateur religieux, son premier législateur. Les traditions antérieures qui aboutissent à lui et les événements qu'il a dirigés sont devenus l'épopée nationale, la religion de Moïse a marqué pour toujours la foi et la pratique du peuple, la loi de Moïse est restée sa norme. Les adaptations que commmanda le changement des temps se firent selon son esprit et se couvrirent de son autorité.

C'est ce rôle historique que la tradition exprime en attachant au Pentateuque le nom de Moïse, et sur ce point elle est très ferme. Mais elle est beaucoup moins explicite, jusqu'à la période juive, pour attribuer à Moïse lui-même la rédaction des livres. Lorsqu'elle dit que « Moïse a écrit », elle s'exprime en termes généraux; jamais elle ne se réfère sous cette forme à l'ensemble du Pentateuque. Quand le Pentateuque lui-même emploie, très rarement, cette formule, il l'applique à un passage particulier, ainsi Ex 24 4, cf. v. 7, vise le Code de l'Alliance « élohiste » d'Ex 21-23, de même qu'Ex 34 27 se rapporte au Code de l'Alliance « yahviste » d'Ex 34 10-26; l'indication d'Ex 17 14 concerne le récit de la victoire contre les Amalécites, racontée aux vv. 8-13, et Nb 33 2 introduit seulement l'itinéraire au désert donné dans la suite du chapitre. Il n'y a pas lieu de mettre en doute ces témoignages sur une certaine activité littéraire de Moïse ou de son entourage. De son temps, pour ne rien dire de l'Égypte et de la Mésopotamie, il y avait, en Canaan, une littérature que les textes de Râs Shamra nous ont révélée, et l'on disposait de plusieurs systèmes d'écriture. Il est donc vraisemblable que certaines narrations et certaines lois ont été mises très tôt par écrit. Il serait vain de chercher à déterminer l'étendue de cette première rédaction et il importe beaucoup plus d'affirmer l'origine mosaïque première des traditions qui composent le Pentateuque. Elles restèrent des traditions vivantes, qui portent la marque des milieux, où elles se sont conservées en se développant, et des conditions nouvelles auxquelles on leur demandait de répondre. Elles devinrent inséparables de la vie du peuple lui-même et, parce qu'elles étaient vivantes, elles maintinrent l'élan que Moïse avait donné.

Sens du Pentateuque. Cette analyse littéraire n'est pas un vain jeu d'érudits. Si incertaine et hypothétique qu'elle soit, elle propose une solution aux difficultés qui déconcertent tout lecteur attentif du Pentateuque. Elle permet d'en mieux pénétrer le sens, de l'explorer dans toutes ses dimensions. Un texte provenant de la tradition « yahviste », par exemple, ne sera pleinement compris que s'il est rapproché des autres passages « yahvistes », s'il est situé dans le développement de cette tradition et interprété en fonction de ses tendances et de sa doctrine. Sur ces caractéristiques de chaque tradition, l'essentiel a été dit plus haut et les introductions ou les notes de chaque livre aideront à le préciser.

Mais le Pentateuque, tel qu'il fut finalement constitué et qu'il nous est parvenu, a un sens général, qui est la résultante des forces variées qui le composent. La religion de l'Ancien Testament, comme celle du Nouveau, est une religion historique : elle se fonde sur la révélation faite par Dieu à tels hommes, en tels lieux, en telles circonstances, sur les interventions de Dieu à tels moments de l'évolution humaine. Le Pentateuque, qui retrace l'histoire de ces relations de Dieu avec le monde, est le fondement de la religion juive, il est devenu son livre canonique par excellence, sa Loi.

L'Israélite y trouvait l'explication de sa destinée. Il n'avait pas seulement, au début de la *Genèse,* la réponse aux questions que se pose tout homme sur le monde et la vie, sur la souffrance et la mort, mais il avait la réponse à son problème particulier : pourquoi Yahvé l'Unique est-il le Dieu propre d'Israël, pourquoi Israël est-il son peuple entre toutes les nations de la terre ?

C'est parce qu'Israël a reçu la promesse. Le Pentateuque est le livre des promesses : à Adam et Ève après leur chute, l'annonce du salut lointain, le Protévangile; à Noé après le déluge, l'assurance d'un nouvel ordre du monde; à Abraham surtout. La promesse qui lui est faite est renouvelée à Isaac et à Jacob et elle atteint tout le peuple qui est issu d'eux. Cette promesse vise immédiatement la possession du pays où vécurent les Patriarches, la Terre Promise, mais elle comporte bien davantage : elle signifie que des relations spéciales, uniques, existent entre Israël et le Dieu des Pères.

Car Yahvé a appelé Abraham et, dans cette vocation, se préfigurait et se préparait l'élection d'Israël. C'est Yahvé qui a fait de lui *un* peuple et qui en a fait *son* peuple, par un choix gratuit, par un dessein amoureux, conçu dès la création et poursuivi à travers toutes les infidélités des hommes.

Cette promesse et ce choix sont garantis par une alliance. Le Pentateuque est aussi le livre des alliances. Il y en a une déjà, mais tacite, avec Adam, elle est explicite avec Noé, avec Abraham, avec tout le peuple enfin, par le ministère de Moïse. Ce n'est point un pacte entre égaux, car Dieu n'en a pas besoin et il en prend l'initiative. Cependant, il s'y engage, il s'y lie d'une certaine manière par les promesses qu'il fait. Mais il exige en contrepartie la fidélité de son peuple : le refus d'Israël, son péché, peut rompre le lien qu'a formé l'amour de Dieu.

Les conditions de cette fidélité sont réglées par Dieu lui-même. Au peuple qu'il s'est choisi, Dieu donne sa loi. Celle-ci l'instruit de ses devoirs, règle sa conduite conformément au vouloir divin et, en maintenant l'alliance, prépare l'accomplissement des promesses.

Ces thèmes de la Promesse, de l'Élection, de l'Alliance, de la Loi sont les fils d'or qui se croisent sur la trame du Pentateuque, et ils continuent de courir dans tout l'Ancien Testament. Car le Pentateuque n'est pas complet en lui-même : il dit la promesse mais pas la réalisation puisqu'il s'achève avant l'entrée en Terre Promise. Ce n'est point un hasard de composition littéraire, qui l'aurait privé d'une conclusion que certains cherchent dans le livre de *Josué,* c'est parce que le Pentateuque devait rester ouvert comme une espérance et une contrainte. Espérance dans les promesses, que la conquête de Canaan avait paru accomplir (Jos **23** 14), mais que les péchés du peuple avaient compromises et que les exilés se rappelaient à Babylone. Contrainte d'une loi toujours pressante, qui restait dans Israël comme un témoin contre lui (Dt **31** 26).

Cela dura jusqu'au Christ, qui est le terme où tendait obscurément cette histoire du salut et qui lui donne son sens. Saint Paul en dégage la signification (surtout Ga **3** 15-29). Le Christ conclut la Nouvelle Alliance, que préfiguraient les pactes anciens, et il y fait entrer les chrétiens, héritiers d'Abraham par la foi. Quant à la Loi, elle a été donnée pour garder les promesses, comme un pédagogue conduisant au Christ, en qui ces promesses se réalisent.

Le chrétien n'est plus sous le pédagogue, il est affranchi des observances de la Loi, mais point de son enseignement moral et religieux. Car le Christ n'est pas venu abroger mais parfaire, Mt **5** 17, le Nouveau Testament ne s'oppose pas à l'Ancien, il le prolonge. Non seulement l'Église a reconnu dans les grands événements de l'époque patriarcale et mosaïque, dans les fêtes et les rites du désert (sacrifice d'Abraham, passage de la mer Rouge, la Pâque, etc.) les réalités de la Loi Nouvelle (sacrifice du Christ, baptême, la Pâque chrétienne), mais la foi chrétienne exige la même attitude fondamentale que les récits et les préceptes du Pentateuque commandaient aux Israélites. Nous y entendons la voix de notre Dieu, qui est « Dieu d'Abraham, Dieu d'Isaac, Dieu de Jacob, non des philosophes et des savants... Dieu de Jésus-Christ » (Pascal). Et c'est pourquoi le Pentateuque, qui fut la charte du Judaïsme, continue de nourrir la méditation des chrétiens.

INTRODUCTION A LA GENÈSE

Composition. Le premier livre du Pentateuque, la *Genèse,* raconte l'histoire des promesses depuis la création d'Adam jusqu'à la mort de Joseph. On y dicerne l'apport des trois traditions « yahviste », « élohiste » et « sacerdotale ». Leurs tendances et leur origine ont été définies, pour tout le Pentateuque, dans les pages qui précèdent et il est d'autant moins utile d'y revenir que les arguments avaient été délibérément choisis dans la *Genèse* elle-même. Il suffira d'indiquer ici les éléments et la suite de chaque tradition ; ce classement reste hypothétique — comme la théorie qui l'inspire — et il est souvent impossible de faire jusque dans le détail le départ entre les traditions.

Tradition « yahviste ».

Création d'Adam et d'Ève, le Paradis terrestre, la tentation et la chute, l'expulsion du Paradis, 2 4ᵇ-3 24. — Caïn et Abel, 4 ; corruption croissante de l'humanité, 6 1-8. — Noé sauvé du déluge (uni à la tradition « sacerdotale »), 7-8. — Les fils de Noé, péché et malédiction de Canaan, 9 18-27. — Le peuplement de la terre, 10 8-19, 24-30. — La tour de Babel et la dispersion des peuples, 11 1-9.

Vocation d'Abraham, arrivée en Canaan, séjour en Égypte, 12, séparation d'avec Lot, 13. — Promesses et alliance divines (déjà traces « élohistes » ?), 15. — Naissance d'Ismaël, 16. —

Apparition de Mambré, promesse de la naissance d'Isaac, intervention d'Abraham en faveur de Sodome, **18**. — Destruction de Sodome, Lot sauvé, les filles de Lot, **19**. — Naissance d'Isaac (uni à la tradition « sacerdotale »), **21** 1-7. — Abraham et Abimélek à Bersabée (uni à la tradition « élohiste »), **21** 22-34. — (Sacrifice d'Abraham, traces dans le récit « élohiste », **22**).

Mariage d'Isaac, **24**. — Fils de Qetura, mort d'Abraham (uni à la trad. « sacerdotale »), **25** 1-10. — Naissance d'Ésaü et de Jacob. Ésaü cède son droit d'aînesse, **25** 19-34. — Isaac à Gérar, **26**.

Jacob surprend la bénédiction d'Isaac et s'enfuit chez Laban, **27** 1-45. — Songe de Jacob (uni à la trad. « élohiste »), **28** 10-22. — Jacob chez Laban, ses mariages, ses enfants, sa richesse (avec traces « élohistes » ?), **29-30**. — (Jacob s'enfuit de chez Laban, traces dans le récit « élohiste », **31** 1-**32** 3). — Jacob prépare sa rencontre avec Ésaü, **32** 4-14. — La lutte avec Dieu, **32** 23-33. — Rencontre avec Ésaü et séparation, **33**. — L'outrage fait à Dina et l'affaire de Sichem (uni à la trad. « élohiste » ?), **34**. — Inceste de Ruben, **35** 21-22ᵃ. — Femmes et enfants d'Ésaü (ou « élohiste » ?), **36** 1-5.

Histoire de Joseph. Intervention de Juda, Joseph est vendu aux Ismaélites, **37** en partie. — Histoire de Juda et de Tamar, **38**. — Joseph est vendu à un Égyptien, dont la femme le calomnie, il est mis en prison, **39**. — (Joseph interprète les songes de Pharaon, traces dans le récit « élohiste », **41**). — (Premier voyage des frères de Joseph en Égypte, traces dans le récit « élohiste », **42**). — Second voyage des frères en Égypte, **43**. — Joseph éprouve une dernière fois ses frères, **44**. — Joseph se fait reconnaître (uni à la trad. « élohiste »), **45**. — Jacob et sa famille descendent en Égypte (uni à la trad. « élohiste »), **46** 1-6. — Accueil de Joseph et de Pharaon, **46** 28-**47** 6. — Politique agraire de Joseph, **47** 13-26. — Dernières volontés de Jacob, **47** 27-31. — Jacob adopte et bénit Éphraïm et Manassé (uni à la trad. « élohiste »), **48** 1-2,

7-22. — Funérailles de Jacob (uni à la trad. « élohiste »),
50 1-11, 14.

Tradition « élohiste ».
(Pas d'histoire primitive.)
(Promesses à Abraham et alliance divine, traces dans **15** ?).
— Abraham et Sara à Gérar, **20**. — Renvoi d'Agar et d'Is-
maël, **21** 8-21. — Abraham et Abimélek à Bersabée (uni à la
trad. « yahviste »), **21** 22-34. — Sacrifice d'Abraham (avec
traces « yahvistes »), **22**.
(Rien d'assuré pour le cycle d'Isaac.)
Songe de Jacob (uni à la trad. « yahviste »), **28** 10-22. —
(Jacob chez Laban, traces dans le récit « yahviste », **29-30**). —
Jacob s'enfuit de chez Laban (avec traces « yahvistes »), **31**
1-**32** 3. — Jacob prépare sa rencontre avec Ésaü, **32** 14-22.
— Outrage fait à Dina et affaire de Sichem (uni à la trad.
« yahviste » ?), **34**. — Jacob à Béthel (uni à la trad. « sacerdotale »), naissance de Benjamin, mort de Rachel, **35** 1-19. —
Femmes et enfants d'Ésaü (ou « yahviste » ?), **36** 1-5. —
Histoire de Joseph. Intervention de Ruben, Joseph est
enlevé par les Madianites, **37** en partie. — Joseph, vendu à
Potiphar, est chargé du service des prisonniers du roi, il interprète leurs songes, **40**. — Joseph interprète les songes de Pharaon (avec traces « yahvistes »), **41**. — Premier voyage des
frères de Joseph en Égypte (avec traces « yahvistes »), **42**. —
(Second voyage des frères en Égypte, traces dans le récit « yahviste », **43**). — Joseph se fait reconnaître (uni à la trad. « yahviste »), **45**. — Jacob et sa famille descendent en Égypte (uni
à la trad. « yahviste »), **46** 1-6. — Jacob adopte et bénit
Éphraïm et Manassé (uni à la trad. « yahviste »), **48** 1-2, 7-22.
— De la mort de Jacob à la mort de Joseph, **50** 15-26.

Tradition « sacerdotale ».
La création, **1** 1-**2** 4ᵃ. — La descendance d'Adam jusqu'à
Noé, **5**. — L'histoire de Noé, l'arche, **6** 9-22, le déluge (uni à
la trad. « yahviste »), **7-8**. — L'alliance avec Noé, **9** 1-17. —

La descendance de Noé, la table des peuples, **10** 1-7, 20-23, 31-32. — La descendance de Sem, **11** 10-26. — La descendance de Térah jusqu'à Abram, **11** 27-32. Naissance d'Ismaël, **16** 3, 15-16. — Alliance de Dieu avec Abram, dont le nom est changé en Abraham, la circoncision, **17**. — Naissance d'Isaac (uni à la trad. « yahviste »), **21** 1-7. — Mort de Sara, achat de la grotte de Makpéla, **23**. — Mort d'Abraham, descendance d'Ismaël (uni à la trad. « yahviste »), **25** 7-18. Repères chronologiques pour Isaac, **25** 19-20, 26. Isaac envoie Jacob en Mésopotamie, **27** 46-**28** 5. — Mariages d'Ésaü, **26** 34-35; **28** 6-9. — Jacob à Béthel (uni à la trad. « élohiste »), **35** 6, 9, 15. — Les douze fils de Jacob, mort d'Isaac, **35** 22ᵇ-39. — Les chefs d'Édom, **36** 40-**37** 1. La famille de Jacob, **46** 8-27. — Son installation en Égypte, **47** 6-11. — Mort de Jacob, **49** 29-33. — Sépulture de Jacob, **50** 12-13.

Pièces d'origine diverse.
Campagne des quatre grands rois, **14**.
Traditions édomites, **36** 9-14 (?), 15-39.
Bénédictions de Jacob, **49** 1-28.

Il apparaît aussitôt que la tradition « yahviste » assure au récit sa continuité et au livre son armature; elle lui donne sa perspective : l'histoire patriarcale se déroule sur le fond d'une histoire primitive qui recule l'horizon jusqu'aux origines du monde, et la destinée particulière d'Israël, qui est ici ébauchée, est replacée dans le grand dessein de Dieu concernant toute l'humanité. Par rapport au reste du Pentateuque, cette tradition occupe ici une place privilégiée.

La tradition « élohiste » est incomplètement préservée. Elle n'a jamais possédé, semble-t-il, les récits des origines, mais le ch. **20**, où elle apparaît (ou même le ch. **15**, si on tient à l'y retrouver déjà), ne peut pas avoir été son début absolu : elle devrait rapporter au moins la vocation d'Abraham

et son entrée en Canaan. Bien des épisodes de la tradition
« yahviste » n'y sont pas représentés et elle a peu de morceaux
qui lui soient propres, mais les récits parallèles et les points
de contact sont trop nombreux pour qu'on puisse la considérer
comme des compléments apportés à une tradition « yahviste »
préexistante : c'est une tradition sœur, suivant à peu près la
même ligne et couvrant le même domaine. Seulement, la fusion
s'est faite, généralement, au profit de la forme « yahviste »
qu'avait prise, en d'autres milieux, la tradition primitivement
commune.

La tradition « sacerdotale » suppose les deux précédentes.
Elle y introduit des dates, des listes, des généalogies, qui relient
les épisodes entre eux et les enserrent dans un cadre chronologique et ethnique. La lignée des Patriarches est établie sans
lacune, depuis Adam jusqu'aux fils et petits-fils de Jacob; les
lignes collatérales sont résumées au moment où elles se sépa-
rent du tronc principal. Les rares récits que cette tradition a
en propre témoignent de ses préoccupations légalistes : le repos
sabbatique à la fin de la création, l'alliance avec Noé, l'alliance
avec Abraham et la circoncision, l'achat de la grotte de Makpéla,
qui donne aux Patriarches un titre foncier en Canaan.

Plan et intention. Mais ces interventions ne
changent pas le plan et la doc-
trine de la *Genèse,* qui étaient
déjà fixés dans la tradition « yahviste ». Le livre se divise en
deux grandes parties inégales :

I. L'histoire primitive.

    1. La création et la chute, **1** 1-**6** 4.

    2. Le déluge, **6** 5-**9** 17.

    3. Du déluge à Abraham, **9** 18-**11** 32.

II. L'histoire patriarcale.

    1. Abraham, **12** 1-**25** 18.

    2. Isaac et Jacob, **25** 19-**37** 1.

    3. Joseph, **37** 2-**50** 26.

Avant le livre de l'*Exode,* où commencera l'histoire proprement dite du peuple d'Israël, la *Genèse* retrace l'histoire de ses ancêtres, qu'elle fait remonter jusqu'aux origines du monde et de l'humanité. La première partie, prenant à la création, s'arrête à la veille de la vocation d'Abraham; la seconde partie, qui s'ouvre par l'entrée d'Abraham en Canaan, se clôt sur l'annonce du retour de ses descendants dans la terre promise. Les thèmes de la Promesse, de l'Élection, de l'Alliance, qu'on a signalés plus haut dans tout le Pentateuque, se trouvent ici, mais chacune des grandes sections de la *Genèse* a sa dominante propre : dans l'histoire primitive, le dessein de Dieu mis en échec par les infidélités répétées des hommes; dans l'histoire d'Abraham, la foi éprouvée et récompensée (cf. He **11** 8 s, **17** s); dans celle de Jacob, la gratuité du choix divin, indépendant de la dignité du sujet (cf. Ml **1** 2-3; Rm **9** 13); dans celle de Joseph, la Providence divine qui déjoue les calculs des hommes et les tourne à ses fins.

Doctrine. Tous les événements sont donc présentés dans une perspective religieuse, et cela déjà est un enseignement, mais le livre porte aussi une doctrine. Sans doute, en la systématisant, ne tient-on pas compte de l'évolution qu'elle a eue à l'intérieur des traditions et donc on la nivelle, mais on la présente telle que l'Israélite la trouvait dans le Pentateuque en son dernier état, et c'est ce dernier état qui est entré au Canon et que l'Église propose comme Parole de Dieu aux fidèles de tous les temps.

Avant l'origine de toute chose, Dieu existait, il est donc éternel. Tout a été créé par lui, même la matière informe, **1** 1-2. Sa création n'a pas eu d'autre motif que de communiquer son bien et, en effet, toutes ses œuvres sont bonnes, **1** 4, etc. Par son souffle vivifiant, **1** 2, et par la puissance de son verbe, **1** 4, etc., il a appelé les êtres à l'existence. Dieu enfin crée l'homme à sa ressemblance, **1** 27, puis la femme, dépendante de l'homme mais maintenue à la dignité d'une compagne et d'une auxiliaire, **2** 18, 23. De ce couple unique, dérive toute l'humanité. L'homme fut établi dans un état de bonheur et d'innocence, 2 25, où il jouissait de la familiarité avec le Créateur.

Mais tentés par un être surnaturel, jaloux de Dieu et de l'homme, les premiers parents ont péché. Ce fut une faute d'orgueil, 3 5-6, s'exprimant par la transgression d'un précepte divin. Les conséquences de cette première chute, qui aura des répercussions infinies, se font aussitôt sentir : c'est la perte de l'amitié avec Dieu, 3 23-24, le désordre intérieur, 3 7, toute la séquelle des maux corporels, la mort enfin, 3 16, 19, dont l'intervention brutale ne tarde pas (meurtre d'Abel, 4 8). Cependant, Dieu avait adouci la condamnation par une annonce, encore voilée, du salut, c'est le « protévangile », 3 15.

L'homme est donc, depuis la faute, entraîné vers le mal, 6 5, 11; 8 21; 11 3 s, spécialement la concupiscence de la chair, 3 7; 6 2; 9 22, mais il doit dominer sa passion, 4 7. La morale lui prescrit en particulier le respect de la vie, 9 5-6, et la révérence envers les parents, 9 20-27. Le mariage était monogame, de par la volonté de Dieu, 2 24 (cf. Mt 19 4-6), et c'est dans la lignée pécheresse de Caïn qu'apparaît la polygamie, 4 19.

Tel est l'enseignement fondamental que donne l'histoire primitive. Il se précise dans les narrations de l'histoire patriarcale. Le Dieu qu'adorent Abraham, Isaac et Jacob est unique : autour de lui, pas de panthéon, à côté de lui, pas de parèdre. Il exige de ses fidèles une vénération sans partage et la maison de Jacob doit se défaire des dieux étrangers qu'elle a apportés d'au delà du Fleuve, 35 2. Ce Dieu a des rapports particuliers avec les Patriarches : il est le Dieu d'Abraham, 24 12, 27, le Dieu d'Isaac, 46 1, 3, ou le Parent d'Isaac, 31 42, 53, le Fort de Jacob et la Pierre d'Israël, 49 24. Il a des relations spéciales avec la terre de Canaan, où il s'est manifesté et qui deviendra l'héritage de son peuple, 12 7; 15 7, 18, mais sa puissance s'étend bien au delà : il fait sortir Abraham de Chaldée, 15 7, il accompagne en Harân le serviteur d'Abraham, 24 48, puis

Jacob, **30** 27, 30, Joseph en Égypte, **39** 2-3, 21-23, il punit
Pharaon, **12** 17, menace Abimélek, **20** 3 s, châtie Sodome, **19**,
il juge toute la terre, **18** 25.

Tous ces traits dépassent la simple monolâtrie, ils expriment
le monothéisme. Cependant, à cette première étape de la révélation, la vanité des idoles n'est exprimée nulle part, les étrangers reconnaissent ce Dieu comme spécial à Israël, **26** 28;
30 27, et la mention du dieu de Nahor, **31** 53, a embarrassé
la version grecque et le texte samaritain.

Tout dépend de Dieu et les hommes ne sont parfois que les
exécuteurs inconscients de ses desseins, **45** 8. Il accorde la
fécondité ou il la refuse, **15** 4; **21** 1; **30** 2, 17, 22. Il punit le
mal, **38** 7, spécialement les fautes contre nature, **19**; **38** 10,
mais il se laisse fléchir par la considération des justes, **18** 23-33.

Il entre en relation avec l'homme par des apparitions, **12** 7;
18 1, etc., sous les traits d'un Ange, **16** 7, 9-11; **21** 17; **22** 11, 15,
ou bien par des songes, **26** 24-25; **28** 12; **37** 5-11. Ces théophanies ont surtout pour objet de promettre aux patriarches
une nombreuse postérité et la possession du pays pour leurs descendants, **12** 2-3, 7; **13** 14-17; **15** 1 s. Ces promesses sont sanctionnées par un pacte, qu'il conclut avec Abraham, **15** 7 s, qu'il
renouvelle avec Isaac, **26** 2 s, et avec Jacob, **28** 13 s; **35** 11 s.

Dans le dessein de Dieu, cette alliance est perpétuelle, **17** 7,
mais l'homme doit y répondre par une foi obéissante, dont
Abraham donne l'exemple héroïque, **12** 1 s; **22**. La vie religieuse entretient ces rapports de l'homme avec Dieu. L'homme
invoque son nom, **21** 33, le prie, **25** 21. Il le prend à témoin
de ses serments, **21** 23; **24** 3; **25** 33; **26** 28; **50** 25. Il lui
demande un signe de sa volonté, **15** 8; **24** 12 s, ou il le consulte
pour en recevoir un oracle, **25** 22-23. Il s'engage envers lui
par des vœux, **28** 20. Les bénédictions que les Patriarches
donnent en son nom sont irrévocables, **27** 33; **48** 17 s.

Il n'y a pas de doctrine explicite sur l'état de l'homme après
la mort, mais l'importance qu'on accorde au choix de la sépulture et les soins dont on entoure les tombes, **23**; **35** 20; **47** 30;
49 29-31; **50** 5 et 13, supposent la croyance à une survie.

Le culte est encore rudimentaire. Il n'y a pas de sacerdoce constitué et le père de famille remplit l'office de prêtre. Abraham, Isaac et Jacob dressent des autels, **12** 7-8; **13** 18; **26** 25; **33** 20; **35** 7. Ils offrent des sacrifices, **22** 13; **31** 54; **46** 1, et la substitution du bélier à Isaac, **22**, souligne déjà l'horreur que le Dieu d'Israël a des immolations humaines. Ce culte se célèbre aux lieux consacrés par une théophanie (Béthel, Sichem, Mambré), ou bien près d'un puits ou d'un bouquet d'arbres, comme à Bersabée. Il est possible qu'en certains de ces endroits, d'autres divinités eussent déjà été honorées, mais le Dieu des Patriarches s'approprie ces sanctuaires en y apparaissant ou en s'y laissant adorer.

La Genèse et l'histoire. Il ne faut pas juger l'histoire des Patriarches, dans la *Genèse,* selon les règles du genre historique que pratiquent les modernes. Ceux-ci veulent, à partir de documents ou de témoignages contemporains, reconstituer objectivement les événements du passé, les expliquer, les dater, les rattacher à l'histoire générale. Mais l'histoire patriarcale a d'autre préoccupations.

C'est une histoire de famille. Elle donne les biographies des ancêtres, Abraham, Isaac, Jacob, Joseph. Les points de repère ne sont pas des faits politiques mais des événements de famille, naissances, mariages, morts. En conséquence, le cadre de cette histoire n'est pas celui d'une succession de chefs ou de gouvernements, mais celui d'une généalogie.

C'est une histoire populaire. Elle s'attarde aux anecdotes personnelles et aux traits pittoresques, aux explications étymologiques des noms de personnes ou de lieux, mais elle néglige ce qui paraîtrait essentiel à un historien moderne : elle n'a aucun souci de rattacher ces narrations à l'histoire générale. Il n'y a qu'une exception : le ch. **14**, qui précisément fait figure de bloc erratique.

C'est une histoire religieuse. En ce sens d'abord qu'elle voit dans les événements l'action directe de Dieu. Tous les tournants décisifs sont marqués par une intervention divine et tout y apparaît comme providentiel. Cette conception théologique est supérieurement vraie, mais ce n'est pas celle d'un historien moderne, lequel recherche les causes secondes qui gouvernent l'enchaînement des faits. C'est une histoire religieuse en ce sens encore que les faits sont introduits, expliqués et groupés en fonction de postulats religieux, pour la démonstration d'une thèse religieuse. Trois grandes idées vivent au fond de l'âme juive : *un* Dieu, *un* peuple, *un* pays. Et elles s'organisent ainsi : un Dieu qui forme un peuple et lui donne un pays, un peuple choisi par son Dieu pour posséder ce pays, un pays que ce Dieu réserve à ce peuple. Tel était le Credo que tout Israélite récitait en acquittant les dîmes, Dt **26** 5-9, telles sont les idées directrices de l'histoire patriarcale. Rapport entre Dieu et les Pères : théophanies personnelles et promesses d'une postérité; rapports entre Dieu et le pays : théophanies locales et promesses de la possession de Canaan; rapports entre les Pères et le pays : sanctuaires, campements, sépultures.

Mais, si les récits patriarcaux ne répondent pas à la conception moderne de l'histoire, ils sont néanmoins historiques, en ce sens qu'ils racontent, à leur manière, des événements réels, qu'ils donnent une image fidèle de l'origine et des migrations des ancêtres d'Israël, de leurs attaches géographiques et ethniques, de leur comportement social, moral et religieux. Les suspicions qui ont frappé ces récits devraient céder devant le témoignage favorable que leur apportent l'histoire et l'archéologie orientales. Les indications qu'ils nous donnent sur la Haute-Mésopotamie, où séjournèrent les ancêtres des Hébreux, concordent avec ce que nous apprennent les fouilles récentes et les textes qui y ont été découverts; l'entrée d'Abraham et de Lot en Canaan peut être mise en rapport avec les migrations de peuples, qui marquèrent le début du deuxième millénaire avant notre ère; la vie de pasteurs de petit bétail que mènent les Patriarches et leurs habitats en Canaan correspondent aux conditions climatiques et à la géographie politique de cette époque; la descente des fils de Jacob en Égypte est liée, d'une manière ou d'une autre, avec le mouvement des Hyksos, qui porta jusque dans la vallée du Nil des envahisseurs, sémites en majorité. Les coutumes sociales et juridiques des Patriarches ont des analogies dans la législation ou les usages des peuples voisins à la même époque.

Tous ces rapprochements certifient la valeur et l'ancienneté des traditions consignées dans la *Genèse*. Si l'on veut avoir des dates pour cette histoire patriarcale, on pourra dire — avec les réserves qu'imposent l'insuffisance des indications de la Bible et l'incertitude de la chronologie extra-biblique pour cette période — qu'Abraham vivait en Canaan aux environs de 1850 av. J. C., que Joseph faisait sa carrière en Égypte et que les autres fils de Jacob l'y rejoignirent un peu après 1700.

Les onze premiers chapitres de la *Genèse* sont à considérer à part. Leur sujet, origines du monde et de l'homme, n'appartient pas à l'histoire mais à la géologie, à la paléontologie, à la préhistoire, dans notre classification moderne des sciences. La Bible ne relève d'aucune de ces disciplines et, si on voulait la confronter avec les données de ces sciences, on ne pourrait aboutir qu'à une opposition irréelle ou à un concordisme factice. Ces premiers chapitres décrivent, de façon populaire, l'origine du genre humain; ils relatent, en un style simple et figuré, tel qu'il convenait à la mentalité d'un peuple peu cultivé, les vérités fondamentales présupposées à l'économie du salut : la création par Dieu au commencement des temps, l'intervention spéciale de Dieu produisant le premier homme et la première femme, un couple unique d'où descend toute l'humanité, un état originel d'intégrité morale et de bonheur, la faute des premiers parents, la déchéance et les peines héréditaires qui en furent le châtiment. Des hypothèses scientifiques, comme l'évolutionnisme matérialiste ou le polygénisme, ne peuvent pas prévaloir contre ces vérités qui touchent au dogme et qu'assure l'autorité de l'Écriture. Mais ces vérités sont en même temps des faits, et si les vérités sont certaines les faits sont donc réels. C'est en ce sens que les premiers chapitres de la *Genèse* ont un caractère historique.

La présentation a pu s'inspirer des narrations populaires qui se transmettaient chez les peuples voisins d'Israël, mais les comparaisons limitées que l'on peut établir font ressortir la supériorité des récits bibliques, leur sobriété, leur pureté morale et religieuse. Il est un autre point qu'il faut souligner : ces rapprochements s'instituent soit avec des traditions de Haute-Mésopotamie, soit avec la forme que des traditions plus communes avaient prises en Haute-Mésopotamie. Nous sommes ainsi conduits vers la région où habitèrent les ancêtres des Hébreux et d'où partit Abraham. Cela confirme à la fois l'historicité de la migration que relate la *Genèse* et la grande ancienneté des souvenirs qu'apportèrent avec eux les Pères et que se transmettaient leurs descendants, bien avant les jours de Moïse.

Le livre dans la vie de l'Église. La *Genèse* a été l'un des livres les plus commentés de l'Ancien Testament. Des traités spéciaux ont été consacrés à son premier chapitre, à « l'œuvre des six jours » de la création, l'*Hexaemeron ;* on en conserve de saint Basile et de saint Grégoire de Nysse parmi les Grecs, de saint Ambroise et de saint Bède chez les Latins, de Jacques d'Édesse chez les Syriaques, etc. Parmi les commentaires plus ou moins complets du livre, les plus importants sont, selon l'ordre des temps, les Homélies d'Origène sur la *Genèse,* le Commentaire de saint Éphrem, les Homélies et les Sermons de saint Jean Chrysostome, les fragments d'un commentaire de Théodore de Mopsueste, les *Quaestiones* de Théodoret, les petits traités de saint Ambroise sur le Paradis, sur Noé et l'Arche, sur Isaac, les *Quaestiones hebraicae* de saint Jérôme, les grandes œuvres de saint Augustin : *De Genesi ad litteram imperfectus liber, De Genesi ad litteram libri XII* (et la partie correspondante de ses *Quaestiones in Heptateuchum*), *De Genesi contra Manichaeos, Confessions XI-XIII,* puis les *Glaphyra* de saint Cyrille d'Alexandrie, l'*Interpretatio* de

Procope de Gaza, et la liste pourrait s'allonger des auteurs du Moyen Age...

En même temps qu'ils commentaient les enseignements de la *Genèse,* ou à d'autres occasions, beaucoup de Pères ont reconnu dans certains personnages ou dans certains épisodes, les figures des réalités de la Loi Nouvelle. Ils ont développé le parallèle entre Adam et le Christ, entre le Paradis et le baptême, entre le sommeil d'Adam et la naissance de l'Église. Ils ont vu dans le déluge un symbole à la fois du baptême et du jugement final, dans l'Arche une figure de l'Église. Abraham est devenu le modèle de la foi et de la fuite du monde. Le sacrifice d'Isaac a été expliqué comme préfigurant la passion du Christ. Ces rapprochements, qui s'amorcent pour la plupart dans le Nouveau Testament, et qui furent exploités très tôt, ont nourri la piété chrétienne et inspiré la liturgie.

Texte et versions. Le texte hébreu de la *Genèse,* très vite canonique chez les Juifs, a été bien transmis, comme généralement celui de tout le Pentateuque. La critique textuelle doit cependant s'y appliquer. Elle est aidée occasionnellement par le texte que les Samaritains ont conservé dans une tradition indépendante. Ce texte samaritain s'accorde souvent avec la traduction grecque des Septante mais, dans la majorité des cas, l'avantage reste au texte hébreu. Les autres traductions grecques sont celle d'Aquila, qui décalque servilement l'hébreu, de Symmaque, qui vise à l'élégance, de Théodotion, qui corrige les Septante d'après l'hébreu. La version syriaque s'accorde souvent avec les Septante contre l'hébreu, sans donner toujours une meilleure leçon. La Vulgate est assez fidèle; les autres versions latines dérivent du grec. Les Targums araméens sont moins des traductions que des interprétations. Les autres versions n'ont qu'une importance très secondaire.

LE LIVRE DE LA GENÈSE

I

LES ORIGINES DU MONDE ET DE L'HUMANITÉ

I. LA CRÉATION ET LA CHUTE

Premier récit de la création [a].

1. [1] Au commencement, Dieu créa le ciel et la terre [b]. [2] Or la terre était vague et vide [c], les ténèbres cou-

---

a) Ce récit, attribué à la source « sacerdotale », se distingue du suivant par son énoncé abstrait, son accent théologique, son souci d'un classement logique et exhaustif des êtres, créés suivant un plan réfléchi dans le cadre d'une semaine qui s'achève par le repos sabbatique. Le sens poétique est absent, mais une impression unique de grandeur se dégage de cette suite de strophes, où les êtres sortent du néant à l'appel de Dieu, selon un ordre croissant de dignité, jusqu'à l'homme, image de Dieu et roi de la création. Le tableau est tracé d'après une science encore dans l'enfance. Il faut répudier tout concordisme avec les connaissances actuelles et lire dans ce texte son enseignement éternel. Les contacts qu'on a relevés avec certaines cosmogonies orientales font seulement ressortir la transcendance de la Bible : seule elle met, à sa première page, le Dieu unique, antérieur au monde, et qui a tout créé sans effort.

b) On traduit aussi : « Au commencement que Dieu créa le ciel et la terre, la terre était ... » Mais la traduction que nous gardons est plus conforme à la grammaire et à l'idée que la rédaction « sacerdotale » se fait de la transcendance de Dieu. « Le ciel et la terre » représentent l'univers dans sa totalité et le premier verset de la Bible enseigne la création *ex nihilo*. Cependant, la doctrine ne trouvera sa formulation définitive que dans 2 M 7 28.

c) En hébreu *tohu* et *bohu,* deux mots qui font allitération et signifient

vraient l'abîme*a*, l'esprit de Dieu planait*b* sur les eaux.

³ Dieu dit : « Que la lumière soit » et la lumière fut.
⁴ Dieu vit que la lumière était bonne, et Dieu sépara la
lumière et les ténèbres. ⁵ Dieu appela la lumière « jour » et
les ténèbres « nuit ». Il y eut un soir et il y eut un matin :
premier jour.

⁶ Dieu dit : « Qu'il y ait un firmament*c* au milieu des
eaux et qu'il sépare les eaux d'avec les eaux » et il en fut
ainsi. ⁷ Dieu fit le firmament, qui sépara les eaux qui sont
sous le firmament d'avec les eaux qui sont au-dessus du
firmament, ⁸ et Dieu appela le firmament « ciel ». Il y eut
un soir et il y eut un matin : deuxième jour.

⁹ Dieu dit : « Que les eaux qui sont sous le ciel s'amas-
sent en une seule masse et qu'apparaisse le continent »
et il en fut ainsi. ¹⁰ Dieu appela le continent « terre » et
la masse des eaux « mers », et Dieu vit que cela était bon.

¹¹ Dieu dit : « Que la terre verdisse de verdure : des
herbes portant semence et des arbres fruitiers donnant
sur la terre des fruits contenant leur semence » et il en fut

---

1 6. « *et il en fut ainsi* » G *cf. vv.* 9, 11, *etc.*; *rejeté par* H *à la fin du v.* 7.
    9. « *masse* » miqwèh *G* ; « *lieu* » mâqôm *H*.
    11. *Après* « *des fruits* », H *ajoute* « *selon leur espèce* »; *omis par* G*A*.

« le désert » et « le vide ». Pas plus que les ténèbres sur l'abîme et les eaux
de la fin du v., ce « vague » ne désigne ici une matière informe et incréée,
sur laquelle s'exercerait un démiurge : ce sont trois images successives, la
manière dont une pensée sémitique se représente le néant, cf. Is **34** 11;
40 17; Jr **4** 23, d'où le souffle vivificateur de Dieu, son « esprit », va
susciter les êtres.
   a) En hébreu *t*ᵉ*hôm,* évidemment apparenté à Tiamat, le nom du
monstre primordial dans le récit babylonien de la création. Mais toute
attache avec la mythologie est ici rompue.
   b) Comme l'oiseau qui vole au-dessus du nid où sont ses petits, dans
Dt **32** 11, où est employé le même verbe très rare.
   c) La « voûte » céleste, qui est une illusion d'optique, était au regard
des anciens Sémites une coupole solide, retenant les eaux supérieures; elle
avait des ouvertures, par où ruissellera le déluge, **7** 11.

ainsi. [12] La terre produisit de la verdure : des herbes portant semence selon leur espèce, des arbres donnant selon
leur espèce des fruits contenant leur semence, et Dieu vit
que cela était bon. [13] Il y eut un soir et il y eut un matin :
troisième jour.

[14] Dieu dit : « Qu'il y ait des luminaires au firmament
du ciel pour séparer le jour et la nuit; qu'ils servent de
signes, tant pour les fêtes que pour les jours et les années;
[15] qu'ils soient des luminaires au firmament du ciel pour
éclairer la terre » et il en fut ainsi. [16] Dieu fit les deux
luminaires majeurs[a] : le grand luminaire comme puissance du jour et le petit luminaire comme puissance de
la nuit, et les étoiles. [17] Dieu les plaça au firmament du
ciel pour éclairer la terre, [18] pour commander au jour et à
la nuit, pour séparer la lumière et les ténèbres, et Dieu
vit que cela était bon. [19] Il y eut un soir et il y eut un
matin : quatrième jour.

[20] Dieu dit : « Que les eaux grouillent d'un grouillement
d'êtres vivants et que des oiseaux volent au-dessus de la
terre contre le firmament du ciel » et il en fut ainsi. [21] Dieu
créa les grands serpents de mer et tous les êtres vivants
qui glissent et qui grouillent dans les eaux selon leur espèce,
et toute la gent ailée selon son espèce, et Dieu vit que
cela était bon. [22] Dieu les bénit et dit : « Soyez féconds,
multipliez, emplissez l'eau des mers, et que les oiseaux
multiplient sur la terre. » [23] Il y eut un soir et il y eut un
matin : cinquième jour.

[24] Dieu dit : « Que la terre produise des êtres vivants

---

20. « *et il en fut ainsi* » G cf. vv. 6, 9, 11; *omis par H.*

---

a) Leurs noms sont omis à dessein : le Soleil et la Lune, que tous les
peuples voisins traitaient comme des dieux, ne sont que des lampes accro-
chées au ciel pour éclairer la terre et donner le calendrier !

selon leur espèce : bestiaux, bestioles[a], bêtes sauvages selon leur espèce » et il en fut ainsi. [25] Dieu fit les bêtes sauvages selon leur espèce, les bestiaux selon leur espèce et toutes les bestioles du sol selon leur espèce, et Dieu vit que cela était bon.

[26] Dieu dit : « Faisons[b] l'homme à notre image, comme notre ressemblance[c], et qu'ils dominent sur les poissons de la mer, les oiseaux du ciel, les bestiaux, toutes les bêtes sauvages et toutes les bestioles qui rampent sur la terre. »

[27] Dieu créa l'homme à son image,
à l'image de Dieu il le créa,
homme et femme il les créa[d].

---

26. « *toutes les bêtes sauvages* » (*litt.* « *bêtes de la terre* ») *Syr* ; « *toute la terre* » *H*.

---

a) Litt. « ce qui rampe » : serpents, lézards, mais aussi insectes et petits animaux.

b) Ce pluriel peut indiquer une délibération de Dieu avec sa cour céleste, cf. **3** 5 et 22, et cette exégèse a inspiré la traduction grecque (suivie par la Vulgate) du Ps **8** 6, qui fait allusion à notre texte et qui est repris dans He **2** 7, avec application au Christ : *Minuisti eum paulo minus ab Angelis.* Ou bien ce pluriel exprime la majesté et la richesse intérieure de Dieu, dont le nom commun en hébreu est de forme plurielle, *Élohim.* Ainsi se trouve amorcée l'interprétation des Pères, qui ont lu ici la Trinité.

c) La seconde expression est une apposition à la première, qu'elle restreint en excluant la parité. Le terme concret « image » implique une similitude physique : le même rapport sera marqué entre Adam et son fils, **5** 3 (cf. **9** 6), et les Hébreux n'ont pas toujours conçu Dieu ou les êtres célestes comme incorporels, cf. **2** 8 s ; Is **6** ; Ez **1**. En rapprochant l'homme de Dieu, cette ressemblance le sépare des animaux. Mais cette idée primitive n'épuise pas le sens du texte, qui suppose une similitude générale de nature : intelligence, volonté, puissance; l'homme est, comme Dieu, et seul parmi les créatures terrestres, une personne à qui Dieu s'adresse et qui répond à Dieu. Ce qui est en vue, c'est une ressemblance spirituelle, mais la psychologie hébraïque ne conçoit pas cette ressemblance sans un support extérieur, qui sert à l'exprimer. Ce sens lui-même était susceptible d'un nouvel approfondissement : participation de nature par la grâce. Ce sera l'enrichissement apporté par le N. T., où les fidèles de Jésus reproduisent son image, Rm **8** 29.

d) Au début du v., « l'homme » est un collectif.

²⁸ Dieu les bénit et leur dit : « Soyez féconds, multipliez, emplissez la terre et soumettez-la; dominez sur les poissons de la mer, les oiseaux du ciel et tous les animaux qui rampent sur la terre. » ²⁹ Dieu dit : « Je vous donne toutes les herbes portant semence, qui sont sur toute la surface de la terre, et tous les arbres qui ont des fruits portant semence : ce sera votre nourriture. ³⁰ A toutes les bêtes sauvages, à tous les oiseaux du ciel, à tout ce qui rampe sur la terrre et qui est animé de vie, je donne pour nourriture toute la verdure des plantes »ᵃ et il en fut ainsi. ³¹ Dieu vit tout ce qu'il avait fait : cela était très bon. Il y eut un soir et il y eut un matin : sixième jour.

2. ¹ Ainsi furent achevés le ciel et la terre, avec toute leur arméeᵇ. ² Dieu conclut au septième jour l'ouvrage qu'il avait fait et, au septième jour, il chôma, après tout l'ouvrage qu'il avait fait. ³ Dieu bénit le septième jour et le sanctifiaᶜ, car il avait alors chômé après tout son ouvrage de création.

⁴ᵃ Telle fut la genèse du ciel et de la terre, quand ils furent créés.

Second récit de la créationᵈ. **Le paradis.**

⁴ᵇ Au temps où Yahvé Dieuᵉ fit la terre et le ciel, ⁵ il n'y avait encore aucun arbuste des champs sur la terre et aucune herbe des

---

30. « *je donne* » *cf.* **9** 3; *omis par H.*

---

a) Image d'un âge d'or, où hommes et animaux vivaient en paix, les premiers se nourrissant de graines et de fruits, les seconds broutant le feuillage. Cf. **9** 3, qui inaugurera un nouvel âge.

b) Expression métaphorique de l'ensemble organisé des êtres.

c) Le sabbat (*šabbât*) est une institution divine : Dieu lui-même a « chômé » (*šâbat*) ce jour-là.

d) Ce récit appartient à la source « yahviste », qui combine elle-même

(Voir note *e*, à la page suivante.)

champs n'avait encore poussé, car Yahvé Dieu n'avait pas fait pleuvoir sur la terre et il n'y avait pas d'homme pour cultiver le sol. [6] Toutefois, un flot montait de terre et arrosait toute la surface du sol. [7] Alors Yahvé Dieu modela l'homme avec la glaise du sol[a], il insuffla dans ses narines une haleine de vie et l'homme devint un être vivant.

[8] Yahvé Dieu planta un jardin en Éden[b], à l'orient, et il y mit l'homme qu'il avait modelé. [9] Yahvé Dieu fit pousser du sol toute espèce d'arbres séduisants à voir et bons à manger, et l'arbre de vie[c] au milieu du jardin, et l'arbre de la connaissance du bien et du mal. [10] Un fleuve sortait d'Éden pour arroser le jardin et de là il se divisait pour former quatre bras[d]. [11] Le premier s'appelle

---

différentes traditions. Son intérêt est centré sur l'homme et sa destinée. Sous une forme imagée, il retrace le drame originel, dont les conséquences commanderont la condition et toute l'histoire de l'homme. On a signalé des représentations analogues dans les mythes babyloniens, mais ceux-ci ne contiennent aucun parallèle valable pour le fond. L'imagerie orientale, patrimoine commun des Hébreux et de leurs voisins, est ici purifiée et ne sert que de vêtement à un enseignement religieux transcendant reçu par révélation. Le sujet est traité avec un sérieux, une délicatesse et une sobriété qui font de ces pages la perle de la Genèse.

e) Ce nom divin composé ne se lit que dans les ch. **2** et **3** de Gn et rarement ailleurs. Ici, on a probablement voulu harmoniser la source « yahviste » avec le récit précédent, de source « sacerdotale », qui n'emploie que « Dieu ».

a) L'homme, *âdâm*, vient du sol, *ădâmâh*, cf. **3** 19 et 23. Ce nom collectif deviendra, à Gn **4** 25 ; **5** 1 et 3, le nom propre du premier humain, Adam.

b) « Jardin » est traduit « paradis » dans la version grecque puis dans toute la tradition, d'après un mot perse qui désignait un parc de chasse et de plaisance. — « Éden » est, dans ces ch. et les autres passages bibliques qui en dépendent, un nom géographique, qui se dérobe à toute localisation et est probablement apparenté à l'assyrien *edinu*, « steppe ». Le paradis est représenté ici comme une oasis dans le désert oriental.

c) Symbole de l'immortalité dont l'homme aurait joui s'il était resté innocent, voir **3** 22 et la note. Ici, il est possible qu'il ait été ajouté au texte, qui ne mentionnait que l'arbre de la connaissance du bien et du mal, sur lequel voir la note au v. 17.

d) Les vv. 10-14 sont une addition savante, qui veut préciser la situation du paradis. Le Tigre et l'Euphrate sont bien connus et ont des sources

le Pishôn : il contourne tout le pays de Havila, où il y a
l'or; [12] l'or de ce pays est pur et là se trouvent le bdellium[a]
et la pierre d'onyx. [13] Le deuxième fleuve s'appelle le
Gihôn : il contourne tout le pays de Kush. [14] Le troisième fleuve s'appelle le Tigre : il coule à l'orient d'Assur.
Le quatrième fleuve est l'Euphrate. [15] Yahvé Dieu prit
l'homme et l'établit dans le jardin d'Éden pour le cultiver
et le garder. [16] Et Yahvé Dieu fit à l'homme ce commandement : Tu peux manger de tous les arbres du jardin.
[17] Mais de l'arbre de la connaissance du bien et du mal[b]
tu ne mangeras pas, car, le jour où tu en mangeras, tu
mourras certainement. »

[18] Yahvé Dieu dit : « Il n'est pas bon que l'homme soit
seul. Il faut que je lui fasse une aide qui lui soit assortie. »
[19] Yahvé Dieu modela encore du sol toutes les bêtes sauvages et tous les oiseaux du ciel, et il les amena à l'homme
pour voir comment celui-ci les appellerait : chacun devait

---

2 19. « encore » *Sam G ; omis par H. — Après « l'homme » (2°), H ajoute
« être vivant » sans liaison grammaticale.*

---

rapprochées, dans les Monts d'Arménie, où se localiserait le jardin. Mais
le Pishôn et le Gihôn sont inconnus; quant aux pays qu'ils « contournent »,
Havila est, d'après Gn **10** 29, une région d'Arabie et Kush désigne ailleurs
la Haute-Égypte. Cependant, il n'est pas sûr que ces deux noms aient ici
les mêmes valeurs, et Kush ne peut guère désigner que la Mésopotamie,
cf. d'ailleurs **10** 8. Toute cette géographie reste incertaine.
   a) Gomme aromatique.
   b) Cette connaissance, qui est ainsi interdite, est un privilège que Dieu
se réserve, que l'homme n'exerçait pas avant la chute mais qu'il usurpe
par le péché, **3** 5 et 22. Ce n'est donc ni l'omniscience, que l'homme déchu
ne possède pas, ni le discernement moral, qu'avait déjà l'homme innocent
et que Dieu ne peut pas refuser à sa créature raisonnable. C'est la faculté
de décider soi-même ce qui est bien et mal et d'agir en conséquence, une
revendication d'autonomie morale, par laquelle l'homme renie son état
de créature et renverse l'ordre établi par Dieu. Le premier péché a été un
attentat à la souveraineté de Dieu, une faute d'orgueil comme l'ont déter-
minée saint Augustin et saint Thomas d'Aquin. Cette révolte s'est exprimée
concrètement par la transgression d'un précepte posé par Dieu et représenté sous l'image du fruit défendu.

porter le nom que l'homme lui aurait donné. [20] L'homme donna des noms à tous les bestiaux, aux oiseaux du ciel et à toutes les bêtes sauvages, mais, pour un homme, il ne trouva pas d'aide qui lui fût assortie. [21] Alors Yahvé Dieu fit tomber un profond sommeil sur l'homme, qui s'endormit. Il prit une de ses côtes et referma la chair à sa place. [22] Puis, de la côte qu'il avait tirée de l'homme, Yahvé Dieu façonna une femme[a] et l'amena à l'homme. [23] Alors celui-ci s'écria :

« Pour le coup, c'est l'os de mes os
et la chair de ma chair !
Celle-ci sera appelée « femme[b] »,
car elle fut tirée de l'homme, celle-ci ! »

[24] C'est pourquoi l'homme quitte son père et sa mère et s'attache à sa femme, et ils deviennent une seule chair.

[25] Or tous deux étaient nus, l'homme et sa femme, et ils n'avaient pas honte l'un devant l'autre.

La chute. 3. [1] Le serpent[c] était le plus rusé de tous les animaux des champs que Yahvé Dieu avait faits. Il dit à la femme : « Alors, Dieu a dit : Vous ne mangerez pas de tous les arbres du jardin ? » [2] La femme répondit au serpent : « Nous pouvons manger du fruit des arbres du jardin. [3] Mais du fruit de l'arbre qui est au milieu du jardin, Dieu a dit : Vous n'en mangerez pas, vous n'y toucherez pas, sous peine de mort. » [4] Le

---

a) Expression imagée du rapport intime qui relie l'homme et la femme, v. 23, et qui commande leur attrait mutuel, v. 24 et **3** 16.

b) L'hébreu joue sur les mots *iššâh* « femme », et *iš* « homme ».

c) Le serpent est un animal singulier, que l'Ancien Orient a mis en rapport avec la terre féconde, la vie, la science occulte, et qu'il a souvent associé aux cultes idolâtriques. Ici, il sert de masque à un être hostile à Dieu et envieux de l'homme, dans lequel la Sagesse, **2** 24, puis le Nouveau Testament (Jn **8** 44; Ap **12** 9; **20** 2) et toute la tradition chrétienne ont reconnu l'Adversaire, le Diable.

serpent répliqua à la femme : « Pas du tout ! Vous ne mourrez pas ! [5] Mais Dieu sait que, le jour où vous en mangerez, vos yeux s'ouvriront et vous serez comme des dieux[a], qui connaissent le bien et le mal. » [6] La femme vit que l'arbre était bon à manger et séduisant à voir, et qu'il était, cet arbre, désirable pour acquérir l'entendement. Elle prit de son fruit et mangea. Elle en donna aussi à son mari, qui était avec elle, et il mangea. [7] Alors leurs yeux à tous deux s'ouvrirent et ils connurent qu'ils étaient nus[b]; ils cousirent des feuilles de figuier et se firent des pagnes.

[8] Ils entendirent le pas de Yahvé Dieu qui se promenait dans le jardin à la brise du jour, et l'homme et sa femme se cachèrent devant Yahvé Dieu parmi les arbres du jardin. [9] Yahvé Dieu appela l'homme : « Où es-tu ? » dit-il. [10] « J'ai entendu ton pas dans le jardin, répondit l'homme; j'ai eu peur parce que je suis nu et je me suis caché. » [11] Il reprit : « Et qui t'a appris que tu étais nu ? Tu as donc mangé de l'arbre dont je t'avais défendu de manger ! » [12] L'homme répondit : « C'est la femme que tu as mise auprès de moi qui m'a donné de l'arbre, et j'ai mangé ! » [13] Yahvé Dieu dit à la femme : « Qu'as-tu fait là ? » et la femme répondit : « C'est le serpent qui m'a séduite, et j'ai mangé. »

[14] Alors Yahvé Dieu dit au serpent : « Parce que tu as fait cela,

Maudit sois-tu entre tous les bestiaux
et toutes les bêtes sauvages.

Tu marcheras sur ton ventre et tu mangeras de la terre
tous les jours de ta vie.

---

a) En hébr. « comme (des) Élohim »; le sens est éclairé par le v. 22.
b) L'éveil de la concupiscence (en contraste avec 2 25) est une suite du premier péché. C'est la manifestation la plus expressive, parce qu'elle est une expérience quotidienne et universelle, du désordre que la révolte de l'homme introduisit dans l'harmonie de la création.

¹⁵ Je mettrai une hostilité entre toi et la femme,
   entre ton lignage et le sien.
Il t'écrasera la tête
   et tu l'atteindras au talon*ᵃ. »
¹⁶ A la femme, il dit*ᵇ :
   « Je multiplierai les peines de tes grossesses,
   dans la peine tu enfanteras des fils.
Ta convoitise te poussera vers ton mari
   et lui dominera sur toi. »
¹⁷ A l'homme, il dit : « Parce que tu as écouté la voix de
ta femme et que tu as mangé de l'arbre dont je t'avais
interdit de manger,
   Maudit soit le sol à cause de toi !
   A force de peines tu en tireras subsistance
      tous les jours de ta vie.
¹⁸ Il produira pour toi épines et chardons
   et tu mangeras l'herbe des champs.

---

3 17. « *A l'homme* » lā'âdâm *comme dans le reste de* 2-3; « *A Adam* »
lᵉ'âdâm *H*.

a) L'hébreu ne parle que d'une hostilité entre la race du serpent et la
race de la femme. Mais, puisque le serpent est la figure de l'Ennemi (note
sur 3 1), le texte oppose les hommes au Diable et à son « engeance » et,
par le sort différent des adversaires frappés l'un à la tête et l'autre au talon,
laisse entrevoir la victoire finale de l'homme. Dans ce sombre tableau,
c'est une première lueur de salut, un « protévangile ». La traduction grecque, en remplaçant la référence au lignage par un pronom masculin, dési-
gnera comme vainqueur singulier l'un des « fils de la femme » et autorisera
l'interprétation messianique donnée par beaucoup de Pères. Les applica-
tions de ce texte à la Vierge Marie se fondent sur la doctrine de Marie
Nouvelle Ève et ont été aidées par la traduction latine, qui substitua au
masculin du grec un pronom féminin.
b) La condamnation frappe les coupables dans leurs activités essentielles,
la femme comme mère et épouse, l'homme comme travailleur. C'est une
déchéance de l'état primitif, à quoi s'ajoutent la mort, v. 19, et la perte de
la familiarité divine, v. 23. Ces châtiments pèseront sur leurs descendants,
mais il ne s'agit encore que de *peines* héréditaires. Pour que soit dégagé
l'enseignement d'une *faute* héréditaire, il faudra attendre que saint Paul
mette en parallèle la solidarité de tous dans le Christ sauveur et la solidarité de tous en Adam pécheur, Rm **5**.

¹⁹ A la sueur de ton visage
tu mangeras ton pain,
jusqu'à ce que tu retournes au sol,
puisque tu en fus tiré.
Car tu es glaise
et tu retourneras à la glaise. »

²⁰ L'homme appela sa femme « Ève », parce qu'elle fut la mère de tous les vivants *a*. ²¹ Yahvé Dieu fit à l'homme et à sa femme des tuniques de peau et les en vêtit. ²² Puis Yahvé Dieu dit : « Voilà que l'homme est devenu comme l'un de nous, pour connaître le bien et le mal *b* ! Qu'il n'étende pas maintenant la main, ne cueille aussi de l'arbre de vie, n'en mange et ne vive pour toujours *c* ! » ²³ Et Yahvé Dieu le renvoya du jardin d'Éden pour cultiver le sol d'où il avait été tiré. ²⁴ Il bannit l'homme et il posta devant le jardin d'Éden les chérubins *d* et la flamme

---

21. « *à l'homme* » *cf. au v. 17.*

---

a) Le nom d'Ève, *Ḥawwâh,* est expliqué par la racine *ḥâyâh* « vivre ».

b) Rien n'indique que, dans un récit tellement sérieux, ce seul verset soit ironique. En péchant, l'homme s'érige effectivement en juge du bien et du mal (voir note sur **2** 17), ce qui est le privilège de Dieu et, pouvait-on penser, des êtres qui composent sa cour céleste, des Anges. C'est à eux que Dieu s'adresse, cf. le v. 5 et **1** 26.

c) L'homme est mortel par nature, v. 19. L'immortalité était une grâce préparée pour lui, mais que sa désobéissance lui a fait perdre, **2** 17. Cf. Rm **5** 12.

d) En Mésopotamie, les *kâribu* étaient des génies à forme mi-humaine et mi-animale, qui veillaient à la porte des temples et des palais. En Syrie, le nom des *kâribu* n'est pas attesté, mais leur rôle est rempli, dès le IIᵉ millénaire av. J. C., par le sphinx ailé, c'est-à-dire le lion ailé à tête humaine : il est le gardien de l'arbre sacré et l'assesseur du trône divin. Ce sont précisément les fonctions que remplissent les chérubins de l'A. T. : en dehors de Gn 3 24, le chérubin du jardin d'Éden, Ez **28** 12-16; les chérubins associés aux palmettes dans la décoration du Temple et des bases roulantes, 1 R **6** 29, 32, 55; **7** 36; les chérubins qui soutiennent le trône de Yahvé, 1 S **4** 4, etc.; 1 R **6** 23-28, qui surmontent l'arche d'alliance d'après Ex **37** 7-9, qui tirent le char de Dieu dans Ez **1** et **10**. La Bible a emprunté à l'Orient ces images et a accepté leur symbolisme sans se prononcer sur la réalité qu'elles

du glaive fulgurant[a] pour garder le chemin de l'arbre
de vie.

Caïn et Abel[b].   4. [1] L'homme connut
Ève, sa femme; elle conçut
et enfanta Caïn et elle dit :
« J'ai acquis un homme de par Yahvé[c]. » [2] Elle donna aussi
le jour à Abel, frère de Caïn. Or Abel devint pasteur de
petit bétail et Caïn cultivait le sol. [3] Le temps passa et il
advint que Caïn présenta des produits du sol en offrande
à Yahvé, [4] et qu'Abel, de son côté, offrit des premiers-nés
de son troupeau, et même de leur graisse[d]. Or Yahvé
agréa Abel et son offrande. [5] Mais il n'agréa pas Caïn et
son offrande, et Caïn en fut très irrité et eut le visage
abattu. [6] Yahvé dit à Caïn : « Pourquoi es-tu irrité et pourquoi ton visage est-il abattu ? [7] Si tu es bien disposé, ne

---

représentaient; c'est seulement au Moyen Age que le nom des Chérubins
a été donné à une classe des Anges.

a) Encore un emprunt babylonien : le foudre, image de l'éclair et symbole de l'anathème divin.

b) Le récit ne concernait pas originalement les fils du premier homme,
car il suppose une civilisation déjà évoluée, v. 2, le culte institué, vv. 3 s,
d'autres hommes qui pourraient tuer Caïn, v. 14, et tout un clan qui le
protégera, v. 15. On pense qu'il se rapportait à l'ancêtre éponyme des
Qénites, voir Jg **1** 16 et **4** 11; 1 S **15** 6, peut-être le même que Qénân qui
figure dans la généalogie de Seth, **5** 9. En tout cas, la tradition « yahviste »
a délié le récit de ses attaches historiques et, en le reportant aux origines
de l'humanité, lui a donné une valeur éternelle : après la révolte de l'Homme
contre Dieu (péché du Paradis), c'est la lutte de l'Homme contre l'Homme,
à quoi s'opposera le double commandement qui résume la Loi, l'amour de
Dieu et du prochain, cf. Mt **22** 40. Le règne du mal, inauguré par la première désobéissance, s'affirme par un premier crime, et la mort fait son
entrée violente dans le monde. L'innocent est vengé, le coupable est
châtié; cependant Dieu a averti paternellement le pécheur avant la faute
et il reste miséricordieux dans l'application de la peine.

c) Jubilation de la première femme qui, de servante d'un époux, **3** 16,
devient mère d'un homme. Un jeu de mots rapproche le nom de Caïn
(*Qayîn*) du verbe *qânâh,* « acquérir ».

d) D'après la loi mosaïque, les premiers-nés appartiennent à Dieu,
Ex **34** 19, et on lui réserve, Lv **3** 16, etc., les parties grasses des victimes,
qui sont aujourd'hui encore les plus appréciées dans les festins arabes.

relèveras-tu pas la tête ? Mais si tu n'es pas bien disposé,
le péché n'est-il pas à la porte, une bête tapie qui te convoite
et que tu dois dominer[a] ? » [8] Cependant Caïn dit à son
frère Abel : « Allons dehors », et, comme ils étaient en
pleine campagne, Caïn se jeta sur son frère Abel et le tua.

[9] Yahvé dit à Caïn : « Où est ton frère Abel ? » Il répondit : « Je ne sais pas. Suis-je le gardien de mon frère[b] ? »
[10] Yahvé reprit : « Qu'as-tu fait ! Écoute le sang de ton
frère crier vers moi du sol[c] ! [11] Maintenant, sois maudit
et chassé du sol fertile qui a ouvert la bouche pour recevoir
de ta main le sang de ton frère. [12] Si tu cultives le sol, il
ne te donnera plus son produit : tu seras un errant parcourant[d] la terre. » [13] Alors Caïn dit à Yahvé : « Ma peine
est trop lourde à porter. [14] Vois ! Tu me bannis aujour-
d'hui du sol fertile, je devrai me cacher loin de ta face et
je serai un errant parcourant la terre : mais, le premier
venu me tuera ! » [15] Yahvé lui répondit : « Aussi bien, si
quelqu'un tue Caïn, on le vengera sept fois » et Yahvé
mit un signe sur Caïn[e], afin que le premier venu ne le frap-

---

4 8. « *Allons dehors* » *Vers.*; *omis par H.*

---

a) La traduction de tout le verset est approximative. Litt. : « N'est-ce
pas que, si tu agis bien, élévation, et si tu n'agis pas bien, à la porte
le péché (fém.) couchant (masc.) et vers toi sa (masc.) convoitise et
tu le domineras. » De ce texte apparemment corrompu, aucune justification satisfaisante n'a encore été donnée, mais il paraît décrire la tentation
qui s'insinue dans l'âme et qu'il faut surmonter.

b) Cette réponse insolente, comparée aux excuses embarrassées des premiers parents après leur faute, 3 9 s, souligne le progrès du mal dans
l'humanité.

c) « Le sang, c'est l'âme », dit Dt **12** 23; cf. Gn **9** 4. Répandu par un
meurtre et non recouvert de terre, il crie vengeance vers le ciel, Is **26**, 21;
Ez **24** 7 s; Jb **16** 18.

d) La traduction veut rendre l'allitération de l'hébreu : *nâ‘ wânâd* « errant
et vagabond ».

e) Le « signe de Caïn » n'est pas un stigmate qui le condamne à la réprobation de tous. C'est, au contraire, une marque qui le protège en le désignant comme le membre d'un clan où la vengeance du sang s'exerce d'une
manière terrible.

pât point. [16] Caïn se retira de la présence de Yahvé et séjourna au pays de Nod[a], à l'orient d'Éden.

[17] Caïn connut sa femme, qui conçut et enfanta Hénok. Il devint un constructeur de ville[c] et il donna à la ville le nom de son fils, Hénok. [18] A Hénok naquit Irad, et Irad engendra Mehuyaël, et Mehuyaël engendra Metushaël, et Metushaël engendra Lamek. [19] Lamek prit deux femmes : le nom de la première était Ada et le nom de la seconde, Çilla. [20] Ada enfanta Yabal : il fut l'ancêtre de ceux qui vivent sous la tente et avec les troupeaux. [21] Le nom de son frère était Yubal : il fut l'ancêtre de tous ceux qui jouent de la lyre et du chalumeau. [22] De son côté, Çilla enfanta Tubal-Caïn : il fut l'ancêtre de tous les forgerons en cuivre et en fer[d]; la sœur de Tubal-Caïn était Naama.

La descendance de Caïn[b].

[23] Lamek dit à ses femmes :

« Ada et Çilla, entendez ma voix,
    femmes de Lamek, écoutez ma parole :

---

22. « *l'ancêtre de tous les forgerons* » Targ *cf. vv.* 20, 21; « *le forgeron de tous les ouvriers* » H *corrompu*.

a) Le pays est inconnu et son nom rappelle l'épithète de Caïn aux vv. 12 et 14 : Caïn est vagabond, *nâd,* au pays de *Nôd.*

b) La source « yahviste » a gardé les débris d'une généalogie parallèle à celle de la tradition « sacerdotale », où les mêmes noms paraîtront, avec des variantes, dans la lignée de Seth, entre Qénân et Lamek, 5 12-28.

c) Cette construction d'une ville par Caïn, condamné à une vie errante et père des nomades, est une note discordante qui provient d'une autre tradition.

d) Les trois castes des nomades, les pasteurs, les musiciens et les forgerons ambulants, sont rattachées à trois ancêtres dont les noms font assonance, Yabal, Yubal, Tubal, et rappellent les métiers de leurs descendants : Yabal évoque le verbe *ybl* « conduire »; Yubal ressemble à *yôbél* « trompette »; Tubal est aussi le nom d'un peuple du Nord, Gn 10 2, au pays des métaux. Caïn, qui signifie « forgeron » en d'autres langues sémitiques, paraît avoir été joint à Tubal, comme une explication.

J'ai tué un homme pour une blessure,
un enfant pour une meurtrissure.
²⁴ C'est que Caïn est vengé sept fois,
mais Lamek, septante-sept fois *ᵃ* ! »

Seth
et ses descendants *ᵇ*.

²⁵ Adam connut sa fem-
me; elle enfanta un fils et lui
donna le nom de Seth « car,
dit-elle, Dieu m'a accordé *ᶜ*
une autre descendance à la place d'Abel, puisque Caïn
l'a tué. » ²⁶ Un fils naquit à Seth aussi, et il lui donna le
nom d'Énosh. Celui-ci fut le premier à invoquer le nom
de Yahvé *ᵈ*.

Les Patriarches
d'avant le déluge *ᵉ*.

5. ¹ Voici le livret de la
descendance d'Adam :
Le jour où Dieu créa
Adam, il le fit à la ressem-

‖ I Ch **1** 1-4

---

25. *Après* « *connut* », *H ajoute* « *encore* »; *omis par G.*
26. « *Celui-ci fut le premier* » zèh héḥél *cf. G Vulg ;* « *On commença alors* »
'âz hûḥal *H.*

---

a) Ce chant sauvage a été composé à la gloire de Lamek, un héros du
désert. Mais l'auteur le recueille comme un témoignage de la violence croissante des descendants de Caïn, dont il ne parlera plus. Jésus au contraire
commandera à Pierre de pardonner non pas jusqu'à sept fois mais jusqu'à
septante-sept fois, Mt **18** 22.

b) Débris d'une autre généalogie primitive, dont l'origine est rattachée
assez artificiellement à l'histoire de Caïn et d'Abel et qui est interrompue
à la troisième génération, pour faire place à la lignée des patriarches antédiluviens donnée par la tradition « sacerdotale », ch. **5.**

c) Le nom de Seth (hébr. *Šét*) est expliqué par *šât* « il a accordé ».

d) La tradition « yahviste » fait ainsi remonter jusqu'aux origines la
connaissance du nom divin, dont les traditions « élohiste » et « sacerdotale »
retardent la révélation jusqu'à l'époque de Moïse, Ex **3** 14 et **6** 2 s.

e) La liste provient de la tradition « sacerdotale » et se rattache au
ch. **1.** Elle veut combler l'intervalle entre la création et le déluge, comme
la généalogie de Sem, **11** 10-32, couvrira le temps qui sépare le déluge et
Abraham. Il ne faut y chercher ni une histoire ni une chronologie. Les
noms sont les restes sclérosés d'antiques traditions; beaucoup se retrouvent,
sous une forme identique ou voisine mais dans un autre ordre, parmi les

blance de Dieu. ² Homme et femme il les créa, il les bénit et leur donna le nom d' « Homme », le jour où ils furent créés.

³ Quand Adam eut cent trente ans, il engendra un fils à sa ressemblance, comme son image*a*, et il lui donna le nom de Seth. ⁴ Le temps que vécut Adam après la naissance de Seth fut de huit cents ans et il engendra des fils et des filles. ⁵ Toute la durée de la vie d'Adam fut de neuf cent trente ans, puis il mourut.

⁶ Quand Seth eut cent cinq ans, il engendra Énosh. ⁷ Après la naissance d'Énosh, Seth vécut huit cent sept ans et il engendra des fils et des filles. ⁸ Toute la durée de la vie de Seth fut de neuf cent douze ans, puis il mourut.

⁹ Quand Énosh eut quatre-vingt-dix ans, il engendra Qénân. ¹⁰ Après la naissance de Qénân, Énosh vécut huit cent quinze ans et il engendra des fils et des filles. ¹¹ Toute la durée de la vie d'Énosh fut de neuf cent cinq ans, puis il mourut.

¹² Quand Qénân eut soixante-dix ans, il engendra Mahalaléel. ¹³ Après la naissance de Mahalaléel, Qénân vécut

---

5 3. « *un fils* » *conj.*; *omis par H.*

---

descendants de Caïn, donnés selon la tradition « yahviste » au ch. **4** 17 s. Les chiffres sont assez différents dans le Pentateuque Samaritain et dans la version grecque; sous ces diverses formes, ils devaient composer des systèmes, dont la portée et les règles nous échappent. Une longévité extraordinaire est attribuée aux premiers Patriarches, car on estimait que la durée de la vie humaine avait diminué suivant les grands âges du monde : elle ne sera plus que de 200 à 600 ans entre Noé et Abraham, que de 100 à 200 ans pour les Patriarches hébreux, et cette diminution était sans doute mise en rapport avec les progrès du mal, car une longue vie est une bénédiction de Dieu, Pr **10** 27, et sera l'un des privilèges de l'ère messianique, Is **65** 20. A cette suite de dix Patriarches antédiluviens correspond, dans la tradition babylonienne, une liste de dix rois mésopotamiens d'avant le déluge : chacun d'eux aurait régné plusieurs dizaines de milliers d'années. Les chiffres de la Bible sont moins fantastiques et son horizon est plus large, embrassant les ancêtres de toute l'humanité.

a) La similitude divine, **1** 26; **5** 1, est un caractère de nature, que le premier homme transmet à ses descendants.

huit cent quarante ans et il engendra des fils et des filles.
¹⁴ Toute la durée de la vie de Qénân fut de neuf cent dix
ans, puis il mourut.

¹⁵ Quand Mahalaléel eut soixante-cinq ans, il engendra
Yéred. ¹⁶ Après la naissance de Yéred, Mahalaléel vécut
huit cent trente ans et il engendra des fils et des filles.
¹⁷ Toute la durée de la vie de Mahalaléel fut de huit cent
quatre-vingt-quinze ans, puis il mourut.

¹⁸ Quand Yéred eut cent soixante-deux ans, il engendra
Hénok. ¹⁹ Après la naissance d'Hénok, Yéred vécut huit
cents ans et il engendra des fils et des filles. ²⁰ Toute la
durée de la vie de Yéred fut de neuf cent soixante-deux
ans, puis il mourut.

²¹ Quand Hénok eut soixante-cinq ans, il engendra
Mathusalem. ²² Hénok marcha avec Dieu. Après la naissance de Mathusalem, Hénok vécut trois cents ans et il
engendra des fils et des filles. ²³ Toute la durée de la vie
d'Hénok fut de trois cent soixante-cinq ans. ²⁴ Hénok
marcha avec Dieu, puis il disparut, car Dieu l'enleva*a*.

²⁵ Quand Mathusalem eut cent quatre-vingt-sept ans,
il engendra Lamek. ²⁶ Après la naissance de Lamek,
Mathusalem vécut sept cent quatre-vingt-deux ans et il
engendra des fils et des filles. ²⁷ Toute la durée de la vie
de Mathusalem fut de neuf cent soixante-neuf ans, puis
il mourut.

22. « *Hénok vécut* » G^Luc *Vulg*mss *cf. vv.* 7, 10, 12, *etc.*; *omis par H.*

a) Hénok se distingue des autre Patriarches par plusieurs traits : sa
vie est plus courte, mais elle atteint un chiffre parfait, le nombre de ses ans
étant celui des jours d'une année solaire; il « marche avec Dieu », lui étant
fidèle et jouissant de sa familiarité, comme Noé, **6** 9; il disparaît mysté-
rieusement, emporté par Dieu comme Élie, 2 R **2** 11 s. Il devint une
grande figure de la tradition juive, qui donna en exemple sa piété, Si **44** 16;
He **11** 5, et lui attribua des livres apocryphes, dont un écho se trouve dans
l'Épître de Jude, vv. 14-15.

[28] Quand Lamek eut cent quatre-vingt-deux ans, il engendra un fils. [29] Il lui donna le nom de Noé, car, dit-il, « celui-ci nous apportera, dans notre travail et le labeur de nos mains, une consolation tirée du sol que Yahvé a maudit »[a]. [30] Après la naissance de Noé, Lamek vécut cinq cent quatre-vingt-quinze ans et il engendra des fils et des filles. [31] Toute la durée de la vie de Lamek fut de sept cent soixante-dix-sept ans, puis il mourut. [32] Quand Noé eut atteint cinq cents ans, il engendra Sem, Cham et Japhet.

Fils de Dieu et filles des hommes[b].

6. [1] Lorsque les hommes commencèrent d'être nombreux sur la face de la terre et que des filles leur furent nées, [2] les fils de Dieu trouvèrent que les filles des hommes leur convenaient[c] et ils prirent pour femmes toutes celles

---

a) Débris d'une tradition « yahviste », inséré dans le cadre « sacerdotal ». Il est étrange que le nom de Noé, *Nôaḥ,* soit expliqué par la racine *nḥm* « consoler »; le texte est fautif ou il se rapportait originairement à un autre nom, comme Menahem. Dans cette « consolation », on reconnaît ordinairement, en se référant à Jr **16** 7; Pr **31** 6, le vin dont Noé fut l'inventeur, Gn **9** 20; cette exégèse est peu vraisemblable.

b) Passage difficile, où certains mots même ont un sens incertain (v. 3). L'auteur sacré se réfère à une légende populaire sur les Nephilim, les « tombés », qui seraient des Titans orientaux, nés de l'union entre des mortelles et des êtres célestes. Sans se prononcer sur la valeur de cette croyance et en voilant son aspect mythologique, il rappelle seulement ce souvenir d'une race insolente de surhommes, comme un exemple de la perversité croissante qui va motiver le déluge. Le Judaïsme postérieur et presque tous les écrivains ecclésiastiques des trois premiers siècles avaient reconnu des Anges coupables dans ces « fils de Dieu ». Mais à partir du IVe siècle, en fonction d'une notion plus spirituelle des Anges, les Pères ont communément interprété les « fils de Dieu » comme la lignée de Seth et les « filles des hommes » comme la descendance de Caïn. Parallèlement, l'exégèse rabbinique a surtout vu dans les « fils de Dieu » des hommes puissants et dans les « filles des hommes » des femmes du commun.

c) La traduction ordinaire « trouvèrent belles » est inexacte : simplement, les « fils de Dieu » trouvèrent que les « filles des hommes » étaient bonnes à épouser.

qu'il leur plut. ³ Yahvé dit : « Que mon esprit ne soit pas indéfiniment dominant*a* dans l'homme, puisqu'il est chair; sa vie ne sera que de cent vingt ans*b*. » ⁴ Les Nephilim étaient sur la terre en ces jours-là (et aussi dans la suite*c*) quand les fils de Dieu s'unissaient aux filles des hommes et qu'elles leur donnaient des enfants; ce sont les héros du temps jadis, ces hommes fameux*d*.

II. LE DÉLUGE*e*

La corruption de l'humanité.

⁵ Yahvé vit que la méchanceté de l'homme était grande sur la terre et que son cœur ne formait que de mauvais desseins à longueur de journée. ⁶ Yahvé se repen-

---

a) *yâdôn,* sens incertain. On a proposé « humilié », d'après le sens de la racine en arabe. La traduction « dominant, puissant » s'autorise du sens de l'akkadien *danânu* et convient mieux au contexte : l'intrusion de ces êtres célestes dans les affaires du monde inaugurait une race de surhommes, cf. v. 4, et changeait la condition humaine.

b) Durée maxima à laquelle, d'après cette source (mais voir la note sur **5** 1), Dieu réduisit alors la vie humaine.

c) Glose probable, se référant aux géants mentionnés dans Nb **13** 33.

d) On retrouve leur souvenir dans Ez **32** 27; Si **16** 7.

e) Cette section combine deux récits parallèles : un récit « yahviste », plein de couleur et de vie, **6** 5-8; **7** 1-5, 7-10 (remanié), 12, 16ᵇ, 17, 22-23; **8** 2ᵇ-3ᵃ, 6-12, 13ᵇ, 20-22, et un récit « sacerdotal », plus précis et plus réfléchi mais plus sec, **6** 9-22; **7** 6, 11, 13-16ᵇ, 18-21, 24; **8** 1-2ᵃ, 3ᵇ-5, 13ᵃ, 14-19; **9** 1-17. Le rédacteur final a respecté ces deux témoignages qu'il recevait de la tradition et qui concordent pour le fond. Il n'a pas cherché à supprimer les divergences de détail, ainsi le nombre des animaux recueillis dans l'arche (cf. **7** 2-3 et **6** 19-20) et surtout la chronologie du déluge (cf. **7** 4, 10, 12, 17; **8** 6, 10, 12 et **7** 6, 11, 24; **8** 3ᵇ-5, 13ᵃ, 14). Nous possédons plusieurs narrations babyloniennes sur le déluge, qui présentent des ressemblances remarquables avec le récit biblique, mais celui-ci les surpasse infiniment par son esprit religieux et moral : en Babylonie, des dieux nombreux, grossiers et disputeurs, décident d'anéantir l'humanité pour une raison futile ou par caprice; le héros du déluge, Umnapishtim, est sauvé contre leur volonté par le subterfuge d'un des dieux et sans que l'accent soit mis

tit d'avoir fait l'homme sur la terre et il s'affligea dans son cœur[a]. [7] Et Yahvé dit : « Je vais effacer de la surface du sol les hommes que j'ai créés, — et avec les hommes, les bestiaux, les bestioles et les oiseaux du ciel, — car je me repens de les avoir faits. » [8] Mais Noé avait trouvé grâce aux yeux de Yahvé.

[9] Voici l'histoire de Noé :

Noé était un homme juste, intègre parmi ses contemporains, et il marchait avec Dieu[b]. [10] Noé engendra trois fils, Sem, Cham et Japhet. [11] La terre se pervertit devant Dieu et elle se remplit de violence. [12] Dieu regarda la terre : elle était pervertie, car toute chair avait une conduite perverse sur la terre.

[13] Dieu dit à Noé : « La

Préparatifs du déluge. fin de toute chair est arrivée, je l'ai décidé, car la terre est pleine de violence à cause des hommes et je vais les faire disparaître de la terre. [14] Fais-toi une arche[c] en bois rési-

---

6 13. « *de la terre* » Targ[Sam]; « *avec la terre* » H.

---

sur sa justice. Dans la Bible, le Dieu unique châtie l'humanité pour ses péchés mais il épargne le juste Noé et rénove avec lui sa création pervertie. La Bible ne dépend directement d'aucun des récits babyloniens mais elle puise au même héritage qu'eux : le souvenir d'une ou de plusieurs inondations désastreuses de la vallée du Tigre et de l'Euphrate, que la tradition avait grossies aux dimensions d'un cataclysme universel. Seulement, et c'est l'essentiel, l'auteur sacré a chargé ce souvenir d'un enseignement éternel sur la justice et la miséricorde de Dieu, sur la malice de l'homme et le salut accordé au juste (cf. He **11** 7). C'est un jugement de Dieu, qui préfigure celui des derniers temps, Lc **17** 26 s; Mt **24** 37 s, comme le salut accordé à Noé figure le salut par les eaux du baptême, 1 P **3** 20-21, typologie largement exploitée par les Pères.

a) Ce « repentir » de Dieu exprime, sous un mode humain, l'exigence de sa sainteté, qui ne peut supporter le péché.

b) Comme Hénok, **5** 22.

c) Mot consacré en français pour désigner l'arche de Noé et l'arche d'alliance, où Moïse plaça les tables de la Loi. Cet usage dépend de la traduction latine de la Bible, qui porte ici et là *arca* « coffre ». Mais l'hébreu utilise des mots différents dans les deux cas; celui qu'il applique au grand

neux*ᵃ*, tu la feras en roseaux*ᵇ* et tu l'enduiras de bitume
en dedans et en dehors. ¹⁵ Voici comment tu la feras :
trois cents coudées pour la longueur de l'arche, cinquante
coudées pour sa largeur, trente coudées pour sa hauteur.
¹⁶ Tu feras à l'arche un toit...*ᶜ* par-dessus, tu placeras
l'entrée de l'arche sur le côté et tu feras un premier, un
second et un troisième étage.

¹⁷ « Pour moi, je vais amener le déluge, les eaux*ᵈ*, sur la
terre, pour exterminer de dessous le ciel toute chair ayant
souffle de vie : tout ce qui est sur la terre doit périr.
¹⁸ Mais j'établirai mon alliance*ᵉ* avec toi et tu entreras dans
l'arche, toi et tes fils, ta femme et les femmes de tes fils
avec toi. ¹⁹ De tout ce qui vit, de tout ce qui est chair, tu
feras entrer dans l'arche deux de chaque espèce pour les
garder en vie avec toi; qu'il y ait un mâle et une femelle.
²⁰ De chaque espèce d'oiseaux, de chaque espèce de bestiaux, de chaque espèce de toutes les bestioles du sol, un

---

14. « *roseaux* » qânîm *conj.*; « *nids* » (= *cabines?*) qinnîm *H.*

---

bateau de Noé ne se retrouve qu'à propos de la nacelle de joncs où fut
déposé Moïse enfant, Ex 2 3. La mention des joncs dans ce dernier texte
appuie la correction « roseaux », récemment proposée pour le v. 14,
cf. note *b*.

a) Traduction approximative; en hébr. « bois de *gofer* », essence inconnue.

b) Cf. la note textuelle. Les roseaux ne constituent pas, comme dans la
nacelle de Moïse, toute la matière de l'arche : celle-ci est construite en bois,
comme le texte vient de le dire, et les roseaux servent à calfater les joints
entre les planches; c'est la technique décrite par Hérodote, II, 96, pour les
navires égyptiens. Cf. les « vaisseaux de papyrus », Is 18 2, les « bateaux
de joncs », Jb 9 26.

c) L'hébr. « et à une coudée tu l'achèveras (l'arche) » ne donne aucun
sens satisfaisant.

d) « les eaux » est une glose.

e) Non pas un pacte bilatéral, mais un engagement gracieux que Dieu
prend vis-à-vis de ceux qu'il a discernés. Cette alliance sera suivie de celles
avec Abraham, Gn 15 et 17, puis avec le peuple d'Israël, Ex 24 8, qui
marquent les grandes périodes de l'Histoire Sainte, jusqu'à la nouvelle
alliance scellée par le sang de Jésus Christ, Mc 14 24; Lc 22 20; 1 Co 11 25.

couple viendra avec toi pour que tu les gardes en vie[a].
²¹ De ton côté, procure-toi de tout ce qui se mange et
fais-en provision : cela servira de nourriture pour toi et
pour eux. » ²² Noé agit ainsi; tout ce que Dieu lui avait
commandé, il le fit.

7. ¹ Yahvé dit à Noé : « Entre dans l'arche, toi et
toute ta famille, car je t'ai vu seul juste à mes yeux parmi
cette génération. ² De tous les animaux purs[b], tu prendras
sept de chaque espèce, des mâles et des femelles; des animaux qui ne sont pas purs, tu prendras une paire, un
mâle et sa femelle ³ (et aussi des oiseaux du ciel, sept
de chaque espèce, mâles et femelles), pour perpétuer la
race sur toute la terre. ⁴ Car encore sept jours et je ferai
pleuvoir sur la terre pendant quarante jours et quarante
nuits et j'effacerai de la surface du sol tous les êtres que
j'ai faits. » ⁵ Noé fit tout ce que Yahvé lui avait commandé.

⁶ Noé avait six cents ans quand arriva le déluge, les
eaux, sur la terre.

⁷ Noé — avec ses fils, sa femme et les femmes de ses
fils — entra dans l'arche pour échapper aux eaux du
déluge. ⁸ (Des animaux purs et des animaux qui ne sont
pas purs, des oiseaux et de tout ce qui rampe sur le sol,

---

7 6. *Après « arriva », H ajoute « eaux », glose ; omis par G.*
8. *« et de tout » Vers.; « et tout » H.*

---

a) Dans les deux récits, cf. **7** 3, les êtres non raisonnables sont associés
à la destinée de l'homme. La méchanceté de celui-ci a corrompu toute la
création, **6** 13, qui était bonne, **1** 31, et le châtiment sera général. Mais
Dieu reste fidèle à son premier dessein et le monde animal sera préservé
avec l'homme; nous sommes déjà proches de saint Paul, Rm **8** 19-22.

b) Les animaux purs sont ceux que la loi religieuse permet de manger ou
d'offrir en sacrifice. D'après le récit « yahviste », ils ont été distingués dès
l'origine et sont sauvés en plus grand nombre, pour l'usage qu'on en fera,
8 20. La source « sacerdotale » ne parlait que d'un couple de toutes les
espèces, **6** 19, parce qu'elle retarde jusqu'à Moïse la distinction entre
animaux purs et impurs, Lv **11**, et la loi sur les sacrifices, Lv **1** s.

⁹ une paire entra dans l'arche avec Noé, un mâle et une femelle, comme Dieu avait ordonné à Noé *ᵃ*.) ¹⁰ Au bout de sept jours, les eaux du déluge vinrent sur la terre.

¹¹ En l'an six cent de la vie de Noé, le second mois, le dix-septième jour du mois, ce jour-là jaillirent toutes les sources du grand abîme et les écluses du ciel s'ouvrirent *ᵇ*. ¹² La pluie tomba sur la terre pendant quarante jours et quarante nuits.

¹³ Ce jour même, Noé et ses fils, Sem, Cham et Japhet, avec la femme de Noé et les trois femmes de ses fils, entrèrent dans l'arche, ¹⁴ et avec eux les bêtes sauvages de toute espèce, les bestiaux de toute espèce, les bestioles de toute espèce qui rampent sur la terre, les volatiles de toute espèce, tous les oiseaux, tout ce qui a des ailes. ¹⁵ Auprès de Noé, entra dans l'arche une paire de tout ce qui est chair, ayant souffle de vie, ¹⁶ et ceux qui entrèrent étaient un mâle et une femelle de tout ce qui est chair, comme Dieu le lui avait commandé.

Et Yahvé ferma la porte sur Noé.

L'inondation. ¹⁷ Il y eut le déluge pendant quarante jours sur la terre; les eaux grossirent et soulevèrent l'arche, qui fut élevée au-dessus de la terre. ¹⁸ Les eaux montèrent et grossirent beaucoup sur la terre et l'arche s'en alla à la surface des eaux. ¹⁹ Les eaux montèrent de plus en plus sur la terre et toutes les plus hautes montagnes qui sont sous tout le ciel furent couvertes. ²⁰ Les eaux montèrent quinze coudées plus haut, recou-

---

a) Les vv. 8-9 sont une addition, qui combine la distinction entre animaux purs et impurs du « yahviste » et le nombre d'animaux du document « sacerdotal ».

b) Les eaux d'en bas et les eaux d'en haut rompent les digues que Dieu leur avait posées, **1** 7 : c'est le retour au chaos. D'après le récit « yahviste », le déluge est causé par une pluie torrentielle, vv. 4 et 12.

vrant les montagnes. [21] Alors périt toute chair qui se meut sur la terre : oiseaux, bestiaux, bêtes sauvages, tout ce qui grouille sur la terre, et tous les hommes. [22] Tout ce qui avait une haleine de vie dans les narines, c'est-à-dire tout ce qui était sur la terre ferme, mourut. [23] Yahvé fit disparaître tous les êtres qui étaient à la surface du sol, depuis l'homme jusqu'aux bêtes, aux bestioles et aux oiseaux du ciel : ils furent effacés de la terre et il ne resta que Noé et ce qui était avec lui dans l'arche. [24] La crue des eaux sur la terre dura cent cinquante jours.

8.   [1] Alors Dieu se sou-
La décrue.   vint de Noé et de toutes les
                        bêtes sauvages et de tous les bestiaux qui étaient avec lui dans l'arche; Dieu fit passer un vent sur la terre et les eaux désenflèrent. [2] Les sources de l'abîme et les écluses du ciel furent fermées; — la pluie fut retenue de tomber du ciel [3] et les eaux se retirèrent graduellement de la terre; — les eaux baissèrent au bout des cent cinquante jours [4] et, au septième mois, au dix-septième jour du mois, l'arche s'arrêta sur les monts d'Ararat[a]. [5] Les eaux continuèrent de baisser jusqu'au dixième mois et, au premier du dixième mois, apparurent les sommets des montagnes.

[6] Au bout de quarante jours, Noé ouvrit la fenêtre qu'il avait faite à l'arche[b] [7] et il lâcha le corbeau, qui alla et vint

---

8 3. « *au bout des cent cinquante jours* » miqqéṣ haḥǎmiššîm... *cf. Sam ;* « *à la fin de cent cinquante jours* » miqeṣéh ḥǎmiššîm... *H.*

---

a) Ararat est un nom de pays (comme dans 2 R **19** 37; Jr **51** 27), identique à l'Urartu des documents assyriens et situé en Arménie. Ce texte biblique mal traduit a fait donner le nom de « Mont Ararat » au massif culminant de la chaîne arménienne.

b) La fenêtre est ménagée dans le toit et ne permet de voir que le ciel (cf. v. 13[b]). Pour savoir si la terre est découverte, Noé lâche des oiseaux, comme faisaient les navigateurs antiques pour connaître la direction du rivage.

jusqu'à ce que les eaux aient séché sur la terre. [8] Alors
Noé lâcha d'auprès de lui la colombe pour voir si les
eaux avaient diminué à la surface du sol. [9] La colombe,
ne trouvant pas un endroit où poser ses pattes, revint
vers lui dans l'arche, car il y avait de l'eau sur toute la
surface de la terre; il étendit la main, la prit et la fit rentrer auprès de lui dans l'arche. [10] Il attendit encore sept
autres jours et lâcha de nouveau la colombe hors de
l'arche. [11] La colombe revint vers lui sur le soir et voici
qu'elle avait dans le bec un rameau tout frais d'olivier !
Ainsi Noé connut que les eaux avaient diminué à la surface de la terre. [12] Il attendit encore sept autres jours et
lâcha la colombe, qui ne revint plus vers lui.

[13] C'est en l'an six cent un de la vie de Noé, au premier
mois, le premier du mois, que les eaux séchèrent sur la
terre.

Noé enleva la couverture de l'arche; il regarda, et voici
que la surface du sol était sèche !

[14] Au second mois, le vingt-septième jour du mois, la
terre fut sèche.

La sortie de l'arche. [15] Alors Dieu parla ainsi
à Noé : [16] « Sors de l'arche,
toi et ta femme, tes fils et les
femmes de tes fils avec toi. [17] Tous les animaux qui sont
avec toi, tout ce qui est chair en fait d'oiseaux, de bestiaux
et de tout ce qui rampe sur la terre, fais-les sortir avec toi :
qu'ils pullulent sur la terre, qu'ils soient féconds et multiplient sur la terre[a]. » [18] Noé sortit avec ses fils, sa femme
et les femmes de ses fils; [19] et toutes les bêtes sauvages,

---

13. « *de la vie de Noé* » G *cf.* **7** 11 ; *omis par H.*

---

a) En ce nouveau début du monde, Dieu réitère la bénédiction donnée
lors de la création, **1** 22.

tous les bestiaux, tous les oiseaux, toutes les bestioles qui rampent sur la terre sortirent de l'arche, une espèce après l'autre.

²⁰ Noé construisit un autel à Yahvé, il prit de tous les animaux purs et de tous les oiseaux purs et offrit des holocaustes sur l'autel. ²¹ Yahvé respira l'agréable odeur[a] et il se dit en lui-même : « Je ne maudirai plus jamais la terre à cause de l'homme, parce que les desseins du cœur de l'homme sont mauvais dès son enfance; plus jamais je ne frapperai tous les vivants comme j'ai fait.

²² Tant que durera la terre,
semailles et moisson,
froidure et chaleur,
été et hiver,
jour et nuit
ne cesseront plus[b]. »

Le nouvel ordre du monde.

9. ¹ Dieu bénit Noé et ses fils et il leur dit : « Soyez féconds, multipliez, emplissez la terre. ² Soyez la crainte et l'effroi de tous les animaux de la terre et de tous les oiseaux du ciel, comme de tout ce dont la terre fourmille et de tous les poissons de la mer : ils sont livrés entre vos mains[c]. ³ Tout ce qui se meut et possède la vie vous ser-

---

19. « *tous les bestiaux, tous les oiseaux, toutes les bestioles qui rampent* » G ; « *toutes les bestioles et tous les oiseaux, tout ce qui rampe* » H.

---

a) Litt. « l'odeur apaisante ». Cette expression, si fortement anthropomorphique, passera dans le langage technique du rituel israélite, Ex **29** 18, 25, 41; Lv **1** 9, 13; Nb **28** 13, etc.

b) Les lois du monde sont rétablies pour toujours. Dieu sait que le cœur de l'homme reste mauvais mais il sauve sa création et, malgré l'homme, la conduira où il veut.

c) Ici et au v. 7, l'homme est de nouveau béni et consacré roi de la création, comme aux origines, **1** 28, mais son règne pacifique devient une loi de crainte. En suite du péché de l'homme, **6** 11-13, le nouvel âge qui

vira de nourriture, je vous donne tout cela au même titre que la verdure des plantes[a]. [4] Seulement, vous ne mangerez pas la chair avec son âme, c'est-à-dire le sang[b]. [5] Mais je demanderai compte du sang de chacun de vous. J'en demanderai compte à tous les animaux et à l'homme, aux hommes entre eux, je demanderai compte de l'âme de l'homme.

[6] Qui verse le sang de l'homme,
par l'homme aura son sang versé.
Car à l'image de Dieu
l'homme a été fait[c].

[7] Pour vous, soyez féconds, multipliez, pullulez sur la terre et la dominez. »

[8] Dieu parla ainsi à Noé et à ses fils : [9] « Voici que j'établis mon alliance[d] avec vous et avec vos descendants

---

9 7. « *et dominez* » ûr^edû cf. 1 28 ; « *et multipliez* » ûr^ebû H.

---

commence sera un âge de lutte des animaux avec l'homme et des hommes entre eux, v. 5. La paix paradisiaque ne refleurira qu'aux derniers temps, Is 11 6-8.

a) Dans la paix du monde naissant, hommes et animaux vivaient des plantes, 1 29. Le nouvel âge sera plus dur et l'on se nourrira de chair.

b) Le sang était considéré comme le siège du principe vital, l'« âme », et Dieu, maître de la vie, se le réserve absolument. Les lois du Lévitique, 17 10-14 ; 19 26, et du Deutéronome, 12 23, interdisent aux Israélites de s'en nourrir, mais à cause de ce précepte donné à Noé on considérait que la défense valait pour tous les hommes et les Apôtres l'imposeront aux convertis du paganisme, Ac 15 29.

c) Tout sang appartient à Dieu, mais éminemment le sang de l'homme fait à son image, 1 26. Dieu le vengera, voir déjà 4 10, et il délègue à cet effet l'homme lui-même, dans une formule générale qui légitime à la fois la punition du coupable par la justice d'État et son exécution par les parents de la victime, les « vengeurs du sang », Nb 35 19 s ; Dt 19 12, etc.

d) Exécution de la promesse faite à 6 18. Cette alliance s'étend à tous les êtres animés, vv. 10, 12, 16, à toute la terre, v. 13, et ne comporte aucun engagement de la part des créatures. Le signe en est donné par Dieu lui-même : l'arc-en-ciel, v. 13, symbole de paix, comme l'arme que Dieu dépose après avoir tiré les flèches du châtiment. L'alliance avec Abraham atteindra tous ses descendants, qui devront porter dans leur chair le signe de leur appartenance à Dieu, la circoncision, Gn 17. Sous Moïse, l'alliance se

après vous, [10] et avec tous les êtres animés qui sont avec
vous : oiseaux, bestiaux, toutes bêtes sauvages avec vous,
bref tout ce qui est sorti de l'arche, tous les animaux de la
terre. [11] J'établis mon alliance avec vous : nulle chair ne
sera plus détruite par les eaux du déluge, il n'y aura plus
de déluge pour ravager la terre. »

[12] Et Dieu dit : « Voici le signe de l'alliance que j'institue entre moi et vous et tous les êtres vivants qui sont
avec vous, pour les générations à venir : [13] je mets mon
arc dans la nuée et il deviendra un signe d'alliance entre
moi et la terre. [14] Lorsque j'assemblerai les nuées sur la
terre et que l'arc apparaîtra dans la nuée, [15] je me souviendrai de l'alliance qu'il y a entre moi et vous et tous les êtres
vivants, en somme toute chair, et les eaux ne deviendront
plus un déluge pour détruire toute chair. [16] Quand l'arc
sera dans la nuée, je le verrai et me souviendrai de l'alliance
éternelle qu'il y a entre Dieu et tous les êtres vivants, en
somme toute chair qui est sur la terre. »

[17] Dieu dit à Noé : « Tel est le signe de l'alliance que
j'établis entre moi et toute chair qui est sur la terre. »

III. Du déluge a Abraham

Noé et ses fils.

[18] Les fils de Noé qui sortirent de l'arche étaient Sem,
Cham et Japhet; Cham est

---

10. *Après « l'arche », H ajoute « tous les animaux de la terre », glose probable ; omis par G.*

---

restreindra au peuple d'Israël; elle imposera l'obéissance à la Loi, Ex **19** 5 ;
24 7-8, et aura pour signe l'observance du sabbat, Ex **31** 16-17. Ainsi se
précise et s'enrichit l'une des notions maîtresses de l'A. T.

le père de Canaan^a. ¹⁹ Ces trois-là étaient les fils de Noé et à partir d'eux se fit le peuplement de toute la terre.

²⁰ Noé, le cultivateur, commença de planter la vigne. ²¹ Ayant bu du vin, il fut enivré et se dénuda à l'intérieur de sa tente. ²² Cham, père de Canaan^b, vit la nudité de son père et avertit ses deux frères au dehors. ²³ Mais Sem et Japhet prirent le manteau, le mirent tous deux sur leur épaule et, marchant à reculons, couvrirent la nudité de leur père ; leurs visages étaient tournés en arrière et ils ne virent pas la nudité de leur père^c. ²⁴ Lorsque Noé se réveilla de son ivresse, il apprit ce que lui avait fait son fils le plus jeune. ²⁵ Et il dit^d :

« Maudit soit Canaan !

Qu'il soit pour ses frères

le dernier des esclaves ! »

²⁶ Il dit aussi :

« Béni soit Yahvé, le Dieu de Sem,

et que Canaan soit son esclave !

---

a) Cf. **10** 6. Mais la remarque, faite ici, prépare le récit des vv. 20-27, emprunté à une source plus ancienne qui mettait en scène Sem, Japhet et Canaan.

b) Voir la note précédente ; la source devait avoir seulement « Canaan ».

c) La délicatesse et le respect filial de Sem et de Japhet sont opposés à la curiosité vicieuse de leur frère ; c'est une leçon de pudeur.

d) Les bénédictions et les malédictions des Patriarches, cf. **27** et **49**, sont des paroles efficaces qui atteignent un chef de lignée et se réalisent en ses descendants : une triple condamnation met la race de Canaan au service de ses frères ; elle sera soumise à Sem, ancêtre d'Abraham et des Israélites, placés sous la protection spéciale de Yahvé ; elle sera soumise aussi à Japhet dont les descendants largement répandus seront les hôtes de Sem. Le récit primitif pourrait refléter la situation historique du début du IIᵉ millénaire av. J. C., lorsqu'une nouvelle vague sémitique, à laquelle appartenait Abraham, avait submergé Canaan, en liaison pacifique avec une immigration moins nombreuse d'éléments originaires de l'Asie Mineure. Mais il est vraisemblable que l'auteur yahviste songe à l'Empire de David et de Salomon dans lequel les Cananéens sont soumis et auquel sont intégrés des groupes étrangers à Israël. Beaucoup de Pères (à la suite de saint Justin) y lurent l'annonce de l'entrée des Gentils (Japhet) dans la communauté chrétienne issue des Hébreux (Sem).

27 « Que Dieu mette Japhet au large[a],
qu'il habite dans les tentes de Sem,
et que Canaan soit son esclave ! »
28 Après le déluge, Noé vécut trois cent cinquante ans.
29 Toute la durée de la vie de Noé fut de neuf cent cinquante ans, puis il mourut[b].

|| 1 Ch **1** 5-23

Le peuplement de la terre[c].

10. 1 Voici la descendance des fils de Noé, Sem, Cham et Japhet, auxquels des fils naquirent après le déluge :
2 Fils de Japhet : Gomer, Magog, les Mèdes, Yavân, Tubal, Moshek, Tiras. 3 Fils de Gomer : Ashkenaz, Riphat, Togarma. 4 Fils de Yavân : Élisha, Tarsis, les Kittim,

---

10 2. « *Moshek* » *Sam G* ; « *Mèshèk* » *H.*

a) L'hébreu joue sur les mots *Yâpèt* et *yapt* « qu'il mette au large ! ».
b) Conclusion de l'histoire composite de Noé, dans le style « sacerdotal »; c'était la formule stéréotypée du ch. **5**.
c) Sous la forme d'un tableau généalogique, ce ch. donne une table des peuples. Ils sont groupés moins selon leurs affinités ethniques que d'après leurs rapports historiques et géographiques : les fils de Japhet peuplent l'Asie Mineure et les îles de la Méditerranée; les fils de Cham occupent les pays du Sud : Égypte, Éthiopie, Arabie, et Canaan leur est rattaché en souvenir de la domination égyptienne sur cette contrée; entre ces deux groupes, sont les fils de Sem : Élamites, Assyriens, Araméens et les ancêtres des Hébreux. Ceci vaut pour la tradition « sacerdotale » qui constitue l'essentiel du ch., vv. 1-7, 20, 22-23, 31-32. Les développements qui s'y ajoutent, vv. 8-19, 21, 24-30, proviennent d'une source « yahviste » et apportent quelques différences : ainsi les Assyro-Babyloniens sont rattachés aux Chamites, vv. 8 s, en revanche les tribus sud-arabes sont rendues à Sem, vv. 26 s. La rédaction « sacerdotale » utilise un document antérieur qui, par les noms qu'il donne et surtout par ceux qu'il omet, paraît être antérieur au VIIIᵉ siècle av. J. C. Le tableau affirme l'unité de l'espèce humaine, la souche commune d'où procèdent tant de groupes divers qui doivent se considérer comme frères. La dispersion des hommes, entraînant la variété des peuples et des langues, y est présentée comme l'accomplissement de la bénédiction divine accordée aux fils de Noé, **9** 1; cf. la conclusion de **10** 32. Le récit « yahviste » de la Tour de Babel, **11** 1-9, rendra un son moins favorable; mais tels sont les aspects complémentaires d'une histoire du monde à laquelle concourent la puissance de Dieu et la malice des hommes.

les Dananéens. ⁵ A partir d'eux se fit la dispersion dans les îles des nations*ᵃ*.

Tels furent les fils de Japhet, d'après leurs pays et chacun selon sa langue, selon leurs clans et d'après leurs nations.

⁶ Fils de Cham*ᵇ* : Kush, Miçrayim, Put, Canaan. ⁷ Fils de Kush : Séba, Havila, Sabta, Rama, Sabteka. Fils de Rama : Sheba, Dedân.

⁸ Kush engendra Nemrod*ᶜ*, qui fut le premier potentat sur la terre. ⁹ C'était un vaillant chasseur devant Yahvé, et c'est pourquoi l'on dit : « Comme Nemrod, vaillant chasseur devant Yahvé. » ¹⁰ Les prémices de son empire furent Babel, Érek et Akkad, villes qui sont toutes*ᵈ* au pays de Shinéar*ᵉ*. ¹¹ De ce pays sortit Ashshur, qui bâtit Ninive, Rehobot-Ir, Kalah, ¹² et Résèn entre Ninive et Kalah (c'est la grande ville)*ᶠ*.

¹³ Miçrayim engendra les gens de Lud, de Anam, de

---

4. « *les Dananéens* » Dânânîm *conj.*; « *les Dodanéens* » (?) Dodanîm *H* ; « *les Rhodiens* » Rodânîm *Sam* ᵐˢˢ *G* ᵐˢˢ.

5. « *Tels furent les fils de Japhet* » *cf. vv.* 20 *et* 31 ; *omis par H.*

10. « *villes qui sont toutes* » wᵉkullânâh *conj.*; « *et Kalneh* » wᵉkalnéh *H.*

---

a) Les îles et les côtes de la Méditerranée.

b) Miçrayim = l'Égypte; Put = le pays de « Pount » des textes égyptiens, vers la côte des Somalis; Kush = la Nubie et l'Éthiopie. Mais les « fils » de Kush, v. 7, sont presque tous en Arabie du sud : indice de relations anciennes entre les deux régions.

c) Figure populaire (le v. 9 est un proverbe) derrière laquelle se cache un héros de Mésopotamie, dont l'identification est incertaine. Il s'agit probablement de Tukulti-Ninurta Iᵉʳ (1245-1205), le premier souverain assyrien qui domina la Babylonie et tout le pays d'Akkad, cf. v. 10; Nemrod serait la déformation de la seconde partie de son nom, Ninurta. Ce fondateur de la puissance assyro-babylonienne est curieusement rattaché à Kush, qui n'est plus ici l'Éthiopie, v. 6, mais qui est la Mésopotamie à l'époque cassite.

d) Cf. la note textuelle. Il n'y a pas de ville appelée Kalneh en Mésopotamie et Kalno-Kalné d'Is **10** 9 et Am **6** 2 est une petite ville de Syrie, qui n'a rien à faire ici.

e) Un nom de la Babylonie, comme à **11** 2; cf. Is **11** 11; Dn **1** 2.

f) La parenthèse est une note marginale qui se réfère à Ninive.

Lehab, de Naphtuh, ¹⁴ de Patros, de Kasluh et de Kaphtor, d'où sont sortis les Philistins.

¹⁵ Canaan engendra Sidon, son premier-né, puis Hèt, ¹⁶ et le Jébuséen, l'Amorite, le Girgashite, ¹⁷ le Hivvite, l'Arqite, le Sinite, ¹⁸ l'Arvadite, le Çemarite, le Hamatite; ensuite se dispersèrent les clans cananéens. ¹⁹ La frontière des Cananéens allait de Sidon en direction de Gérar, jusqu'à Gaza, puis en direction de Sodome, Gomorrhe, Adama et Çeboyim, et jusqu'à Lésha*a*.

²⁰ Tels furent les fils de Cham, selon leurs clans et leurs langues, d'après leurs pays et leurs nations.

²¹ Une descendance naquit également à Sem, l'ancêtre de tous les fils de Éber et le frère aîné de Japhet.

²² Fils de Sem : Élam, Ashshur, Arpakshad, Lud, Aram. ²³ Fils d'Aram : Uç, Hul, Géter, et Mash.

²⁴ Arpakshad engendra Shélah et Shélah engendra Éber. ²⁵ A Éber naquirent deux fils : le premier s'appelait Péleg, car ce fut en son temps que la terre fut divisée*b*, et son frère s'appelait Yoqtân. ²⁶ Yoqtân engendra Almodad, Shéleph, Haççarmavet, Yérah, ²⁷ Hadoram, Uzal, Diqla, ²⁸ Obal, Abimaël, Sheba, ²⁹ Ophir, Havila, Yobab; tous ceux-là sont fils de Yoqtân. ³⁰ Ils habitaient à partir de Mesha en direction de Sephar, la montagne de l'Orient*c*.

³¹ Tels furent les fils de Sem, selon leurs clans et leurs langues, d'après leurs pays et leurs nations.

---

14. « *de Kasluh et de Kaphtor, d'où sont sortis les Philistins* » cf. Am **9** 7; Jr **47** 4; « *de Kasluh, d'où sont sortis les Philistins, et de Kaphtor* » H *Vers.*

---

a) Lésha est inconnue (identique à Laïsh-Dan, Jg **18** 29 ?), mais doit marquer l'angle nord-est du quadrilatère cananéen, restreint à la Palestine et à la Phénicie du sud. Remarquer que le v. 18 étend le peuplement cananéen jusqu'au nord de la Syrie.

b) Péleg est expliqué par la racine *plg* « diviser ».

c) Géographie incertaine, qui paraît fixer des repères situés au nord et au sud de l'Arabie.

[32] Tels furent les clans des descendants de Noé, selon leurs lignées et d'après leurs nations. Ce fut à partir d'eux que les peuples se dispersèrent sur la terre après le déluge.

La tour de Babel[a].   **11.**   [1] Tout le monde se servait d'une même langue et des mêmes mots. [2] Comme les hommes se déplaçaient à l'orient, ils trouvèrent une plaine au pays de Shinéar[b] et ils s'y établirent. [3] Ils se dirent l'un à l'autre : « Allons ! Faisons des briques et cuisons-les au feu ! » La brique leur servit de pierre et le bitume leur servit de mortier. [4] Ils dirent : « Allons ! Bâtissons-nous une villle et une tour dont le sommet pénètre les cieux[c] ! Faisons-nous un nom[d] et ne soyons pas dispersés sur toute la terre ! »

[5] Or Yahvé descendit pour voir la ville et la tour que les hommes avaient bâties. [6] Et Yahvé dit : « Voici que tous font un seul peuple et parlent une seule langue, et tel est le début de leurs entreprises ! Maintenant, aucun dessein ne sera irréalisable pour eux[e]. [7] Allons ! Descendons[f] !

---

a) Ce récit « yahviste » donne de la diversité des peuples et des langues une autre explication que celle du ch. **10**. C'est le châtiment d'une faute collective qui, comme la faute des premiers parents, ch. **3**, est encore une faute de démesure (v. 4) : orgueil totalitaire. L'union ne sera restaurée que dans le Christ Sauveur : le miracle des langues à la Pentecôte, Ac **2** 5-12, l'assemblée des nations au ciel, Ap **7** 9-10.

b) La Babylonie, voir **10** 10.

c) La tradition s'était accrochée à l'une de ces hautes tours à étages que l'on construisait en Mésopotamie comme un symbole de la montagne sacrée et un reposoir de la divinité ; elle était ruinée lorsque le récit fut composé. Les constructeurs y avaient cherché un moyen de rencontrer leur dieu, mais il fallait expliquer sa ruine et l'auteur théologien la condamne comme l'entreprise d'un orgueil insensé.

d) Une renommée; Si **40** 19 : « Des enfants et la fondation d'une ville perpétuent un nom. »

e) Dieu défend ses prérogatives, comme après la faute originelle, cf. **3** 22.

f) Dieu s'adresse à sa cour céleste, comme à **3** 22.

Et là, confondons leur langage pour qu'ils ne s'entendent plus les uns les autres. » ⁸ Yahvé les dispersa de là sur toute la face de la terre et ils cessèrent de bâtir la ville. ⁹ Aussi la nomma-t-on Babel, car c'est là que Yahvé confondit*ᵃ* le langage de tous les habitants de la terre et c'est de là qu'il les dispersa sur toute la face de la terre.

|| 1 Ch 1 17-27

Les Patriarches
d'après le déluge*ᵇ*.

¹⁰ Voici la descendance de Sem :

Quand Sem eut cent ans, il engendra Arpakshad, deux ans après le déluge. ¹¹ Après la naissance d'Arpakshad, Sem vécut cinq cents ans et il engendra des fils et des filles.

¹² Quand Arpakshad eut trente-cinq ans, il engendra Shélah. ¹³ Après la naissance de Shélah, Arpakshad vécut quatre cent trois ans et il engendra des fils et des filles.

¹⁴ Quand Shélah eut trente ans, il engendra Éber. ¹⁵ Après la naissance d'Éber, Shélah vécut quatre cent trois ans et il engendra des fils et des filles.

¹⁶ Quand Éber eut trente-quatre ans, il engendra Péleg. ¹⁷ Après la naissance de Péleg, Éber vécut quatre cent trente ans et il engendra des fils et des filles.

¹⁸ Quand Péleg eut trente ans, il engendra Réu. ¹⁹ Après

---

a) « Babel » est expliqué par la racine *bll* « confondre ». Babylone, dont le nom signifie en réalité « porte du dieu » et dont l'orgueil a voulu dominer le monde, est la « ville de confusion », frappée par le jugement de Dieu, cf. Jr **51** 53, où Babylone est condamnée pour avoir voulu escalader le ciel, allusion probable au récit de la Genèse.

b) Suite du ch. **5**, avec les mêmes formules, moins l'indication de l'âge total de chaque patriarche et de sa mort. L'horizon se restreint aux ascendants directs d'Abraham et la liste veut combler la durée sans souvenirs qui sépare du déluge le père du peuple élu. Le système chronologique est aussi difficile à interpréter qu'au ch. **5**; les chiffres sont très majorés dans les textes samaritain et grec. Comparés à ceux des patriarches d'avant le déluge, ils marquent une diminution de la longévité humaine. Dans la mesure où les noms sont identifiables, ils se rattachent à la Mésopotamie du nord, où vont séjourner les ancêtres des Hébreux, v. 31, et les ch. **24**, **28** à **31**.

la naissance de Réu, Péleg vécut deux cent neuf ans et il
engendra des fils et des filles.

²⁰ Quand Réu eut trente-deux ans, il engendra Serug.
²¹ Après la naissance de Serug, Réu vécut deux cent sept
ans et il engendra des fils et des filles.

²² Quand Serug eut trente ans, il engendra Nahor.
²³ Après la naissance de Nahor, Serug vécut deux cents
ans et il engendra des fils et des filles.

²⁴ Quand Nahor eut vingt-neuf ans, il engendra Térah.
²⁵ Après la naissance de Térah, Nahor vécut cent dix-neuf
ans et il engendra des fils et des filles.

²⁶ Quand Térah eut soixante-dix ans, il engendra Abram,
Nahor et Harân.

²⁷ Voici la descendance de

**La descendance
de Térah**ᵃ.

Térah :

Térah engendra Abram,
Nahor et Harân. Harân en-
gendra Lot. ²⁸ Harân mourut en présence de son père
Térah dans son pays natal, Ur des Chaldéens. ²⁹ Abram
et Nahor se marièrent : la femme d'Abram s'appelait Saraï;
la femme de Nahor s'appelait Milka, fille de Harân, qui
était le père de Milka et de Yiska. ³⁰ Or Saraï était stérile :
elle n'avait pas d'enfant ᵇ.

³¹ Térah prit son fils Abram, son petit-fils Lot, fils de
Harân, et sa bru Saraï, femme d'Abram. Il les fit sortir

---

11 31. « *Il les fit sortir* » *Vers.*; « *Ils sortirent avec eux* » *H* ; « *Il sortit avec
eux* » *Syr.*

---

a) L'histoire de la race élue va commencer et le tableau généalogique
se détaille pour présenter les parents de toute la race, Abram et Saraï, dont
les noms seront changés en Abraham et Sara, **17** 5 et 15, et aussi Nahor,
le grand-père de Rébecca, **24** 24, et Lot, l'ancêtre des Moabites et des
Ammonites, **19** 30-38.

b) Préparation de **16** 1 et **17** 19-21.

d'Ur des Chaldéens pour aller au pays de Canaan, mais, arrivés à Harân, ils s'y établirent[a].

[32] La durée de la vie de Térah fut de deux cent cinq ans[b], puis il mourut à Harân.

II

HISTOIRE D'ABRAHAM

12.   [1] Yahvé dit à Abram:

Vocation d'Abraham[c].   « Quitte ton pays, ta parenté et la maison de ton père,

pour le pays que je t'indiquerai. [2] Je ferai de toi un grand peuple, je te bénirai, je magnifierai ton nom; sois une bénédiction !

[3] Je bénirai ceux qui te béniront,
je réprouverai ceux qui te maudiront.
Par toi te béniront[d]
toutes les nations de la terre. »

---

12 3. « *ceux qui te maudiront* » H[mss] *Vers.* ; « *celui qui te maudira* » H.

---

a) Première migration sur la route de la Terre Promise : Ur des Chaldéens est l'antique ville d'Ur, aujourd'hui Mugheir, en Basse-Mésopotamie; Harân est au nord-ouest de la Mésopotamie, dans le grand coude de l'Euphrate.

b) D'après le Pentateuque Samaritain, seulement 145 ans : ainsi Abraham ne quittera Harân qu'à la mort de son père (d'après **11** 26 et **12** 4); c'est le comput suivi par Ac **7** 4.

c) Rompant toutes ses attaches terrestres, Abraham part pour un pays inconnu, avec sa femme stérile, **11** 30, simplement parce que Dieu l'appelle et lui promet une postérité bénie. L'existence même et l'avenir du peuple élu dépendent de cet acte absolu de foi, cf. He **11** 8 s.

d) Elles se diront entre elles : « Bénie sois-tu comme Abraham », cf. le v. 2 et **48** 20; Jr **29** 22. La formule revient à **18** 18; **22** 18; **26** 4; **28** 14. Cette traduction est grammaticalement plus exacte que « En toi seront

⁴ Abram partit, comme lui avait dit Yahvé, et Lot partit avec lui. Abram avait soixante-quinze ans lorsqu'il quitta Harân. ⁵ Abram prit sa femme Saraï, son neveu Lot, tout l'avoir qu'ils avaient amassé et le personnel qu'ils avaient acquis à Harân; ils se mirent en route pour le pays de Canaan et ils y arrivèrent.

⁶ Abram traversa le pays jusqu'au lieu saint de Sichem, au Chêne de Moré*a*. Les Cananéens étaient alors dans le pays. ⁷ Yahvé apparut à Abram et dit : « C'est à ta postérité que je donnerai ce pays *b*. » Et là, Abram bâtit un autel à Yahvé qui lui était apparu. ⁸ Il passa de là dans la montagne, à l'orient de Béthel, et il dressa sa tente, ayant Béthel à l'ouest et Aï à l'est*c*. Là, il bâtit un autel à Yahvé et il invoqua son nom. ⁹ Puis, de campement en campement, Abram alla au Négeb*d*.

Abraham en Égypte*e*.

¹⁰ Il y eut une famine dans le pays et Abram descendit en Égypte pour y séjourner,

= **20**
= **26** I-II

---

bénies », qui est l'interprétation de la Septante, canonisée par l'usage du N. T., Ac **3** 25; Ga **3** 8.

a) Mentionné aussi Dt **11** 30. C'est l'arbre anonyme de Gn **35** 4 et, peut-être, le « Chêne des Devins » de Jg **9** 37; en hébr., « môré » peut signifier « devin ». Sichem est aujourd'hui Balâta, près de Naplouse à l'est.

b) Don de la Terre Sainte. Abraham reconnaît la seigneurie de Yahvé en élevant un autel; de même à Béthel, v. suivant.

c) Aï est à 3 km. à l'est de Béthel.

d) Le Midi de la Palestine.

e) Cette histoire célèbre la beauté de l'aïeule de la race, l'habileté du Patriarche, la protection que Dieu accorde à tous deux. Placée ici, elle veut montrer comment les promesses des vv. 2 et 7 sont aussitôt compromises, et par le Patriarche lui-même : il abandonne la Terre Sainte et livre la femme d'où devait sortir la race élue; mais Dieu sauve une première fois son dessein. Le thème reviendra au ch. **20** (encore Sara) et au ch. **26** I-II (Rébecca), et les réserves ou les excuses qui seront apportées indiquent que les rédacteurs de la Genèse n'approuvaient pas toute la conduite d'Abraham. Celle-ci nous choque encore plus qu'eux, mais l'histoire date d'un âge moral où la conscience ne réprouvait pas toujours le mensonge et où la vie du mari valait plus que l'honneur de la femme. L'humanité, guidée par Dieu, n'a pris de la loi morale qu'une connaissance progressive.

car la famine pesait lourdement sur le pays. ¹¹ Lorsqu'il fut près d'entrer en Égypte, il dit à sa femme Saraï : « Vois-tu, je sais que tu es une femme de belle apparence. ¹² Quand les Égyptiens te verront, ils diront : ' C'est sa femme ', et ils me tueront et te laisseront en vie. ¹³ Dis, je te prie, que tu es ma sœur*ᵃ*, pour qu'on me traite bien à cause de toi et qu'on me laisse en vie par égard pour toi. » ¹⁴ De fait, quand Abram arriva en Égypte, les Égyptiens virent que la femme était très belle. ¹⁵ Les officiers de Pharaon la virent et la vantèrent à Pharaon; et la femme fut emmenée au palais de Pharaon. ¹⁶ Celui-ci traita bien Abram à cause d'elle : il eut du petit et du gros bétail, des ânes, des esclaves, des servantes, des ânesses, des chameaux. ¹⁷ Mais Yahvé frappa Pharaon de grandes plaies, et aussi sa maison, à propos de Saraï, la femme d'Abram. ¹⁸ Pharaon appela Abram et dit : « Qu'est-ce que tu m'as fait ? Pourquoi ne m'as-tu pas déclaré qu'elle était ta femme ? ¹⁹ Pourquoi as-tu dit : ' Elle est ma sœur ! ' en sorte que je l'ai prise pour femme. Maintenant, voilà ta femme : prends-la et va-t'en ! » ²⁰ Pharaon le confia à des hommes qui le reconduisirent à la frontière, lui, sa femme et tout ce qu'il possédait.

13. ¹ D'Égypte, Abram avec sa femme et tout ce

Séparation d'Abraham et de Lot.

qu'il possédait, et Lot avec lui, remonta au Négeb. ² Abram était très riche en troupeaux, en argent et en or. ³ Ses campements le conduisirent du Négeb jusqu'à Béthel, à l'endroit où sa tente s'était dressée d'abord entre Béthel et Aï, ⁴ à l'endroit de l'autel qu'il avait érigé pré-

17. « *et aussi sa maison* » *glose probable, inspirée de* **20** 17.

a) Gn **20** 18 dira qu'effectivement Sara était la demi-sœur d'Abraham.

cédemment[a], et là, Abram invoqua le nom de Yahvé.

[5] Lot, qui accompagnait Abram, avait également du petit et du gros bétail, ainsi que des tentes. [6] Le pays ne suffisait pas à leur installation commune : ils avaient de trop grands biens pour pouvoir habiter ensemble[b]. [7] Il y eut une dispute entre les pâtres des troupeaux d'Abram et ceux des troupeaux de Lot (les Cananéens et les Perizzites[c] habitaient alors le pays). [8] Aussi Abram dit-il à Lot : « Qu'il n'y ait pas discorde entre moi et toi, entre mes pâtres et les tiens, car nous sommes des frères ! [9] Tout le pays n'est-il pas devant toi ? Sépare-toi de moi. Si tu prends la gauche, j'irai à droite, si tu prends la droite, j'irai à gauche. »

[10] Lot leva les yeux et vit toute la plaine du Jourdain[d] qui était partout irriguée, — c'était avant que Yahvé ne détruisît Sodome et Gomorrhe, — comme le jardin de Yahvé, comme le pays d'Égypte, jusque vers Çoar[e]. [11] Lot choisit pour lui toute la plaine du Jourdain et il émigra à l'orient; ainsi ils se séparèrent l'un de l'autre : [12] Abram s'établit au pays de Canaan et Lot s'établit dans les villes de la plaine; il dressa ses tentes jusqu'à Sodome. [13] Les gens de Sodome étaient de grands scélérats et pécheurs contre Yahvé[f].

---

a) Voir **12** 8.

b) Le même motif sera donné pour la séparation d'Ésaü et de Jacob, **36** 7, qui appartient à la tradition « sacerdotale », et notre v. 6 provient de la même source. Le récit « yahviste », qui fait le fond du ch. **13**, ne parlait que de disputes de bergers, vv. 7 et 8, sans doute pour l'usage des puits, comme à **26** 20.

c) Ilot de population probablement non sémitique en Palestine centrale; voir encore **34** 30; Jos **17** 15.

d) Litt. le « cercle », la circonscription du Jourdain, désignant la basse vallée du fleuve, jusqu'au sud de la mer Morte, qui est censée ne pas exister encore, voir **14** 3; **19** 24 s.

e) Au sud de la mer Morte, voir **19** 22.

f) Préparation de **18** 20-21; **19** 4-11. Lot a préféré la vie facile et un

¹⁴ Yahvé dit à Abram, après que Lot se fut séparé de lui :
« Lève les yeux et regarde, de l'endroit où tu es, vers
le nord et le midi, vers l'orient et l'occident. ¹⁵ Tout le
pays que tu vois, je le donnerai à toi et à ta postérité pour
toujours. ¹⁶ Je rendrai ta postérité comme la poussière
de la terre : quand on pourra compter les grains de poussière de la terre, alors on comptera tes descendants !
¹⁷ Debout ! Parcours le pays en long et en large, car je te
le donnerai[a]. » ¹⁸ Avec ses tentes, Abram alla s'établir au
Chêne de Mambré[b], qui est à Hébron, et là, il érigea un
autel à Yahvé.

**La campagne
des quatre grands rois**[c].

14. ¹ Au temps d'Amraphel roi de Shinéar, d'Aryok
roi d'Ellasar, de Kedor-Laomer roi d'Élam et de Tidéal
roi des Goyim, ² ceux-ci firent la guerre contre Béra roi de

---

13 18. « *au Chêne* » G Syr cf. **18** 4, 8 ; « *aux Chênes* » H.

climat de péché : il en sera cruellement puni, ch. **19**. Mais la générosité
d'Abraham, qui a laissé le choix à son neveu, va être immédiatement
récompensée.

a) Renouvellement plus solennel de la promesse de **12** 7.

b) Le pluriel de l'hébreu (voir note textuelle) est une réaction juive
tardive contre la dévotion païenne qu'on portait à cet arbre sacré. Le
site est l'actuel *Ramet el-Khalil*, « la Hauteur de l'Ami », à quelques km.
au nord d'Hébron, qui s'appelle en arabe *El-Khalil*, « l'Ami », car les
Arabes ont conservé à Abraham le beau titre d'Ami de Dieu que lui donne
la Bible, Is **41** 8 ; Dn **3** 35 ; Jc **2** 23, et que le Coran a adopté. D'autres épisodes de l'histoire d'Abraham se situeront à Mambré, **14** 13 ; **18** 1, et
Hébron sera le lieu de sépulture d'Abraham, d'Isaac, de Jacob et de leurs
femmes, **23** ; **25** 9 ; **35** 27-29 ; **49** 30.

c) On s'accorde à reconnaître que ce chapitre n'appartient à aucune des
trois grandes sources de la Genèse, mais sa valeur historique est très diversement appréciée. Certains lui refusent tout crédit : ce serait une composition tardive, pastichant l'antique et voulant donner à Abraham un lustre
guerrier qui lui manquait. On aurait imaginé l'invraisemblable victoire de
ce petit chef de clan contre les plus grands rois de l'Orient qui, par un chemin impossible, avaient amené leurs armées dans un coin perdu. Mais cette
opinion ne rend pas justice au texte. Son style particulier, les mots rares
ou uniques qu'il contient, les noms de personnes qui ne sont pas inventés,

Sodome, Birsha roi de Gomorrhe, Shinéab roi d'Adma, Shèmééber roi de Çeboyim et le roi de Béla (c'est Çoar)ᵃ.
³ Ces derniers se liguèrent dans la vallée de Siddim (c'est la mer du Sel)ᵇ. ⁴ Douze ans ils avaient été soumis à Kedor-Laomer mais, la treizième année, ils se révoltèrent. ⁵ En la quatorzième année, arrivèrent Kedor-Laomer et les rois qui étaient avec lui. Ils battirent les Rephaïm à Ashterot-Qarnayim, les Zuzim à Ham, les Émim dans la plaine de Qiryatayim, ⁶ les Horites dans les montagnes de Séïr jusqu'à El-Parân, qui est à la limite du désertᶜ.
⁷ Ils firent un mouvement tournant et vinrent à la Source

---

14 4. « la treizième année » *Vers.*; « treize années » H.
  6. « les montagnes de » *Vers.*; « leurs montagnes » H.

---

les noms de lieux qu'il a fallu gloser, tout cela suppose un document ancien. On concédera qu'il a été remanié pour mettre en relief Lot et Abraham, pour exalter la vaillance et le désintéressement du Patriarche, pour souligner son contact avec Jérusalem (voir la note *b* de la page 81), future capitale et centre du culte de Yahvé, mais, si l'on comprend cette campagne militaire comme une expédition destinée à dégager la route commerciale de la mer Rouge et l'intervention d'Abraham comme une razzia sur les arrières de la colonne alourdie par son butin, l'épisode n'est pas sans vraisemblance. Si l'on pouvait en identifier les acteurs, on rattacherait ainsi Abraham à la grande histoire. Malheureusement, les personnages sont inconnus : Amraphel n'est pas, comme on l'a dit souvent, Hammurabi, le célèbre roi de Babylone; il est probablement un roi de Mésopotamie du nord. Aryok est un roi hurrite, Tidéal un roi d'Asie Mineure, Kedor-Laomer sûrement un roi élamite. On peut seulement dire que les circonstances historiques que suppose ce récit se sont le mieux vérifiées au xixᵉ siècle avant notre ère, date approximative qu'on retiendra pour Abraham.

a) Sur ces villes, voir **10** 19; **13** 10; **18** 22 s et tout le ch. **19**. Rapprocher Dt **29** 22 et Os **11** 8.

b) L'auteur se représente la mer Morte comme n'existant pas encore, cf. **13** 10, ou bien la vallée de Siddim (le nom se rencontre qu'ici) n'occupait que le sud de la mer Morte, qui est un affaissement récent.

c) Les Rephaïm, Zuzim (ou Zamzumim), Émim et Horites étaient, d'après la Bible, d'anciennes peuplades de Transjordanie, cf. Dt **2** 10-12 et 20-22. Leurs villes jalonnent la grande route qui descend vers la mer Rouge : Ashterot-Qarnayim = *Tell 'Ashtara* dans le Hauran; Ham = *Ḥam* près d'Irbid; Qiryatayim = *El-Qaryatein* au sud de Kérak; El-Parân = Élat de l'époque israélite, sur le golfe d'Aqaba.

du Jugement (c'est Cadès)[a]; ils battirent tout le territoire
des Amalécites et aussi les Amorites qui habitaient Haça-
çôn-Tamar[b]. [8] Alors le roi de Sodome, le roi de Gomorrhe,
le roi d'Adma, le roi de Çeboyim et le roi de Béla (c'est
Çoar) s'ébranlèrent et se rangèrent en bataille contre eux
dans la vallée de Siddim, [9] contre Kedor-Laomer roi
d'Élam, Tidéal roi des Goyim, Amraphel roi de Shinéar
et Aryok roi d'Ellasar : quatre rois contre cinq ! [10] Or la
vallée de Siddim était pleine de puits de bitume; dans
leur fuite, le roi de Sodome et le roi de Gomorrhe y tombèrent, et le reste se réfugia dans la montagne. [11] Les
vainqueurs prirent tous les biens de Sodome et de Gomorrhe et tous leurs vivres, et s'en allèrent.

[12] Ils prirent aussi Lot et ses biens (le neveu d'Abram),
et s'en allèrent; il habitait Sodome. [13] Un rescapé vint
informer Abram l'Hébreu, qui demeurait au Chêne de
l'Amorite Mambré[c], frère d'Eshkol et d'Aner; ils étaient
les alliés d'Abram. [14] Quand Abram apprit que son parent
était emmené captif, il leva ses partisans, ses familiers[d], au
nombre de trois cent dix-huit, et mena la poursuite jusqu'à
Dan. [15] Il les attaqua de nuit en ordre dispersé[e], lui et ses

---

10. « *le roi de Sodome et le roi de Gomorrhe* » *Sam G Syr* ; « *le roi de Sodome et de Gomorrhe* » *H*.

12. *Après* « *et ses biens* », *H ajoute* « *le neveu d'Abram* », *glose*.

13. « *au Chêne* » *G Syr* ; « *aux Chênes* » *H, cf.* **13** 18.

---

a) Séjour des Israélites au désert, Nb **13** et **20**, etc. Le nom de « Source du Jugement » rappelle celui des « Eaux de Mériba » ou « Eaux de Dispute », donné à la source de Cadès, Nb **20** 13.

b) Au sud de la mer Morte.

c) Le nom de lieu de **13** 18 devient ici un nom de personne.

d) Litt. « nés de sa maison ». L'expression ne désigne pas nécessairement ni exclusivement les esclaves nés dans la famille. Elle semble
définir un état social, le rattachement à une « maison » à titre servile,
avec certains privilèges et certaines obligations, en particulier militaires.

e) Litt. « il se divisa (et tomba) sur eux », construction prégnante.
C'est une tactique courante et la division se fait généralement en trois
corps d'assaut, Jg **7** 16; **9** 43; 1 S **11** 11; 2 S **18** 2.

gens, il les battit et les poursuivit jusqu'à Hoba, au nord de Damas. ¹⁶ Il reprit tous les biens, et aussi son parent Lot et ses biens, ainsi que les femmes et les gens.

Melchisédech.

¹⁷ Quand Abram revint après avoir battu Kedor-Laomer et les rois qui étaient avec lui, le roi de Sodome alla à sa rencontre dans la vallée de Shavé (c'est la vallée du Roi)ᵃ. ¹⁸ Melchisédech, roi de Shalemᵇ, apporta du pain et du vin ; il était prêtre du Dieu Très Haut. ¹⁹ Il prononça cette bénédiction :

« Béni soit Abram par le Dieu Très Haut
     qui créa ciel et terre,
²⁰ et béni soit le Dieu Très Haut
     qui a livré tes ennemis entre tes mains. »
Et Abram lui donna la dîme de tout.

²¹ Le roi de Sodome dit à Abram : « Donne-moi les personnes et prends les biens pour toi. » ²² Mais Abram répon-

---

a) La vallée du Roi est mentionnée dans 2 S **18** 18 et se trouvait, d'après Josèphe, à moins de 400 m. de Jérusalem.

b) Après le Ps **76** 3, toute la tradition juive et beaucoup de Pères ont identifié Shalem avec Jérusalem. Son roi-prêtre, Melchisédech, porte un bon nom cananéen (cf. Adonisédech, roi de Jérusalem, d'après Jos **10** 1). Il adore le Dieu Très Haut, *El 'Éliôn,* nom composé dont chaque élément est attesté comme une divinité du panthéon phénicien. *'Éliôn,* généralement seul, est employé dans la Bible comme un titre divin, surtout dans les Psaumes. Ici, au v. 22, *El 'Éliôn* est identifié au vrai Dieu d'Abraham. Ce Melchisédech, qui fait dans le récit sacré une brève et mystérieuse apparition, comme roi de Jérusalem où Yahvé choisira d'habiter, comme prêtre du Très Haut dès avant l'institution du sacerdoce lévitique, et auquel le Père de tout le peuple élu paie la dîme, est présenté par le Ps **110** 4 comme une figure du Messie, roi et prêtre. L'application au sacerdoce du Christ est magnifiquement développée dans l'Épître aux Hébreux, ch. **7.** Toute la tradition patristique a exploité cette exégèse allégorique. Elle y a ajouté : Clément d'Alexandrie avait vu dans le pain et le vin apportés à Abraham une figure de l'Eucharistie, saint Cyprien le premier y reconnut un véritable sacrifice, figure du sacrifice eucharistique, et cette interprétation a été reçue dans le Canon de la Messe. Plusieurs Pères, dont saint Ambroise, ont même admis qu'en Melchisédech était apparu le Fils de Dieu en personne ; quelques auteurs secondaires l'ont assimilé au Saint Esprit et certains hérétiques ont fait de lui une puissance céleste supérieure au Christ.

dit au roi de Sodome : « Je lève la main devant le Dieu
Très Haut qui créa ciel et terre : [23] ni un fil ni une courroie
de sandale, je ne prendrai rien de ce qui est à toi, et tu ne
pourras pas dire : ' J'ai enrichi Abram '. [24] Rien pour moi.
Seulement ce que mes serviteurs ont mangé et la part des
hommes qui sont venus avec moi, Aner, Eshkol et
Mambré ; eux prendront leur part. »

= **17**   **15.** [1] Après ces événe-

Les promesses   ments, la parole de Yahvé
et l'alliance divines[a].   fut adressée à Abram, dans
                                une vision :

« Ne crains pas, Abram ! Je suis ton bouclier, ta récompense sera très grande. »

[2] Abram répondit : « Mon Seigneur Yahvé, que me
donnerais-tu ? Je m'en vais sans enfant... [b]. » [3] Abram dit :
« Voici que tu ne m'as pas donné de descendance et qu'un
des gens de ma maison héritera de moi. » [4] Alors cette

---

22. *Avant « le Dieu Très Haut », H ajoute « Yahvé » ; omis par G Syr.*

---

a) La critique croit reconnaître dans ce chapitre la première trace de la
tradition « élohiste », courant parallèlement à la tradition « yahviste ». Ici,
cette attribution à la source « élohiste » est incertaine et les divergences sur
lesquelles on la fonde s'expliquent assez par la juxtaposition de deux récits
cohérents, primitivement indépendants : vv. 1-6, promesse d'une descendance ; vv. 7-18, promesse de la Terre Sainte et alliance. Ces promesses
avaient déjà été faites, **12** 2 et 7 ; **13** 14-17, en liaison avec un événement
marquant de la vie d'Abraham, départ de Harân, arrivée en Canaan, séparation d'avec Lot. Mais la foi d'Abraham est mise à l'épreuve, car les promesses tardent à se réaliser. Elles sont alors renouvelées sans attache avec
le temps, — les desseins de Dieu sont immuables, — et scellées par une
alliance.

b) Le texte est irrémédiablement corrompu : « et le fils de... (un mot
incompréhensible) de ma maison c'est Damas Éliézer ». Des conjectures
modernes, aucune ne s'impose et les versions anciennes paraphrasent un
texte déjà fautif. Le v. 3, provenant d'une autre tradition ou ajouté pour
obvier à cette obscurité, donne le sens général. Pour la première fois,
Abraham répond à Dieu et sa plainte exprime une inquiétude sur la réalité
des promesses.

parole de Yahvé lui fut adressée : « Celui-là ne sera pas ton héritier, mais bien quelqu'un issu de ton sang. » ⁵ Il le conduisit dehors et dit : « Lève les yeux au ciel et dénombre les étoiles si tu peux les dénombrer » et il lui dit : « Telle sera ta postérité. » ⁶ Abram crut en Yahvé, qui le lui compta comme justice*a*.

⁷ Il lui dit : « Je suis Yahvé qui t'ai fait sortir d'Ur des Chaldéens*b*, pour te donner ce pays en possession. » ⁸ Abram répondit : « Mon Seigneur Yahvé, à quoi saurai-je que je le posséderai ? » ⁹ Il lui dit : « Va me chercher une génisse de trois ans, une chèvre de trois ans, un bélier de trois ans, une tourterelle et un pigeonneau. » ¹⁰ Il lui amena tous ces animaux, les partagea par le milieu et plaça chaque moitié vis-à-vis de l'autre*c*; cependant il ne partagea pas les oiseaux. ¹¹ Les rapaces s'abattirent sur les cadavres, mais Abram les chassa.

¹² Comme le soleil allait se coucher, un profond sommeil tomba sur Abram et voici qu'un grand effroi le saisit. ¹³ Yahvé dit à Abram : « Sache bien que tes descendants seront des étrangers dans un pays qui ne sera pas le leur.

---

15 12. *Après « effroi », H ajoute « obscurité », glose probablement destinée au mot très rare « ténèbres » du v. 17.*

---

a) La foi d'Abraham n'est pas l'adhésion à une vérité proposée, c'est la confiance en une promesse humainement irréalisable, et Dieu lui reconnaît le mérite de cet acte (cf. Dt **24** 13 ; Ps **106** 31), il le met au compte de sa justice, le « juste » étant l'homme que sa rectitude et sa soumission rendent agréable à Dieu. Il ne s'agit ni de la justice déclarative au sens luthérien, ni de la justification première au sens catholique, le passage du péché à la grâce. Saint Paul utilise le texte pour prouver que la justification dépend de la foi et non des œuvres de la Loi, puisque Abraham fut un juste avant la Loi (Rm **4** 3 ; Ga **3** 6), mais la foi d'Abraham commande sa conduite, elle est principe d'action et l'Épître de saint Jacques, **2** 23, peut invoquer le même texte pour condamner la foi sans les œuvres.

b) Voir **11** 31.

c) Préparation du rite d'alliance, v. 17.

Ils y seront esclaves, on les opprimera pendant quatre
cents ans. ¹⁴ Mais je jugerai aussi le peuple auquel ils
auront été asservis et ils sortiront ensuite avec de grands
biens. ¹⁵ Pour toi, tu t'en iras en paix avec tes pères, tu
seras enseveli dans une vieillesse heureuse. ¹⁶ C'est à la
quatrième génération qu'ils reviendront ici, car l'iniquité
des Amorites n'est pas encore à son comble*[a]*. »

¹⁷ Quand le soleil fut couché et que les ténèbres s'éten-
dirent, voici qu'un four fumant et un brandon de feu passèrent entre les animaux partagés*[b]*. ¹⁸ Ce jour-là, Yahvé
conclut une alliance avec Abram en ces termes :

« A ta postérité je donne ce pays,
    du Torrent d'Égypte jusqu'au Grand Fleuve,
le fleuve d'Euphrate, ¹⁹ les Qénites, les Qenizzites, les
Qadmonites, ²⁰ les Hittites, les Perizzites, les Rephaïm,
²¹ les Amorites, les Cananéens, les Girgashites et les
Jébuséens*[c]*. »

18. « *Torrent* » naḥal *cf. Nb* **34** 5; *Jos* **15** 4, 47; 1 R **8** 65, *etc.*; « *Fleuve* »
neʰhar *H.*

a) Les vv. 13-16, qui interrompent la cérémonie de l'alliance, pourraient
être une addition. Cependant ils paraissent se rattacher au v. 11 : les oiseaux
de proie étaient un mauvais présage (cf. **40** 17 s), signifiant les épreuves
qui attendent les descendants d'Abraham; leur mise en fuite annonce la
délivrance. Les 400 ans du séjour en Égypte, v. 13, correspondent ronde-
ment aux 430 ans d'Ex **12** 40-41; les quatre générations, v. 16, se reflètent
dans la généalogie de Moïse, qui est l'arrière-petit-fils de Lévi, Ex **6** 16 s.
b) C'est un vieux rite d'alliance qu'on retrouve encore dans Jr **34** 18 s.
Les contractants passaient entre les chairs sanglantes et appelaient sur eux
le sort fait à ces victimes, s'ils transgressaient leur engagement. Sous le
symbole du feu (cf. le buisson ardent, Ex **3** 2; la colonne de feu, Ex **13** 21;
le Sinaï fumant, Ex **19** 18), c'est Yahvé qui passe, et il passe seul car son
alliance est un pacte unilatéral, une initiative divine, voir la note sur **9** 9.
c) Les vv. 19-21, et probablement les derniers mots du v. 18, sont une
addition qui accumule les noms d'anciens peuples de la Palestine, cf. **10**
16 s; Ex **3** 8; Dt **7** 1; Jos **3** 10, etc. La liste est ici plus longue qu'ailleurs
et les Qadmonites ne reparaissent plus. Les textes grec et samaritain y
ajoutent encore les Hivvites.

16. ¹ La femme d'Abram,
Naissance d'Ismaël[a]. Saraï, ne lui avait pas donné
d'enfant. Mais elle avait une
servante égyptienne, nommée Agar, ² et Saraï dit à
Abram : « Vois, je te prie : « Yahvé n'a pas permis que
j'enfante. Va donc vers ma servante. Peut-être obtiendrai-je
par elle des enfants[b]. » Et Abram écouta la voix de Saraï.

³ Ainsi, au bout de dix ans qu'Abram résidait au pays
de Canaan, sa femme Saraï prit Agar l'Égyptienne, sa
servante, et la donna pour femme à son mari, Abram.
⁴ Celui-ci alla vers Agar, qui devint enceinte. Lorsqu'elle
se vit enceinte, sa maîtresse ne compta plus à ses yeux.
⁵ Alors Saraï dit à Abram : « Tu es responsable de l'injure = **21** 10-19
qui m'est faite ! J'ai mis ma servante entre tes bras et,
depuis qu'elle s'est vue enceinte, je ne compte plus à ses
yeux. Que Yahvé juge entre moi et toi ! » ⁶ Abram dit à
Saraï : « Eh bien, ta servante est entre tes mains, fais-lui
comme il te semblera bon[c]. » Saraï la maltraita tellement
que l'autre s'enfuit de devant elle.

⁷ L'Ange de Yahvé[d] la rencontra près d'une certaine

---

a) Nouvelle péripétie qui tient l'intérêt en suspens : Sara reste stérile,
mais sa servante donne un enfant à Abraham. Est-ce la réalisation des
promesses ? Non, car la descendance élue doit naître d'Abraham et de Sara,
17 15 s; **18** 9 s; **21** 1 s. Le récit appartient, pour le fond, à la source
« yahviste ». La source « sacerdotale » relatait la naissance d'Ismaël d'une
manière plus sèche; on lui attribue les vv. 1ᵃ, 3, 15-16.
b) D'après le droit mésopotamien, une épouse stérile pouvait donner à
son mari une servante pour femme et reconnaître comme siens les enfants
nés de cette union. Le cas se reproduira pour Rachel, **30** 1-6, et pour Léa,
30 9-13.
c) Comme il avait fait pour Sara en Égypte, **12** 10 s, Abraham sacrifie
à sa propre paix Agar et l'enfant qui pourrait être l'héritier qu'il attend.
Les promesses vont-elles jamais se réaliser? Dans le récit parallèle du
ch. **21** 11 s, Abraham ne cède à Sara que sur l'injonction de Dieu.
Abraham remet Agar dans sa position de servante de Sara; pour un cas
analogue, le Code de Hammurabi, § 146, donne la même solution.
d) Dans les textes anciens, l'Ange de Yahvé, **22** 11; Ex **3** 2; Jg **2** 1, etc.,

source au désert, la source qui est sur le chemin de Shur[a].
[8] Il dit : « Agar, servante de Saraï, d'où viens-tu et où
vas-tu ? » Elle répondit : « Je fuis de devant ma maîtresse
Saraï. » [9] L'Ange de Yahvé lui dit[b] : « Retourne chez ta
maîtresse et sois-lui soumise. » [10] L'Ange de Yahvé lui
dit : « Je multiplierai beaucoup ta descendance, tellement
qu'on ne pourra pas la compter. » [11] L'Ange de Yahvé
lui dit :

> « Tu es enceinte et tu enfanteras un fils,
> et tu lui donneras le nom d'Ismaël,
> car Yahvé a entendu[c] ta détresse.

[12] Celui-là sera un onagre d'homme,
> sa main contre tous, la main de tous contre lui,
> il s'établira à la face de tous ses frères[d]. »

[13] A Yahvé qui lui avait parlé, Agar donna ce nom :
« Tu es El Roï », car, dit-elle, « Ai-je encore vu ici après
celui qui me voit[e] ? » [14] C'est pourquoi on a appelé ce
puits le puits de Lahaï Roï; il se trouve entre Cadès
et Bérèd.

[15] Agar enfanta un fils à Abram, et Abram donna au
fils qu'enfanta Agar le nom d'Ismaël. [16] Abram avait
quatre-vingt-six ans quand Agar le fit père d'Ismaël.

---

ou l'Ange de Dieu, **21** 17; **31** 11; Ex **14** 19, etc., n'est pas un ange
créé, distinct de Dieu; c'est Dieu lui-même sous la forme visible où il
apparaît aux hommes. L'identification est expressément faite au v. 13.

a) Le désert de Shur s'étend à la frontière de l'Égypte, d'après Ex **15** 22.

b) Le v. 9 paraît ajouté pour accorder ce récit avec la tradition parallèle
du ch. **21**.

c) Le nom d'*Ishmaʿēl* signifie « Que Dieu entende ».

d) Les descendants d'Ismaël sont les Arabes du désert, indépendants et
vagabonds comme l'onagre (Jb **39** 5-8), grands batailleurs, défi perma-
nent aux sédentaires.

e) *El Roï* signifie « Dieu de Vision »; le nom devait être expliqué par les
paroles d'Agar, mais celles-ci, traduites littéralement, n'offrent guère de
sens et le texte doit être corrompu. Au v. suivant, le nom de *Laḥaï Roï*
peut s'interpréter : le puits « du Vivant qui me voit »; Isaac y séjournera,
24 62; **25** 11. La localisation est incertaine, car Béred est inconnu.

17.
L'alliance
et la circoncision*a*.

17. ¹ Lorsqu'Abram eut = **15**
atteint quatre-vingt-dix-neuf
ans, Yahvé lui apparut et lui
dit :

« Je suis El Shaddaï *b*, marche en ma présence *c* et sois
parfait. ² J'institue mon alliance entre moi et toi, et je
t'accroîtrai extrêmement. » ³ Et Abram tomba la face
contre terre.

Dieu lui parla ainsi :

⁴ « Moi, voici mon alliance avec toi : tu deviendras père
d'une multitude de peuples. ⁵ Et l'on ne t'appellera plus
Abram, mais ton nom sera Abraham *d*, car je te fais père
d'une multitude de peuples. ⁶ Je te rendrai extrêmement
fécond, de toi je ferai des peuples et des rois sortiront de
toi. ⁷ J'établirai mon alliance entre moi et toi, et ta race

---

a) Nouveau récit de l'alliance, d'après la tradition « sacerdotale ».
L'alliance scelle les mêmes promesses que dans la tradition « yahviste » du
ch. **15** : nombreuse postérité et possession du pays. Dieu en a encore
l'initiative, mais il impose ici certaines obligations à l'homme : perfection
morale, v. 1, lien religieux avec lui, vv. 7 et 19, marque extérieure de la
circoncision, vv. 9-14.

b) Ancien nom divin de l'époque patriarcale, **28** 3 ; **35** 11 ; **48** 3 (qui se
réfèrent à notre passage) ; **43** 14 ; **49** 25 (qui en sont indépendants), avant la
révélation du nom de Yahvé à Moïse, Ex **6** 3. Rare en dehors du Pentateuque, sauf dans le Livre de Job (31 fois), par souci d'archaïsme. La traduction commune « Dieu Tout-Puissant » s'inspire de l'usage, d'ailleurs
inconstant, de la Vulgate et de quelques passages des Septante. Elle n'est
pas justifiée. Le sens est discuté, probablement « Dieu le Montagnard ».
C'est un nom que les ancêtres auraient apporté de leur séjour en Harân,
au pied des montagnes d'Asie Mineure, et que justifiait l'association de
Yahvé avec le mont Sinaï.

c) « Conduis-toi avec fidélité » (cf. 2 R **20** 3 = Is **38** 3), comme Hénok,
5 24, et Noé, **6** 9, mais la familiarité des premiers temps a disparu : ceux-ci
marchaient *avec* Dieu.

d) D'après la conception antique, le nom d'un être ne le désigne pas
seulement, il détermine sa nature. Un changement de nom marque donc
un changement de destinée, ainsi encore pour Sara, v. 15, pour Jacob,
35 10. En fait, *Abram* et *Abraham* semblent être deux formes dialectales
du même nom et signifier également « Il est grand quant à son père, il est
de noble lignée ». Le nom d'*Abraham* est expliqué ici par l'assonance avec
'ab hāmôn « père de multitude ».

après toi, de génération en génération, une alliance perpétuelle, pour être ton Dieu et celui de ta race après toi.
⁸ A toi et à ta race après toi, je donnerai le pays où tu
séjournes, tout le pays de Canaan, en possession à perpétuité, et je serai votre Dieu. »

⁹ Dieu dit à Abraham : « Et toi, tu observeras mon
alliance, toi et ta race après toi, de génération en génération. ¹⁰ Et voici mon alliance qui sera observée entre moi
et vous, c'est-à-dire ta race après toi : que tous vos mâles
soient circoncis ᵃ. ¹¹ Vous ferez circoncire la chair de votre
prépuce, et ce sera le signe de l'alliance entre moi et vous.
¹² Quand ils auront huit jours, tous vos mâles seront circoncis, de génération en génération. Qu'il soit né dans la
maison ou acheté à prix d'argent à quelque étranger qui
n'est pas de ta race, ¹³ on devra circoncire celui qui est né
dans la maison et celui qui est acheté à prix d'argent. Mon
alliance sera marquée dans votre chair comme une alliance
perpétuelle. ¹⁴ L'incirconcis, le mâle dont on n'aura pas
coupé la chair du prépuce, cette vie-là sera retranchée de
sa parenté : il a violé mon alliance. »

= **18** 9-15   ¹⁵ Dieu dit à Abraham : « Ta femme Saraï, tu ne l'appelleras plus Saraï, mais son nom est Sara ᵇ. ¹⁶ Je la bénirai

---

a) La circoncision, attestée chez plusieurs peuples de l'Ancien Orient
et pratiquée encore par plusieurs peuples modernes, était primitivement
un rite d'initiation au mariage et à la vie communautaire du clan (voir
Ex **4** 24-26; Gn **34** 14 s). Elle devient ici un « signe » qui rappellera
à Dieu l'alliance qu'il a établie (comme l'arc-en-ciel, **9** 16-17), mais qui
rappellera aussi à l'homme son appartenance au peuple choisi par Dieu
et les obligations qui en découlent. Cependant, les lois du Pentateuque ne
font que deux brèves allusions à cette prescription, Ex **12** 44; Lv **12** 3,
et la circoncision comme signe distinctif ne prit toute son importance qu'à
partir de l'Exil, lorsque les Juifs furent mêlés à des peuples qui ne la pra-
tiquaient pas. Saint Paul, Rm **4** 11, interprétera la circoncision, en liaison
avec Gn **15** 6, comme « le sceau de la justice de la foi » qu'Abraham
avait déjà.

b) *Sarah* et *Saraï* sont deux formes du même nom, qui signifie « prin-
cesse »; et Sara sera mère de rois, v. 16.

et même je te donnerai d'elle un fils; je la bénirai, elle deviendra des peuples, et des rois des nations viendront d'elle[a]. » 17 Abraham tomba la face contre terre, et il se mit à rire[b] car il se disait en lui-même : « Un fils naîtra-t-il à un homme de cent ans, et Sara qui a quatre-vingt-dix ans va-t-elle enfanter ? » 18 Abraham dit à Dieu : « Oh ! Qu'Ismaël vive devant ta face ! » 19 Mais Dieu reprit : « Non, mais ta femme Sara te donnera un fils, tu l'appelleras Isaac, j'établirai mon alliance avec lui, comme une alliance perpétuelle, pour être son Dieu et celui de sa race après lui. 20 En faveur d'Ismaël aussi, je t'ai entendu : je le bénis, je le rendrai fécond, je le ferai croître extrêmement, il engendrera douze princes[c] et je ferai de lui un grand peuple. 21 Mais mon alliance, je l'établirai avec Isaac, que va t'enfanter Sara, l'an prochain à cette saison[d]. » 22 Lorsqu'il eut fini de lui parler, Dieu remonta d'auprès d'Abraham.

23 Alors Abraham prit son fils Ismaël, tous ceux qui étaient nés dans sa maison, tous ceux qu'il avait acquis de son argent, bref tous les mâles parmi les gens de la maison d'Abraham, et il circoncit la chair de leur prépuce, ce jour même, comme Dieu le lui avait dit. 24 Abraham était âgé de quatre-vingt-dix-neuf ans lorsqu'on circoncit la chair

---

17 19. « *pour être son Dieu et celui de* » G^mss; *omis par* H.

---

a) Les versions mettent au masculin les pronoms de la dernière phrase, rapportant ainsi les bénédictions à Isaac.

b) Au rire d'Abraham feront écho le rire de Sara, **18** 12, et celui d'Ismaël, **21** 9 (voir encore **21** 6), autant d'allusions au nom d'Isaac, forme abrégée de *Yṣḥq-El*, qui signifie « Que Dieu sourie, soit favorable ». Le rire d'Abraham prosterné devant son Dieu exprime moins l'incrédulité du Patriarche que son étonnement devant une promesse qui lui paraît irréalisable. Au moins veut-il une confirmation et il la sollicite en rappelant l'existence d'Ismaël, qui pourrait être l'héritier promis, v. 18.

c) Les douze chefs des tribus ismaélites, **25** 13-16. Leur rappel ici est peut-être une glose.

d) Comme dans la tradition parallèle, **18** 14.

de son prépuce [25] et Ismaël, son fils, était âgé de treize
ans lorsqu'on circoncit la chair de son prépuce. [26] Ce
jour même furent circoncis Abraham et son fils Ismaël,
[27] et tous les hommes de sa maison, enfants de la maison
ou acquis d'un étranger à prix d'argent, furent circoncis
avec lui.

18. [1] Yahvé lui apparut
au Chêne de Mambré, tandis
qu'il était assis à l'entrée de
la tente, au plus chaud du

**L'apparition
de Mambré**[a].

jour. [2] Ayant levé les yeux, voilà qu'il vit trois hommes
qui se tenaient debout près de lui; dès qu'il les vit, il courut
de l'entrée de la tente à leur rencontre et se prosterna à
terre[b]. [3] Il dit : « Monseigneur, je t'en prie, si j'ai trouvé

---

18 1. « *au Chêne* » G Syr ; « *aux Chênes* » H, cf. **13** 18.

---

a) Dans sa rédaction finale, le récit narre une apparition de Yahvé
accompagné de deux anges : c'est Yahvé qui est désigné au v. 3, qui parle
à partir du v. 10, qui est explicitement nommé au v. 13 (et dans le titre, v. 1).
Au v. 22, il est distingué des « hommes » qui, d'après **19** 1, sont deux
Anges. Les témoins du texte sont d'ailleurs hésitants : le samaritain a le
pluriel au v. 3, le grec au v. 5 (fin) et 9. Il est probable que
la tradition primitive parlait seulement de trois « hommes » et laissait leur
identité dans le mystère. Dans ces trois hommes et l'adoration unique
d'Abraham, beaucoup de Pères ont vu l'annonce du mystère de la Trinité,
dont la révélation était réservée au N. T. Mais leur témoignage n'est pas
unanime : saint Ambroise et saint Augustin ont varié d'opinion et la
phrase qu'on cite toujours à ce propos, *tres vidit et unum adoravit,* se rencontre pour la première fois chez saint Hilaire avec ce sens : Abraham vit
trois hommes mais il n'en adora qu'un, reconnaissant les deux autres pour
des Anges; cette exégèse lui est commune avec d'autres Pères.

b) Ce n'est pas une « adoration », un acte de culte, c'est simplement une
marque d'hommage. Abraham ne reconnaît d'abord dans les trois visiteurs
que des hôtes humains. Autrement, il ne leur offrirait pas à manger; c'est
le seul passage de l'A. T. où l'anthropomorphisme soit poussé jusqu'à
représenter Yahvé à table, v. 8 (à **19** 3, ce sont seulement les Anges, et
opposer Jg **13** 15-16). Le récit n'exalte pas la foi d'Abraham mais sa
noblesse de manières et son hospitalité. Le caractère divin ne se mani-
festera que progressivement, par l'apparition soudaine des visiteurs, v. 2,
leur science surhumaine, vv. 9 et 13, l'assurance de leurs promesses, v. 14.

grâce à tes yeux, veuille ne pas passer près de ton serviteur sans t'arrêter. [4] Qu'on apporte un peu d'eau, vous vous
laverez les pieds et vous vous étendrez sous l'arbre. [5] Que
j'aille chercher un morceau de pain et vous vous récon-
forterez le cœur avant d'aller plus loin; c'est bien pour
cela que vous êtes passés près de votre serviteur ! » Ils
répondirent : « Fais donc comme tu as dit. »

[6] Abraham se hâta vers la tente auprès de Sara et dit :
« Prends vite trois boisseaux[a] de farine, de fleur de farine,
pétris et fais des galettes. » [7] Puis Abraham courut au
troupeau et prit un veau tendre et bon; il le donna au
serviteur qui se hâta de le préparer. [8] Il prit du caillé, du
lait, le veau qu'il avait apprêté et plaça le tout devant eux;
il se tenait debout près d'eux, sous l'arbre, et ils mangèrent.

[9] Ils lui demandèrent : « Où est Sara, ta femme ? » Il   = **15** 2-4
répondit : « Elle est dans la tente. » [10] L'hôte reprit : « Je   = **17** 15-21
reviendrai vers toi l'an prochain; alors, ta femme Sara
aura un fils. » Sara écoutait, à l'entrée de la tente, qui se
trouvait derrière lui. [11] Or Abraham et Sara étaient vieux,
avancés en âge, et Sara avait cessé d'avoir ce qu'ont les
femmes. [12] Donc, Sara rit en elle-même[b], se disant :
« Maintenant que je suis usée, je connaîtrais le plaisir ! Et
mon mari qui est un vieillard ! » [13] Mais Yahvé dit à
Abraham : « Pourquoi Sara a-t-elle ri, se disant : ' Vrai-

---

6. « *de farine, de fleur de farine* » *probablement leçon double ; G ne traduit que
le second terme.*

---

a) En hébr. « trois *séas* », soit environ 36 litres, et Abraham va y ajouter
un veau tout entier. Magnifique hospitalité du Patriarche !

b) Encore une allusion au nom d'Isaac, voir la note **17** 17. Ce rire
n'est pas, chez Sara, un manque de « foi », puisqu'elle ne connaît pas l'identité de l'hôte. Cette vieille femme s'amuse seulement de ce qu'elle prend
pour un souhait poli et sans conséquence. Sa réaction suppose qu'elle
ignore la promesse de **15** 4 et celle de **17** 15 s : ce sont trois traditions
parallèles.

ment, vais-je encore enfanter, alors que je suis devenue vieille ? ' ¹⁴ Y a-t-il rien de trop merveilleux pour Yahvé ? A la même saison l'an prochain, je reviendrai chez toi et Sara aura un fils. » ¹⁵ Sara démentit : « Je n'ai pas ri », dit-elle, car elle avait peur*a*, mais il répliqua : « Si, tu as ri. »

L'intercession d'Abraham*b*.

¹⁶ S'étant levés, les hommes partirent de là et arrivèrent en vue de Sodome*c*. Abraham marchait avec eux pour les reconduire. ¹⁷ Yahvé s'était dit : « Vais-je cacher à Abraham ce que je vais faire, ¹⁸ alors qu'Abraham deviendra un peuple grand et puissant et que par lui se béniront toutes les nations de la terre*d* ? ¹⁹ Car je l'ai distingué, pour qu'il prescrive à ses fils et à sa maison après lui de garder la voie de Yahvé en accomplissant la justice et le droit; de la sorte, Yahvé réalisera pour Abraham ce qu'il lui a promis*e*. » ²⁰ Donc, Yahvé dit : « Le cri*f* contre Sodome et Gomorrhe est bien grand ! Leur péché est bien grave ! ²¹ Je veux descendre et voir s'ils ont fait ou non tout

---

21. « *tout* » kullâh *conj.*; « *anéantissement* » ? kâlâh *H.* — « *contre eux* » G Targ Aquila ; « *contre elle* » *H.*

---

a) L'hôte qui, le dos tourné, pénètre ses sentiments secrets et lui promet si fermement une chose impossible est plus qu'un homme !

b) Le passage fait le lien entre deux très anciens récits : l'apparition de Mambré et la destruction de Sodome. Il témoigne d'une réflexion théologique, qui est une caractéristique de la grande œuvre yahviste et il n'y a aucune raison de le considérer comme plus tardif.

c) Une tradition, attestée dès l'époque byzantine, fixe la scène à Caphar Baricha, quelques kilomètres à l'est d'Hébron, d'où l'on découvre la mer Morte. Abraham y reviendra le lendemain, **19** 27.

d) Voir la note sur **12** 3.

e) Le vocabulaire du v. 19 montre qu'il est une addition, qui explicite le sens du passage : Abraham, qui aura pour mission d'enseigner ses descendants, peut être introduit dans les secrets de Dieu.

f) Un appel à la justice divine, comme à **4** 10.

ce qu'indique le cri qui, contre eux, est monté vers moi ; je le saurai. »

²² Les hommes[a] partirent de là et allèrent à Sodome. Abraham se tenait encore devant Yahvé. ²³ Il s'approcha et dit : « Vas-tu vraiment supprimer le juste avec le pécheur ? ²⁴ Peut-être y a-t-il cinquante justes dans la ville. Vas-tu vraiment les supprimer et ne pardonneras-tu pas à la cité pour les cinquante justes qui sont dans son sein[b] ? ²⁵ Loin de toi de faire cette chose-là ! de faire mourir le juste avec le pécheur, en sorte que le juste soit traité comme le pécheur. Loin de toi ! Est-ce que le juge de toute la terre ne rendra pas justice[c] ? » ²⁶ Yahvé répondit : « Si je trouve à Sodome cinquante justes dans la ville, je pardonnerai à toute la cité à cause d'eux. »

²⁷ Abraham reprit : « Je suis bien hardi de parler à mon Seigneur, moi qui suis poussière et cendre. ²⁸ Mais peut-être, des cinquante justes en manquera-t-il cinq : feras-tu, pour cinq, périr toute la ville ? » Il répondit : « Non, si j'y trouve quarante-cinq justes. » ²⁹ Abraham reprit encore

---

a) Les deux « hommes », distingués de Yahvé qui reste avec Abraham. On dira plus loin, 19 1, qu'ils sont des Anges.

b) Énorme problème, et qui est de tous les temps : les bons doivent-ils souffrir avec les méchants, et à cause des méchants ? Si fort était, dans l'antique Israël, le sentiment de la responsabilité collective que le récit ne se demande pas si les justes ne pourraient pas être individuellement épargnés. En fait, Dieu y répondra en sauvant Lot et sa famille, 19 15-16 ; mais le principe de la responsabilité individuelle ne sera dégagé que dans Dt 24 16 ; Jr 31 29-30 ; Ez 14 13 s et 18. Abraham demande seulement, tous devant subir le même sort, si quelques justes n'obtiendront pas le pardon de beaucoup de coupables. Les réponses de Yahvé sanctionnent le rôle sauveur des saints dans le monde. Mais, dans son marchandage de miséricorde, Abraham n'ose pas descendre au-dessous de dix justes. D'après Jr 5 1 et Ez 22 30, Dieu pardonnerait à Jérusalem s'il n'y trouvait qu'un juste. Enfin, dans Is 53, c'est la souffrance du seul Serviteur qui doit sauver tout le peuple, mais cette annonce ne sera comprise que lorsqu'elle sera réalisée par l'expiation vicaire du Christ.

c) Cf. Rm 3 6. Il y a plus d'injustice à condamner quelques innocents qu'à épargner une multitude de coupables.

la parole et dit : « Peut-être n'y en aura-t-il que quarante »,
et il répondit : « Je ne le ferai pas, à cause des quarante. »

³⁰ Abraham dit : « Que mon Seigneur ne s'irrite pas et
que je puisse parler : peut-être s'en trouvera-t-il trente »,
et il répondit : « Je ne le ferai pas, si j'en trouve trente. »
³¹ Il dit : « Je suis bien hardi de parler à mon Seigneur :
peut-être s'en trouvera-t-il vingt », et il répondit : « Je ne
détruirai pas, à cause des vingt. » ³² Il dit : « Que mon
Seigneur ne s'irrite pas et je parlerai une dernière fois :
peut-être s'en trouvera-t-il dix », et il répondit : « Je ne
détruirai pas, à cause des dix. »

³³ Yahvé, ayant achevé de parler à Abraham, s'en alla,
et Abraham retourna chez lui[a].

**La destruction
de Sodome**[b].

19. ¹ Quand les deux
Anges arrivèrent à Sodome
sur le soir, Lot était assis à
la porte de la ville[c]. Dès que

---

a) Mais il reste inquiet, et aussi les lecteurs : Dieu trouvera-t-il dix justes
à Sodome ? Et Abraham reviendra le lendemain, pour voir, **19** 27.

b) Ce récit fait suite au ch. **18**, où il est préparé, **18** 16-32, et auquel
il est relié par des indications d'heures : **18** 1 : le midi; **19** 1 : le soir,
continué par **19** 15, 23, 27. Le même mystère qu'au ch. **18** enveloppe les
protagonistes : les « deux Anges » de **19** 1 sont les « hommes » qui se sont
séparés de Yahvé à **18** 22 après la visite des « trois hommes » à Abraham,
18 2, mais ils continuent d'être appelés des « hommes » dans le reste du
ch. (sauf au v. 15). Ils parlent, ou on leur parle (parfois dans la même
phrase, vv. 17 et 18) tantôt au pluriel et tantôt au singulier comme repré-
sentants de Yahvé, qui n'intervient pas en personne. Il est possible qu'il y
ait derrière ce récit des traditions étrangères à Israël et qui ont leurs analogues dans d'autres folklores (Philémon et Baucis, dans Ovide, etc.),
mais il est vain de distinguer dans ce chapitre plusieurs « sources » litté-
raires : c'est un récit homogène où paraît le châtiment redoutable de l'impudicité par le Dieu qui juge tous les hommes. Dès ce vieux texte s'affirment
le caractère moral et le monothéisme universel de la religion d'Israël. La
terrible leçon sera souvent évoquée, voir en particulier Dt **29** 22; Is **1** 9;
13 19; Jr **49** 18; **50** 40; Am **4** 11; Sg **10** 6, et dans le N. T., Mt **10** 15;
11 23-24; Lc **17** 28 s; 2 P **2** 6; Jude 7.

c) Lieu des affaires et des rencontres pour les notables, les commerçants,
les plaideurs et les oisifs, voir **23** 18; **34** 20; Dt **21** 19; 2 R **7** 1; Ps **69** 13, etc.

Lot les vit, il se leva à leur rencontre et se prosterna, face contre terre. ² Il dit : « Je vous en prie, Messeigneurs ! Veuillez descendre chez votre serviteur pour y passer la nuit et vous laver les pieds, puis au matin vous reprendrez votre route », mais ils répondirent : « Non, nous passerons la nuit sur la place. » ³ Il les pressa tant qu'ils allèrent chez lui et entrèrent dans sa maison. Il leur prépara un repas, fit cuire des pains sans levain, et ils mangèrent.

⁴ Ils n'étaient pas encore couchés que la maison fut cernée par les hommes de la ville, les gens de Sodome, depuis les jeunes jusqu'aux vieux, tout le peuple sans exception*ᵃ*. ⁵ Ils appelèrent Lot et lui dirent : « Où sont les hommes qui sont venus chez toi cette nuit ? Amène-les nous pour que nous en abusions*ᵇ*. »

⁶ Lot sortit vers eux à l'entrée et, ayant fermé la porte derrière lui, ⁷ il dit : « Je vous en supplie, mes frères, ne commettez pas le mal ! ⁸ Écoutez : j'ai deux filles qui sont encore vierges, je vais vous les amener : faites-leur ce qui vous semble bon*ᶜ*, mais, pour ces hommes, ne leur faites rien, puisqu'ils sont entrés sous l'ombre de mon toit. » ⁹ Mais ils répondirent : « Ote-toi de là ! En voilà un qui est venu en étranger, et il fait le juge ! Eh bien, nous te

---

19 9. *Après « Ote-toi de là » H répète « et ils dirent ; omis par G.*

a) Le texte insiste sur l'universalité de la dépravation : il n'y a pas les dix justes demandés par Abraham, **18** 32, il n'y en a pas un seul, en dehors de Lot, l'étranger.

b) Le vice contre nature, qui tire son nom de ce récit, était abominable aux Israélites, Lv **18** 22, et puni de mort, Lv **20** 13, mais il était répandu autour d'eux, Lv **20** 23 ; Jg **19** 22 s. Et le plus monstrueux était que le désir de ces garçons libertins et de ces vieillards impurs s'excitait sur des Anges de Dieu !

c) Cette proposition nous paraît monstrueuse, au point de vue de notre morale chrétienne, mais l'honneur d'une femme avait alors moins de prix, voir **12** 13 et la note, et Lot met au-dessus de tout le devoir sacré de l'hospitalité ; comparer Jg **19** 22-24, qui a, avec notre récit, tant de contacts, même verbaux.

ferons plus de mal qu'à eux ! » Ils le pressèrent fort, lui
Lot, et s'approchèrent pour briser la porte. [10] Mais les
hommes sortirent le bras, firent rentrer Lot auprès d'eux
dans la maison et refermèrent la porte. [11] Quant aux
nommes qui étaient à l'entrée de la maison, ils les frap-
pèrent de berlue[a], du plus petit jusqu'au plus grand, et
ils n'arrivaient pas à trouver l'ouverture.

[12] Les hommes dirent à Lot : « As-tu encore quelqu'un ici ?
Tes fils, tes filles, tous les tiens qui sont dans la ville, fais-les
sortir de ce lieu. [13] Nous allons en effet détruire ce lieu, car
grand est le cri qui s'est élevé contre eux à la face de Yahvé,
et Yahvé nous a envoyés pour les exterminer. » [14] Lot alla
parler à ses futurs gendres, qui devaient épouser ses filles :
« Debout, dit-il, quittez ce lieu, car Yahvé va détruire la
ville. » Mais ses futurs gendres crurent qu'il plaisantait.

[15] Lorsque pointa l'aurore, les Anges insistèrent auprès
de Lot, en disant : « Debout ! prends ta femme et tes deux
filles qui se trouvent là, de peur d'être emporté par le
châtiment de la ville. » [16] Et comme il hésitait[b], les
hommes le prirent par la main, ainsi que sa femme et ses
deux filles, pour la pitié que Yahvé avait de lui. Ils le
firent sortir et le laissèrent en dehors de la ville.

[17] Comme ils le menaient dehors, il[c] dit : « Sauve-toi,
sur ta vie ! Ne regarde pas derrière toi et ne t'arrête nulle
part dans la plaine, sauve-toi à la montagne, pour n'être
pas emporté ! » [18] Lot leur répondit : « Non, je t'en prie,
Monseigneur ! [19] Ton serviteur a trouvé grâce à tes yeux
et tu as montré une grande miséricorde à mon égard en

12. *Avant « Tes fils » H insère « gendre », addition d'après v.* 14.
13. *« pour les exterminer » Vulg ; « pour l'exterminer » (fém.) H.*

a) Non pas la cécité, mais une aberration de la vue, comme à 2 R **6** 18.
b) C'était le beau pays qu'il avait choisi, **13** 10 !
c) Sur ce passage du pluriel au singulier, répété au v. 18, voir p. 94, note *b*.

m'assurant la vie. Mais moi, je ne puis pas me sauver à la montagne sans que m'atteigne le malheur et que je meure. [20] Voilà cette ville, assez proche pour y fuir, et elle est peu de chose. Permets que je m'y sauve — est-ce qu'elle n'est pas peu de chose ? — et que je vive ! » [21] Il lui répondit : « Je te fais encore cette grâce de ne pas renverser la ville dont tu parles. [22] Vite, sauve-toi là-bas, car je ne puis rien faire avant que tu n'y sois arrivé. » C'est pourquoi on a donné à la ville le nom de Çoar[a].

[23] Au moment que le soleil se levait sur la terre et que Lot entrait à Çoar, [24] Yahvé fit pleuvoir sur Sodome et sur Gomorrhe du soufre et du feu venant de Yahvé, [25] et il renversa ces villes et toute la plaine, avec tous les habitants des villes et la végétation du sol[b]. [26] Or la femme de Lot regarda en arrière, et elle devint une colonne de sel[c].

---

24. *Après « venant de Yahvé », H ajoute « venant du ciel », glose probable.*

a) L'étymologie populaire dérivait le nom de Ṣôʿar de miṣʿâr « peu de chose, un rien » et tout le récit expliquait comment avait échappé à la ruine cette ville que les Israélites connaissaient au sud-est de la mer Morte, **13** 10; Dt **34** 3; Is **15** 5; Jr **48** 34. A l'époque romaine un nouveau séisme livra aux eaux la ville qui se reconstruisit plus haut et fut habitée jusqu'au Moyen Age.

b) La proximité de Çoar, le lieu de l'entretien d'Abraham avec Yahvé en vue de Sodome, **18** 22 s, cf. ici v. 27, le nom que conserve le Djébel Usdum sur la rive sud-ouest de la mer Morte, tout indique pour le cataclysme la région méridionale de cette mer. Le soufre et le feu sont en relation avec les puits de bitume mentionnés **14** 10 et les sources sulfureuses de cette dépression; les expressions du texte sur le « renversement » des villes indiquent une secousse sismique. De fait, l'affaissement de la partie sud de la mer Morte est géologiquement récent, la région est restée instable, voir la note précédente, et la mer s'est approfondie encore à l'époque moderne. Outre Sodome et Gomorrhe, les villes maudites sont Adma et Çeboyim, mentionnées avec elles dans Gn **14**, avant la catastrophe, et englobées dans la même réprobation par Dt **29** 23. Mais Os **11** 8 ne retient que ces deux dernières, qui ne sont pas nommées ici explicitement : peut-être avaient-elles une tradition indépendante.

c) Ce v. viendrait mieux après le v. 23. C'est l'explication populaire d'un roc de forme capricieuse ou d'un bloc salin. L'auteur de la Sagesse connaissait ce « monument d'une âme incrédule », Sg **10** 7, et les Arabes montrent encore une « fille de Lot » dans le Djébel Usdum et une « femme de Lot »

²⁷ Levé de bon matin, Abraham vint à l'endroit où il s'était tenu devant Yahvé ²⁸ et il jeta son regard sur Sodome, sur Gomorrhe et sur toute la plaine, et voici qu'il vit la fumée monter du pays comme la fumée d'une fournaise*a* !

²⁹ Ainsi, lorsque Dieu détruisit les villes de la plaine, il s'est souvenu d'Abraham et il a retiré Lot du milieu de la catastrophe, dans le renversement des villes où habitait Lot.

Origine des Moabites et des Ammonites*b*.

³⁰ Lot monta de Çoar et s'établit dans la montagne avec ses deux filles, car il n'osa pas rester à Çoar. Il s'installa dans une grotte, lui et ses deux filles.

³¹ L'aînée dit à la cadette : « Notre père est âgé et il n'y a pas d'homme dans le pays pour s'unir à nous à la manière de tout le monde. ³² Viens, faisons boire du vin à notre père et couchons avec lui; ainsi, de notre père, nous susciterons une descendance*c*. » ³³ Elles firent boire, cette nuit-là, du vin à leur père, et l'aînée vint s'étendre près de

---

27. « *vint* » wayyélèk *conj.*; *omis par* H.
28. « *et sur toute la plaine* » Sam ; « *et sur tout le pays de la plaine* » H.

---

sur la rive orientale. La femme de Lot est devenue le type des âmes qui regardent en arrière, attachées aux choses terrestres, Lc **17** 32.

a) C'est la conclusion, d'une concision frappante, du beau récit commencé à **18** 1. Il met en parallèle deux « visites » de Yahvé : l'une bienfaisante, l'autre terrible : Dieu peut venir comme sauveur ou comme juge. Le v. suivant, d'une tout autre veine, est une addition rédactionnelle.

b) Cet appendice utilise peut-être une tradition des Moabites et des Ammonites et ceux-ci pouvaient tirer gloire d'une telle origine, qui assurait la pureté de leur race. La tribu de Juda, partie choisie du peuple élu, se rattachera sans honte aux rapports scabreux de son ancêtre avec Tamar, Gn **38**. Mais la loi israélite condamnait ces unions incestueuses, Lv **18** 6-18, et l'histoire devient ici un sujet d'opprobre, une cinglante moquerie lancée à deux peuples ennemis.

c) Les filles de Lot ne sont pas présentées comme impudiques : elles sont poussées par le désir sauvage d'être mères et de perpétuer la race, comme Tamar au ch. **38**.

son père, qui n'eut conscience ni de son coucher ni de son lever[a]. ³⁴ Le lendemain, l'aînée dit à la cadette : « La nuit dernière, j'ai couché avec mon père; faisons-lui boire du vin encore cette nuit et va coucher avec lui; ainsi, de notre père nous susciterons une descendance. » ³⁵ Elles firent boire du vin à leur père encore cette nuit-là, et la cadette s'étendit auprès de lui, qui n'eut conscience ni de son coucher ni de son lever. ³⁶ Les deux filles de Lot devinrent enceintes de leur père. ³⁷ L'aînée donna naissance à un fils et elle l'appela Moab; c'est l'ancêtre des Moabites d'aujourd'hui. ³⁸ La cadette aussi donna naissance à un fils et elle l'appela Ben-Ammi; c'est l'ancêtre des Bené-Ammon d'aujourd'hui[b].

Abraham à Gérar[c]. **20.** ¹ Abraham partit de là pour le pays du Négeb et demeura entre Cadès et Shur. Il vint séjourner à Gérar[d].

= **12** 10-20
= **26** 1-11

---

a) Ainsi Lot est innocenté et il gardera sa figure de juste dans Sg **10** 6; 2 P **2** 7.

b) Étymologies populaires : Moab est expliqué par *mé'âb* « issu du père » et le jeu de mots est préparé par *mé'âbînû* « de notre père », intentionnellement répété aux vv. 33, 34, 36; *ben'ammî* « fils de mon parent » est naturellement rapproché de *Benê 'Ammôn* « les fils d'Ammon », appellation régulière des Ammonites. La traduction grecque, suivie dans le second cas par la Vulgate, a explicité ces jeux de mots, mais les lecteurs hébreux n'avaient pas besoin de ce commentaire.

c) Le nom d'*Élohim* (Dieu) au lieu de Yahvé, les différences de vocabulaire et de style distinguent ce récit des précédents. Il est le premier morceau qu'on puisse rattacher sûrement à la veine « élohiste ». C'est un doublet de l'aventure d'Abraham et de Sara en Égypte, **12** 10-20, et les différences sont instructives : Abimélek n'a pas abusé de Sara, ce qu'on ne disait pas explicitement du Pharaon, le mensonge d'Abraham devient une simple restriction mentale, puisque Sara est sa demi-sœur, Dieu intervient plus ouvertement comme gardien de la morale. Cette forme du récit appartient donc à un âge religieux plus évolué. Le même thème sera repris, et encore adouci, au ch. **26** (Isaac et Rébecca). Ce doublet est d'ailleurs inséré hors de place, après que Sara s'est déclarée « usée », **18** 12, et alors qu'elle attend la naissance d'Isaac, **21** 1-2.

d) Localisation disputée : *Tell esh-Sheria* au nord-ouest de Bersabée ou

² Abraham dit de sa femme Sara : « C'est ma sœur » et Abimélek, le roi de Gérar, fit enlever Sara. ³ Mais Dieu visita Abimélek en songe[a], pendant la nuit, et lui dit : « Tu vas mourir à cause de la femme que tu as prise, car elle est une femme mariée. » ⁴ Abimélek, qui ne s'était pas approché d'elle, dit : « Mon Seigneur, vas-tu aussi tuer des gens innocents ? ⁵ N'est-ce pas lui qui m'a dit : ' C'est ma sœur ', et elle, oui elle-même, a dit : ' C'est mon frère. ' C'est avec une bonne conscience et des mains pures que j'ai fait cela ! » ⁶ Dieu lui répondit dans le songe : « Moi aussi je sais que tu as fait cela en bonne conscience, et c'est encore moi qui t'ai retenu de pécher contre moi ; aussi n'ai-je pas permis que tu la touches. ⁷ Maintenant, rends la femme de cet homme : il est prophète[b] et il intercédera pour toi afin que tu vives. Mais si tu ne la rends pas, sache que tu mourras sûrement, avec tous les tiens. »

⁸ Abimélek se leva tôt et appela tous ses serviteurs. Il leur raconta toute cette affaire et les hommes eurent grand peur. ⁹ Puis Abimélek appela Abraham et lui dit : « Que nous as-tu fait ? Quelle offense ai-je commise contre toi pour que tu attires une si grande faute sur moi et sur mon royaume ? Tu as agi à mon égard comme on ne doit pas

---

Tell Djemmeh plus à l'est et vers la mer. Cependant, *Tell Abu Hureira,* entre ces deux sites, paraît avoir de meilleurs titres pour représenter Gérar.

a) Ces communications nocturnes de Dieu sont caractéristiques des récits « élohistes » : **28** 11 s (songe de Jacob); **31** 11 (Jacob) et 24 (Laban); **37** 5 s (songes de Joseph); **40** 5 s (les officiers du Pharaon); **41** 1 s (Pharaon); **46** 2 (encore Jacob). Plus tard, le songe de Salomon, 1 R **3** 5 s. Rejeté au second plan par la vision prophétique et discrédité par l'abus qu'en faisaient les charlatans (Dt **13** 2-6; Jr **23** 25; **27** 9; **29** 8), ce mode de révélation retrouva son importance chez les derniers prophètes (Daniel, Zacharie).

b) Au sens large d'homme ayant des relations privilégiées avec Dieu qui font de lui une personne inviolable, Ps **105** 15, et un intercesseur puissant (Nb **11** 2; **21** 7, de Moïse, appelé « prophète » dans Dt **34** 10).

agir. » ¹⁰ Et Abimélek dit à Abraham : « Qu'est-ce qui
t'a pris d'agir ainsi ? » ¹¹ Abraham répondit : « Je me suis
dit : Pour sûr, il n'y a aucune crainte de Dieu dans cet
endroit, et on va me tuer à cause de ma femme. ¹² Et puis,
elle est vraiment ma sœur, la fille de mon père mais non
la fille de ma mère, et elle est devenue ma femme ᵃ. ¹³ Alors,
quand Dieu m'a fait errer loin de ma famille, je lui ai dit :
Voici la faveur que tu me feras : partout où nous arrive-
rons, dis de moi que je suis ton frère. »

¹⁴ Abimélek prit du petit et du gros bétail, des serviteurs et des servantes et les donna à Abraham, et il lui
rendit sa femme Sara. ¹⁵ Abimélek dit aussi : « Vois mon
pays qui est ouvert devant toi. Établis-toi où bon te semble. » ¹⁶ A Sara il dit : « Voici mille pièces d'argent que
je donne à ton frère. Ce sera pour toi comme un voile
jeté sur les yeux de tous ceux qui sont avec toi, et de
tout cela tu es justifiée ᵇ. » ¹⁷ Abraham intercéda auprès
de Dieu et Dieu guérit Abimélek, sa femme et ses servantes, pour qu'ils puissent avoir des enfants ᶜ. ¹⁸ Car
Yahvé avait rendu stérile le sein de toutes les femmes
dans la maison d'Abimélek, à cause de Sara, la femme
d'Abraham.

***

20 16. « *et de tout cela tu es justifiée* » wᵉʾattᵉ kullô nokâḥat *conj.*; *H corrompu :* wᵉʾét kol wᵉnokâḥat.

***

a) Les mariages entre demi-frères et demi-sœurs étaient anciennement
permis, 2 S **13** 13, mais furent interdits par les lois de Lv **18** 9; **20** 17;
Dt **27** 22.

b) La somme d'argent, destinée au mari car la femme n'a pas le droit de
posséder, est une réparation : on ne pourra plus juger mal Sara (pour
l'expression, cf. Jb **9** 24), Abimélek ayant reconnu et racheté l'offense.
La fin du v. est incertaine, voir la note textuelle.

c) Abimélek et son harem avaient été frappés d'impuissance, ce qu'explique la glose du v. 18, mais en restreignant l'infirmité aux femmes, alors
qu'Abimélek aussi avait été atteint, v. 6, et dut être guéri, vv. 7 et 17.

Naissance d'Isaac[a]**.**

21. [1] Yahvé visita Sara comme il avait dit et il fit pour elle comme il avait promis. [2] Sara conçut et enfanta un fils à Abraham déjà vieux, au temps que Dieu avait marqué. [3] Au fils qui lui naquit, enfanté par Sara, Abraham donna le nom d'Isaac. [4] Abraham circoncit son fils Isaac, quand il eut huit jours, comme Dieu lui avait ordonné[b]. [5] Abraham avait cent ans[c] lorsque lui naquit son fils Isaac. [6] Et Sara dit : « Dieu m'a donné de quoi rire, tous ceux qui l'apprendront me souriront[d]. » [7] Elle dit aussi :

« Qui aurait dit à Abraham
que Sara allaiterait des enfants !
car j'ai donné un fils à sa vieillesse. »

= 16

**Renvoi d'Agar
et d'Ismaël**[e]**.**

[8] L'enfant grandit et fut sevré, et Abraham fit un grand festin le jour où l'on sevra Isaac. [9] Or Sara aper-

---

a) Suite de **18** 9-15, mais aussi de **17** 19-21, deux traditions parallèles qui fusionnent ici, les vv. 1, 2ª, 6ᵇ, 7 se rattachant à la tradition « yahviste » du ch. **18**, le reste à la tradition « sacerdotale » du ch. **17**.

b) **17** 12.

c) En accord avec **17** 1 et 21.

d) Toujours le jeu de mots sur le nom d'Isaac, voir la note sur **17** 17; maintenant que la promesse est réalisée, c'est un rire de joie, cf. Ps **126** 2, bien que certains l'entendent d'une moquerie : « les autres riront de moi ».

e) Si ce récit continuait celui du ch. **17**, on devrait conclure de **16** 16 et **21** 5 qu'Ismaël avait plus de quinze ans. Mais la narration suppose qu'Ismaël est un petit enfant, à peine plus âgé qu'Isaac, v. 9, qu'on porte sur l'épaule, v. 14, qu'on laisse tomber, v. 15, qui pleure, v. 16. La difficulté a été sentie par les interprètes juifs qui ont corrigé (voir les notes textuelles) : v. 9, Ismaël « se moque » (sur quoi semble se fonder saint Paul, qui cite ensuite librement notre v. 10, Ga **4** 29-30; certains rabbins l'entendent même du culte des idoles); v. 14, Ismaël n'est pas porté par sa mère; v. 16, c'est Agar qui pleure. Manifestement, l'épisode est un parallèle « élohiste » à la tradition « yahviste » du ch. **16**. Les deux passages sont très beaux, diversement, et leur comparaison révèle la même différence de style et de mentalité religieuse qu'entre les récits de **12** 10-20

çut le fils né à Abraham de l'Égyptienne Agar, qui jouait[a]
avec son fils Isaac, [10] et elle dit à Abraham : « Chasse
cette servante et son fils, il ne faut pas que le fils de cette
servante hérite avec mon fils Isaac[b]. » [11] Cette parole
déplut beaucoup à Abraham, à propos de son fils, [12] mais
Dieu lui dit : « Ne te chagrine pas à cause du petit et de
ta servante, tout ce que Sara te demande, accorde-le, car
c'est par Isaac qu'une descendance perpétuera ton nom[c],
[13] mais du fils de la servante je ferai aussi un grand peuple,
car il est de ta race. » [14] Abraham se leva tôt, il prit du pain
et une outre d'eau qu'il donna à Agar, et il mit l'enfant
sur son épaule, puis il la renvoya.

Elle s'en fut errer au désert de Bersabée. [15] Quand l'eau
de l'outre fut épuisée, elle jeta l'enfant sous un buisson
[16] et elle alla s'asseoir vis-à-vis, loin comme une portée
d'arc. Elle se disait en effet : « Je ne veux pas voir mourir
l'enfant ! » et elle s'assit vis-à-vis[d]. Et il se mit à crier et
à pleurer.

[17] Dieu entendit les cris du petit et l'Ange de Dieu[e]
appela du ciel Agar et lui dit : « Qu'as-tu, Agar ? Ne

---

21 9. « *avec son fils* » G *Vulg ; omis par* H.

13. « *grand* » *Vers. cf. v.* 18 ; *omis par* H.

14. « *et il mit l'enfant sur son épaule* » *Syr* G^mss ; « *et il mit sur son épaule,
et l'enfant* » H.

16. « *Et il se mit à crier et à pleurer* » G ; « *Et elle se mit à crier et à
pleurer* » H.

---

et **20** 1-18. Du sort contraire des deux fils d'Abraham, saint Paul a tiré
l'allégorie des deux Alliances, Ga **4** 22-31.

a) Encore une allusion au nom d'Isaac, le même verbe signifiant « rire »
et « jouer ».

b) D'après l'ancien droit oriental, les fils nés d'une concubine n'avaient
pas droit à l'héritage paternel, sauf s'ils étaient juridiquement assimilés aux
fils de l'épouse; mais c'était le cas pour Ismaël, voir **16** 2.

c) Cité par saint Paul, Rm **9** 7.

d) Contradiction du cœur maternel : elle ne veut pas voir mourir son
enfant, mais elle ne consent pas à s'en éloigner.

e) Voir la note sur **16** 7.

crains pas, car Dieu a entendu[a] les cris du petit, là où il était. [18] Debout ! soulève le petit et tiens-le ferme, car j'en ferai un grand peuple. » [19] Dieu dessilla les yeux d'Agar et elle aperçut un puits. Elle alla remplir l'outre et fit boire le petit.

[20] Dieu fut avec lui, il grandit et demeura au désert, et il devint un tireur d'arc. [21] Il demeura au désert de Parân[b] et sa mère lui choisit une femme du pays d'Égypte.

= **26** 5-25

Abraham et Abimélek à Bersabée[c].

[22] En ce temps-là, Abimélek vint avec Pikol[d], le chef de son armée, dire à Abraham : « Dieu est avec toi en tout ce que tu fais. [23] Maintenant, jure-moi ici par Dieu que tu ne me tromperas pas, ni mon lignage et parentage, et que tu auras pour moi et pour ce pays où tu es venu en hôte la même amitié que j'ai eue pour toi. » [24] Abraham répondit : « Oui, je le jure ! »

[25] Abraham fit reproche à Abimélek à propos du puits que les serviteurs d'Abimélek avaient usurpé. [26] Et Abimélek répondit : « Je ne sais pas qui a pu faire cela : toi-même ne m'en as jamais informé et moi-même je n'en ai rien appris qu'aujourd'hui. » [27] Abraham prit du petit et

---

20. « *un tireur d'arc* » robèh qèsèt *Vers.*; « *un tireur, un archer* » robèh qassât *H*.

---

a) Allusion au nom d'*Ishmaʿël* « Que Dieu entende », voir **16** 11.

b) Au nord de la péninsule sinaïtique, d'où le rapport entre Agar et le Sinaï, établi par saint Paul, Ga 4 24-25.

c) Deux traditions sont ici combinées, apportant deux explications du nom de Bersabée : c'est le « Puits du Serment », *Beʾer shébaʿ*, parce qu'Abraham et Abimélek y ont juré une alliance ; c'est le « Puits des Sept », encore *Beʾer shébaʿ*, parce que l'acceptation des sept brebis par Abimélek a réglé une dispute et consacré les droits d'Abraham. Comparer ch. **26**, à propos d'Isaac.

d) Encore au v. 32 et dans un rôle aussi effacé. Il a peut-être été introduit ici d'après l'épisode parallèle de **26** 26 s.

du gros bétail et le donna à Abimélek, et tous les deux conclurent une alliance. ²⁸ Abraham mit à part sept brebis du troupeau, ²⁹ et Abimélek lui demanda : « Que font là ces sept brebis que tu as mises à part ? » ³⁰ Il répondit : « C'est pour que tu acceptes de ma main ces sept brebis, afin qu'elles soient un témoignage que j'ai bien creusé ce puits. » ³¹ C'est ainsi qu'on appela ce lieu Bersabée, parce qu'ils y avaient tous deux prêté serment.

³² Après qu'ils eurent conclu alliance à Bersabée, Abimélek se leva, avec Pikol, le chef de son armée, et ils retournèrent au pays des Philistins[a]. ³³ Abraham planta un tamaris à Bersabée et il y invoqua Yahvé, Dieu d'Éternité[b]. ³⁴ Abraham séjourna longtemps au pays des Philistins.

22. ¹ Après ces événe-
Le sacrifice d'Abraham[c]. ments, il arriva que Dieu éprouva Abraham et lui dit :

---

33. « *Abraham* » *Vers.*; *omis par H.*

---

a) Désignation prématurée : les Philistins ne se sont installés qu'au xiiᵉ siècle av. J. C.

b) « Dieu d'Éternité », *El 'Olâm ;* cette épithète de Yahvé ne revient pas ailleurs dans le Pentateuque.

c) Le récit est communément attribué au courant « élohiste », mais il faut admettre au moins des contacts avec la tradition « yahviste » : vv. 11, 14, 15-18, et le nom *Moriyyah* au v. 2. Cet épisode, rattaché à un lieu de culte, v. 5, dont il expliquait le nom, v. 14, peut avoir été originairement le récit de fondation d'un sanctuaire israélite où, à la différence des sanctuaires cananéens, on n'offrait pas de victimes humaines. Certes, les premiers-nés de l'homme appartiennent à Dieu comme tous les prémices, Ex **22** 29, seulement ils ne doivent pas être sacrifiés, ils sont rachetés, Ex **13** 13 ; **34** 19-20 ; ainsi le fut Jésus, Lc **2** 23-24. Dieu peut tout demander, mais il condamne les sacrifices d'enfants, ces offrandes héroïques et barbares des cultes cananéens, qu'Israël même pratiqua, tardivement, avec une sorte de frénésie, 2 R **16** 3 ; **21** 6 ; **23** 10 ; Jr **7** 30 s ; **19** 5 ; Ez **16** 20 s ; **20** 26. Mais le récit donne une leçon spirituelle plus haute : Dieu éprouve ses fidèles et demande avant tout l'obéissance dans la foi, 1 S **15** 22 s ; Ps **51** 18 s, même si ses ordres semblent contredire les desseins qu'il a formés et les promesses qu'il a faites. C'est le point culminant de l'histoire

« Abraham ! Abraham ! » Il répondit : « Me voici ! »
[2] Dieu dit : « Prends ton fils, ton unique, que tu chéris,
Isaac[a], et va-t’en au pays de Moriyya[b], et là tu l’offriras en
holocauste sur une montagne que je t’indiquerai. »

[3] Abraham se leva tôt, sella son âne et prit avec lui deux
de ses serviteurs et son fils Isaac. Il fendit le bois de l’holocauste et se mit en route pour l’endroit que Dieu lui avait
dit. [4] Le troisième jour, Abraham, levant les yeux, vit l’endroit de loin. [5] Abraham dit à ses serviteurs : « Demeu-
rez ici avec l’âne. Moi et l’enfant nous irons jusque là-bas,
nous adorerons et nous reviendrons vers vous. »

[6] Abraham prit le bois de l’holocauste et le chargea sur
son fils Isaac, lui-même prit en mains le feu et le couteau
et ils s’en allèrent tous deux ensemble. [7] Isaac s’adressa
à son père Abraham et dit : « Mon père ! » Il répondit :
« Oui, mon fils ! » — « Eh bien, reprit-il, voilà le feu et le
bois, mais où est l’agneau pour l’holocauste ? » [8] Abraham répondit : « C’est Dieu qui pourvoira à l’agneau

---

22 1. « *Abraham ! Abraham !* » *G Vulg cf. v.* 11 ; **46** 2 ; *Ex* **3** 4 ; « *Abraham !* » *H.*

---

d’Abraham, modèle du juste, Sg **10** 5 ; Si **44** 20 ; He **11** 17 s ; Jc **2** 21. Les
Pères ont comparé le sacrifice d’Isaac à celui de Jésus, le Fils Unique,
l’agneau immolé qui a porté le bois de sa croix.

a) Dieu ne cache rien de la grandeur du sacrifice qu’il impose : non seulement le cœur d’Abraham sera brisé, mais ce sera l’écroulement de toutes
les promesses concernant sa race. L’appel de **12** 1 avait coupé Abraham
de tout son passé ; ce nouvel ordre lui ferme tout son avenir.

b) 2 Ch **3** 1 identifie Moriyya avec la colline où s’élèvera le Temple
de Jérusalem, comme le suggère peut-être déjà le texte hébreu de notre
v. 14 (voir la note textuelle) : la « montagne de Yahvé » désigne le lieu du
Temple, Is **30** 29 ; Ps **24** 3, etc. La tradition postérieure a accepté cette
localisation. Cependant il s’agit ici non pas d’une montagne mais d’un pays
dans lequel se trouve une montagne ; le texte est d’ailleurs incertain, n’étant
appuyé expressément par aucune des versions, qui remplacent ce nom
géographique par divers noms communs. Les hypothèses qu’on a faites
sont toutes improbables et le lieu du sacrifice reste inconnu.

pour l'holocauste, mon fils », et ils s'en allèrent tous deux ensemble[a].

[9] Quand ils furent arrivés à l'endroit que Dieu lui avait indiqué, Abraham y éleva l'autel et disposa le bois, puis il lia son fils Isaac et le mit sur l'autel, par-dessus le bois. [10] Abraham étendit la main et saisit le couteau pour immoler son fils.

[11] Mais l'Ange de Yahvé[b] l'appela du ciel et dit : « Abraham ! Abraham ! » Il répondit : « Me voici ! » [12] L'Ange dit : « N'étends pas la main contre l'enfant ! Ne lui fais aucun mal ! Je sais maintenant que tu crains Dieu[c] : tu ne m'as pas refusé ton fils, ton unique. » [13] Abraham leva les yeux et vit un bélier, qui s'était pris par les cornes dans un buisson, et Abraham alla prendre le bélier et l'offrit en holocauste à la place de son fils. [14] A ce lieu, Abraham donna le nom de « Yahvé pourvoit », en sorte qu'on dit aujourd'hui : « Sur la montagne, Yahvé pourvoit[d]. »

[15] L'Ange de Yahvé appela une seconde fois Abraham du ciel [16] et dit : « Je jure par moi-même, parole de Yahvé : parce que tu as fait cela, que tu ne m'as pas refusé ton fils, ton unique, [17] je te comblerai de bénédictions, je ren-

---

13. « *un bélier* » 'ayil 'èḥâd *Mss Vers.*; « *un bélier derrière* » 'ayil 'aḥar *H.*
14. « *la montagne, Yahvé* » *G* ; « *la montagne de Yahvé* » *H.* — « *pourvoit* » (2°) yir'èh *Syr Vulg* ; « *apparaît* » yérâ'èh *H.*
16. « *tu ne m'as pas refusé* » *Vers. cf. v.* 12; « *tu n'as pas refusé* » *H.*

---

a) Curiosité naïve de l'enfant qui ignore, mutisme oppressé du père qui sait, pathétique montée dans la foi.

b) Voir la note sur **16** 7.

c) La « crainte de Dieu » dans l'A. T. n'est pas une peur de Dieu, c'est la soumission aux ordres divins, cf. Jb **1** 8.

d) Le verset est difficile : le texte est incertain (voir notes textuelles), le nom de *Yahveh-yir'eh* ne se rencontre pas ailleurs, ni le dicton que semble citer la fin du v., mais le sens est indiqué par le v. 8 : c'est Dieu qui pourvoit.

drai ta postérité aussi nombreuse que les étoiles du ciel et que le sable qui est sur le bord de la mer[a], et ta postérité conquerra la porte[b] de ses ennemis. [18] Par ta postérité se béniront toutes les nations de la terre[c], parce que tu m'as obéi. »

[19] Abraham revint vers ses serviteurs et ils se mirent en route ensemble pour Bersabée. Abraham résida à Bersabée.

La descendance de Nahor[d].

[20] Après ces événements, on annonça à Abraham que Milka elle aussi avait enfanté des fils à son frère Nahor : [21] son premier-né Uç, Buz, le frère de celui-ci, Qemuel, père d'Aram, [22] Késed, Hazo, Pildash, Yidlaph, Bétuel [23] (et Bétuel engendra Rébecca[e]). Ce sont les huit enfants que Milka donna à Nahor, le frère d'Abraham. [24] Il avait une concubine, nommée Réuma, qui eut aussi des enfants : Téba, Gaham, Tahash, et Maaka.

La tombe des Patriarches[f].

23. [1] La durée de la vie de Sara fut de cent vingt-sept ans, [2] et elle mourut à Qiryat-Arba[g] — c'est Hébron —

---

23 1. « *La durée de* » š°nê *cf.* **47** 28; *omis par* H. — *A la fin du v.* H *ajoute* « *années de la vie de Sara* »; *omis par* G *Vulg.*

---

a) Voir **12** 2; **15** 5; **16** 10. La comparaison avec le sable du rivage reviendra à **32** 13.

b) C'est-à-dire leurs villes, comme interprète le grec; cf. **24** 60.

c) Voir la note sur **12** 3.

d) Liste de tribus araméennes, rattachées aux douze « fils » de Nahor, **11** 29; cf. les douze fils d'Ismaël, **25** 13, et de Jacob, **29** 32-**30** 24; **35** 22 s. Dans la mesure où les noms sont connus par ailleurs, ils se rapportent aux confins du désert syro-arabique (Uç, Buz, Késed, Hazo) ou à l'est du Liban (Téba, Maaka). Une tradition différente est donnée dans **10** 23.

e) Cf. **24** 15; **25** 20; **28** 2. L'indication est ici une glose.

f) Le récit est attribué, avec de bonnes raisons, à la source « sacerdo-

au pays de Canaan. Abraham entra faire le deuil de Sara
et la pleurer.

³ Puis Abraham se leva de devant son mort*a* et parla
ainsi aux fils de Hèt*b* : ⁴ « Je suis chez vous un étranger
et un hôte*c*. Accordez-moi chez vous une concession funéraire pour que j'enlève mon mort et l'enterre. » ⁵ Les
fils de Hèt firent cette réponse à Abraham : ⁶ « Monseigneur, écoute-nous plutôt ! Tu es un prince de Dieu
parmi nous : enterre ton mort dans la meilleure de nos
tombes; personne ne te refusera sa tombe pour que tu
puisses enterrer ton mort. »

⁷ Abraham se leva et s'inclina*d* devant les gens du pays,

---

6. « *plutôt* » lû *cf. v.* 15 ; « *à lui* » lô H (*à la fin du v.* 5).

---

tale ». Mais l'archaïsme de la langue, le caractère concret et profane de la
narration indiquent qu'elle utilise ici un document ancien ou reproduit une
vieille tradition. L'auteur s'attarde à cet épisode, où l'ancêtre de sa race
acquiert juridiquement un titre de propriété et un droit de cité en Canaan;
comparer l'achat du champ de Sichem par Jacob, **33** 19, de l'aire du
Temple par David, 2 S **24** 18 s. Ce sont les promesses, **12** 7; **13** 15; **15** 7;
17 8, qui commencent de se réaliser. C'est aussi un grand souvenir : le
tombeau qui recevra Sara et Abraham, **25** 9-10, puis Isaac et Rébecca,
Jacob et Léa, **49** 29-32; **50** 13, restera un lieu sacré pour les Israélites, et
jusqu'à maintenant pour les Juifs.

g) « Ville des Quatre » (quartiers ? clans ?), ancien nom d'Hébron,
35 27; Jos **20** 7, centre de la confédération des Anaqim, Nb **13** 22. Elle
occupait primitivement le site d'Er-Rumeidé, juste à l'ouest de la ville
moderne. Mambré, résidence d'Abraham, en dépendait, **13** 18.

a) Abraham, qui était entré là où était déposé le corps, était resté pros-
tré pendant le deuil, cf. 2 S **12** 16-17 et 20; **13** 31.

b) C'est-à-dire les Hittites, v. 10. Le terme est impropre, car il n'y eut
jamais de peuplement hittite en Palestine. Il peut désigner ici un groupe
non sémitique, peut-être des Hurrites.

c) Inapte à acquérir un titre foncier, qui lui donnerait droit de cité.
L'offre généreuse des habitants, vv. 6, 11, masque leur répugnance à voir
Abraham devenir propriétaire chez eux, mais c'est ce que celui-ci veut et
obtiendra par ses instances. D'ailleurs, cette manière d'offrir pour rien
avant d'exiger un prix exorbitant est aussi dans la tradition des longues
transactions orientales.

d) Il remercie, mais il va proposer mieux, de même aux vv. 12-13 : ainsi
sont marquées les étapes du marchandage.

les fils de Hèt, [8] et il leur parla ainsi : « Si vous consentez que j'enlève mon mort et que je l'enterre, écoutez-moi et intercédez pour moi auprès d'Éphrôn, fils de Çohar, [9] pour qu'il me cède la grotte de Makpéla[a], qui lui appartient et qui est à l'extrémité de son champ. Qu'il me la cède pour sa pleine valeur, en votre présence, comme concession funéraire. » [10] Or Éphrôn était assis parmi les fils de Hèt, et Éphrôn le Hittite répondit à Abraham au su des fils de Hèt, de tous ceux qui franchissaient la porte de sa ville[b] : [11] « Monseigneur, écoute-moi plutôt ! Je te donne le champ et je te donne aussi la grotte qui y est, je te fais ce don au vu des fils de mon peuple. Enterre ton mort. »

[12] Abraham s'inclina devant les gens du pays [13] et il parla ainsi à Éphrôn, au su des gens du pays : « Ah ! si c'est toi...[c] Mais écoute-moi plutôt : je donne le prix du champ, accepte-le de moi, et j'enterrerai là mon mort. » [14] Éphrôn répondit à Abraham : [15] « Monseigneur, écoute-moi plutôt : une terre de quatre cents sicles[d] d'argent, entre moi et toi, qu'est-ce que cela ? Enterre ton mort. » [16] Abraham donna son consentement à Éphrôn et Abraham pesa à Éphrôn l'argent qu'il avait dit au su des fils de Hèt, soit quatre cents sicles d'argent ayant cours chez le marchand.

---

11. « *plutôt* » lû *cf. v.* 6; « *non* » lo' H.
15. « *plutôt* » lû *cf. v.* 6; « *à lui* » lô H (*à la fin du v.* 14).

---

a) Le nom signifie peut-être « double » et, tiré de la configuration de la grotte, s'était étendu au terroir où elle se trouvait, vv. 17, 19. Cette grotte est actuellement couverte par la mosquée d'Hébron, qui succède à une église des Croisés et à une enceinte hérodienne.

b) Le marché se conclut à la porte de la ville, voir note sur **19** 1. Ainsi est assurée la publicité du transfert et les passants servent de témoins.

c) La phrase est interrompue; suppléer « qui le veux ».

d) Le sicle est l'unité pondérale de base (environ 11 gr. 5 à l'époque monarchique) et les paiements se font en pesant des lingots, v. 16. Beaucoup plus tard, le sicle deviendra l'unité fondamentale du système monétaire juif.

¹⁷ Ainsi le champ d'Éphrôn, qui est à Makpéla, vis-à-vis
de Mambré, le champ et la grotte qui y est sise, et tous les
arbres qui sont dans le champ, dans sa limite, ¹⁸ passèrent
en propriété à Abraham au vu des fils de Hèt, de tous ceux
qui franchissaient la porte de sa ville*a*. ¹⁹ Puis Abraham
enterra Sara dans la grotte du champ de Makpéla, vis-à-
vis de Mambré, au pays de Canaan. ²⁰ C'est ainsi que le
champ et la grotte qui y est sise furent acquis à Abraham
des fils de Hèt comme concession funéraire.

Mariage d'Isaac*b*.

24. ¹ Abraham était alors
un vieillard avancé en âge,
et Yahvé avait béni Abra-
ham en tout. ² Abraham dit au plus vieux serviteur de sa
maison, le régisseur de tous ses biens*c* : « Mets ta main
sous ma cuisse*d*. ³ Je te fais jurer par Yahvé, le Dieu du
ciel et le Dieu de la terre, que tu ne prendras pas pour mon
fils une femme parmi les filles des Cananéens au milieu
desquels j'habite. ⁴ Mais tu iras dans mon pays, dans ma

---

19. *Après « Mambré » H ajoute « c'est Hébron », glose.*

a) Le constat de vente est donné avec les précisions juridiques qu'on
retrouve dans les anciens contrats de Mésopotamie.

b) Ce récit, coloré et délicat comme une idylle du désert, terminait
l'histoire d'Abraham dans la tradition « yahviste » : les recommandations
du Patriarche et le serment qu'il exige, vv. 1-9, supposent qu'il est sur son
lit de mort, cf. **47** 29-31, et son absence au retour de la caravane, vv. 62-67,
ne s'expliquerait pas s'il était encore vivant. La mention de sa mort, que
devait contenir le récit primitif, a été écartée pour permettre l'addition de
25 1-6. Une autre retouche concerne l'ascendance de Rébecca : d'après le
v. 48, elle est fille de Nahor, le frère d'Abraham, aussi au v. 27 (corrigé), ce
qui est conforme à **29** 5. Mais une autre tradition la disait fille de Bétuel,
25 20; **28** 2 et 5, qui est le fils de Nahor, **22** 22-23. On a harmonisé ces
données en ajoutant Bétuel à la généalogie de Rébecca, aux vv. 15, 24, 47;
sur le v. 50, voir la note.

c) Il est anonyme dans tout le récit. La tradition l'identifie à Éliézer de
15 2, mais ce texte est corrompu.

d) Même geste à **47** 29, pour rendre le serment infrangible par un
contact avec les parties vitales.

parenté, et tu choisiras une femme pour mon fils Isaac[a]. »
[5] Le serviteur lui demanda : « Peut-être la femme ne vou-
dra-t-elle pas me suivre dans ce pays-ci : faudra-t-il que
je ramène ton fils dans le pays d'où tu es sorti[b] ? » [6] Abraham lui répondit : « Garde-toi bien de ramener mon fils
là-bas. [7] Yahvé, le Dieu du ciel et le Dieu de la terre, qui
m'a pris de ma maison paternelle et du pays de ma parenté,
qui m'a dit et qui m'a juré qu'il donnerait ce pays-ci à ma
descendance[c], Yahvé enverra son Ange devant toi, pour
que tu prennes une femme de là-bas pour mon fils. [8] Et si
la femme ne veut pas te suivre, tu seras quitte du serment
que je t'impose. En tout cas, ne ramène pas mon fils là-
bas. » [9] Le serviteur mit sa main sous la cuisse de son
maître Abraham et il lui prêta serment pour cette affaire.

[10] Le serviteur prit dix des chameaux de son maître et,
emportant de tout ce que son maître avait de bon, il se
mit en route pour l'Aram Naharayim[d], pour la ville de
Nahor. [11] Il fit agenouiller les chameaux en dehors de la
ville, près du puits, à l'heure du soir, à l'heure où les
femmes sortent pour puiser. [12] Et il dit : « Yahvé, Dieu de
mon maître Abraham, sois-moi propice aujourd'hui et
montre ta bienveillance pour mon maître Abraham ! [13] Je
me tiens près de la source et les filles des gens de la ville
sortent pour puiser de l'eau. [14] La jeune fille à qui je dirai :

24 7. « et le Dieu de la terre » G cf. v. 3 ; omis par H.
  10. « et... de tout » ûmikkol G ; « et il partit et tout » wayyélèk wekol H.

a) Ce souci de la pureté du sang se retrouvera à 28 1 s.
b) D'après les anciennes lois assyriennes, la femme mariée pouvait garder domicile au foyer paternel. Le texte semble faire allusion à une telle
coutume ; de même au v. 58.
c) Voir le ch. 15.
d) C'est-à-dire « l'Aram des Fleuves », désignation de la Haute-Mésopotamie, qui était peuplée en partie par les Araméens, et où se trouvait Harân,
résidence des parents d'Abraham, 11 31.

'Incline donc ta cruche, que je boive' et qui répondra :
'Bois, et j'abreuverai aussi tes chameaux'[a], ce sera celle
que tu as destinée à ton serviteur Isaac, et je connaîtrai
à cela que tu as montré ta bienveillance pour mon maître. »
   [15] Il n'avait pas fini de parler que sortait Rébecca, qui
était fille de Bétuel[b], fils de Milka, la femme de Nahor,
frère d'Abraham, et elle avait sa cruche sur l'épaule. [16] La
jeune fille était très belle, elle était vierge, aucun homme
ne l'avait approchée. Elle descendit à la source, emplit sa
cruche et remonta. [17] Le serviteur courut au devant d'elle
et dit : « S'il te plaît, laisse-moi boire un peu d'eau de ta
cruche. » [18] Elle répondit : « Bois, Monseigneur » et vite
elle abaissa sa cruche sur son bras et le fit boire. [19] Quand
elle eut fini de lui donner à boire, elle dit : « Je vais puiser
aussi pour tes chameaux, jusqu'à ce qu'ils soient désal-
térés. » [20] Vite elle vida sa cruche dans l'auge, courut
encore au puits pour puiser et puisa pour tous les chameaux. [21] L'homme la considérait en silence, se demandant
si Yahvé l'avait ou non mené au but.
   [22] Lorsque les chameaux eurent fini de boire, l'homme
prit un anneau d'or pesant un demi-sicle[c], qu'il mit à ses
narines[d], et, à ses bras, deux bracelets pesant dix sicles
d'or, [23] et il dit : « De qui es-tu la fille ? Apprends-le moi,
je te prie. Y a-t-il de la place chez ton père pour que nous
passions la nuit ? » [24] Elle répondit : « Je suis la fille de

---

22. « *qu'il mit à ses narines* » *Sam cf. v.* 47; *omis par H.*

---

   a) Tout cela est pris sur le vif et se vérifie encore aujourd'hui. Une
femme remontant de la source ne refusera pas à boire à un passant, mais
il serait extraordinaire qu'elle abreuve ses bêtes : l'offre de la jeune fille sera
vraiment un « signe » envoyé par Dieu.
   b) Voir la note *b* de la page III.
   c) Sur le sicle, voir **23** 15.
   d) Le *nézém* est une parure que les femmes portent au nez, Is **3** 21;
Ez **16** 12.

Bétuel, le fils que Milka a enfanté à Nahor » [25] et elle continua : « Il y a, chez nous, de la paille et du fourrage en quantité, et de la place pour gîter. » [26] Alors l'homme se prosterna et adora Yahvé, [27] et il dit : « Béni soit Yahvé, Dieu de mon maître Abraham, qui n'a pas ménagé sa bienveillance et sa bonté à mon maître. Yahvé a guidé mes pas chez le frère de mon maître ! »

[28] La jeune fille courut annoncer chez sa mère ce qui était arrivé. [29] Or Rébecca avait un frère qui s'appelait Laban, et Laban courut au dehors vers l'homme, à la source. [30] Dès qu'il eut vu l'anneau et les bracelets que portait sa sœur[a] et qu'il eut entendu sa sœur Rébecca dire : « Voilà comment cet homme m'a parlé », il alla vers l'homme et le trouva encore debout près des chameaux, à la source. [31] Il lui dit : « Viens, béni de Yahvé ! Pourquoi restes-tu dehors, quand j'ai débarrassé la maison et fait de la place pour les chameaux ? » [32] L'homme vint à la maison et Laban débâta les chameaux, il donna de la paille et du fourrage aux chameaux et, pour lui et les hommes qui l'accompagnaient, de l'eau pour se laver les pieds.

[33] On lui présenta à manger, mais il dit : « Je ne mangerai pas avant d'avoir dit ce que j'ai à dire », et Laban répondit : « Parle. » [34] Il dit : « Je suis le serviteur d'Abraham. [35] Yahvé a comblé mon maître de bénédictions et celui-ci est devenu très riche : il lui a donné du petit et du gros bétail, de l'argent et de l'or, des serviteurs et des

---

27. « *le frère* » *Vers.*; « *les frères* » H.
31. « *Il lui dit* » *Vers.*; « *Il dit* » H.

---

a) Dès le début, Laban est présenté comme le personnage intéressé au gain, que feront mieux connaître ses démêlés avec Jacob, **29-31** : son hospitalité empressée cache le désir de profiter du riche étranger qui passe.

servantes, des chameaux et des ânes. [36] Sara, la femme de mon maître, lui a, quand il était déjà vieux, enfanté un fils, auquel il a transmis tous ses biens. [37] Mon maître m'a fait prêter ce serment : ' Tu ne prendras pas pour mon fils une femme parmi les filles des Cananéens dont j'habite le pays. [38] Malheur à toi si tu ne vas pas dans ma maison paternelle, dans ma famille, choisir une femme pour mon fils ! ' [39] J'ai dit à mon maître : ' Peut-être cette femme n'acceptera pas de me suivre ', [40] et il m'a répondu : ' Yahvé, en présence de qui j'ai marché, enverra son Ange avec toi, il te mènera au but et tu prendras pour mon fils une femme de ma famille, de ma maison pater-nelle. [41] Tu seras alors quitte de ma malédiction : tu seras allé dans ma famille et, s'ils te refusent, tu seras quitte de ma malédiction. ' [42] Je suis arrivé aujourd'hui à la source et j'ai dit : ' Yahvé, Dieu de mon maître Abraham, montre, je te prie, si tu es disposé à mener au but le chemin par où je vais : [43] je me tiens près de la source; la jeune fille qui sortira pour puiser, à qui je dirai : S'il te plaît, donne-moi à boire un peu d'eau de ta cruche, [44] et qui répondra : Bois toi-même et je puiserai aussi pour tes chameaux, ce sera la femme que Yahvé a destinée au fils de mon maître. ' [45] Je n'avais pas fini de parler en moi-même que Rébecca sortait, sa cruche sur l'épaule. Elle descendit à la source et puisa. Je lui dis : ' Donne-moi à boire, s'il te plaît ! ' [46] Vite, elle se déchargea de sa cruche et dit : ' Bois, et j'abreuverai aussi tes chameaux. ' J'ai bu et elle a abreuvé aussi mes chameaux. [47] Je lui ai demandé : ' De qui es-tu la fille ? ' et elle a répondu : ' Je suis la fille de Bétuel, le fils que Milka a donné à Nahor. ' Alors j'ai mis cet anneau à ses narines et ces bracelets à ses bras,

---

36. « *quand il était déjà vieux* » Sam G ; « *quand elle était déjà vieille* » H.

⁴⁸ et je me suis prosterné et j'ai adoré Yahvé, et j'ai béni Yahvé, Dieu de mon maître Abraham, qui m'avait conduit par un chemin de bonté prendre pour son fils la fille du frère de mon maître. ⁴⁹ Maintenant, si vous êtes disposés à montrer à mon maître bienveillance et bonté, déclarez-le moi, si non, déclarez-le moi, pour que je me tourne à droite ou à gauche. »

⁵⁰ Laban et Bétuel* prirent la parole et dirent : « La chose vient de Yahvé, nous ne pouvons te dire ni oui ni non. ⁵¹ Rébecca est là devant toi : prends-la et pars, et qu'elle devienne la femme du fils de ton maître, comme a dit Yahvé. » ⁵² Lorsque le serviteur d'Abraham entendit ces paroles, ils se prosterna à terre devant Yahvé. ⁵³ Il sortit des bijoux d'argent et d'or et des vêtements, qu'il donna à Rébecca; il fit aussi de riches cadeaux à son frère et à sa mère*.

⁵⁴ Ils mangèrent et ils burent, lui et les hommes qui l'accompagnaient, et ils passèrent la nuit. Le matin, quand ils furent levés, il dit : « Laissez-moi aller chez mon maître. » ⁵⁵ Alors le frère et la mère de Rébecca dirent : « Que la jeune fille reste avec nous quelques jours ou une décade, ensuite elle partira. » ⁵⁶ Mais il leur répondit : « Ne me retardez pas, puisque c'est Yahvé qui m'a mené au but : laissez-moi partir, que j'aille chez mon maître. » ⁵⁷ Ils dirent : « Appelons la jeune fille et demandons-lui son avis. » ⁵⁸ Ils appelèrent Rébecca et lui dirent : « Veux-tu

---

a) Bétuel a été introduit ici, comme aux vv. 15, 24, 47, et il a remplacé « Milka ». En effet, le père ne serait pas nommé après son fils, les tractations se feront avec le frère et la mère de Rébecca, vv. 53, 55, Rébecca avait couru chez sa mère, v. 28, et Laban fait, d'un bout à l'autre, figure de chef de famille : c'est-à-dire que le père de Laban et de Rébecca était mort, et dans le récit primitif ce père était Nahor, voir la note sur le v. 1.

b) Les parures du v. 22 étaient un appât pour la jeune fille et la récompense — magnifique — du service rendu. Les présents du v. 53 scellent la conclusion du mariage : une dotation à la fiancée, des cadeaux à la famille.

partir avec cet homme ? » et elle répondit : « Je veux bien[a]. » ⁵⁹ Alors ils laissèrent partir leur sœur Rébecca, avec sa nourrice[b], le serviteur d'Abraham et ses hommes. ⁶⁰ Ils bénirent Rébecca et lui dirent :

« Notre sœur, ô toi, deviens
des milliers de myriades !
Que ta postérité conquière
la porte[c] de ses ennemis ! »

⁶¹ Rébecca et ses servantes se levèrent, montèrent sur les chameaux et suivirent l'homme. Le serviteur prit Rébecca et partit.

⁶² Isaac était venu au désert du puits de Lahaï Roï[d], car il habitait au pays du Négeb. ⁶³ Or Isaac sortit pour se promener[e] dans la campagne, à la tombée du soir, et, levant les yeux, il vit que des chameaux arrivaient. ⁶⁴ Et Rébecca, levant les yeux, vit Isaac. Elle sauta à bas du chameau ⁶⁵ et dit au serviteur : « Quel est cet homme-là, qui vient dans la campagne à notre rencontre ? » Le serviteur répondit : « C'est mon maître »; alors elle prit son voile[f] et se couvrit.

⁶⁶ Le serviteur raconta à Isaac toute l'affaire qu'il avait

---

62. « *au désert* » midbar *cf. Sam G ;* « *de venir* » (?) mibbô' *H.*

---

a) On ne demande pas à Rébecca son consentement au mariage, qui a été décidé par sa famille, v. 51, mais si elle veut quitter son foyer, allusion à une coutume signalée à propos du v. 5. Cependant, dans certains milieux de l'ancienne Mésopotamie, le consentement de la jeune fille au mariage était requis lorsque, comme ici, elle était orpheline et que l'union était arrangée par ses frères.

b) Elle est appelée Débora à **35** 8.

c) Cf. **22** 17.

d) Voir **16** 13-14.

e) Le mot, unique dans la Bible, est ainsi traduit d'après un sens de la racine en arabe. Le grec a compris « pour converser », la Vulgate « pour méditer ».

f) La fiancée devait rester voilée devant son promis, jusqu'à la nuit des noces; cf. **29** 23-25.

faite. [67] Et Isaac introduisit Rébecca dans sa tente : il la prit et elle devint sa femme et il l'aima. Et Isaac se consola de la perte de sa mère.

|| 1 Ch **1** 32-33

La descendance de Qetura[a].

25. [1] Abraham prit encore une femme, qui s'appelait Qetura. [2] Elle lui enfanta Zimrân, Yoqshân, Medân, Madiân, Yishbaq et Shuah. — [3] Yoqshân engendra Sheba et Dedân, et les fils de Dedân furent les Ashshurites, les Letushim et les Léummim[b]. — [4] Fils de Madiân : Épha, Épher, Hanok, Abida, Eldaa. Tous ceux-là sont fils de Qetura.

[5] Abraham donna tous ses biens à Isaac. [6] Quant aux fils de ses concubines, Abraham leur fit des présents et il les envoya, de son vivant, loin de son fils Isaac à l'est, au pays d'Orient.

Mort d'Abraham.

[7] Voici la durée de la vie d'Abraham : cent soixante-quinze ans. [8] Puis Abraham expira, il mourut dans une vieillesse heureuse, âgé et rassasié de jours, et il fut réuni à sa parenté[c]. [9] Isaac et

---

67. *Après « sa tente », H ajoute « sa mère Sara », glose destinée à la fin du v.* **25** 8. *« de jours » quelques Mss Vers. ; omis par H.*

---

a) Ce paragraphe et les deux suivants sont des additions à l'histoire d'Abraham, venant de diverses sources. De Qetura descendent des peuples d'Arabie; parmi eux, on identifie : les Madianites (Madiân), qui paraîtront dans l'histoire de Joseph, **37** 28 et 36, seront en rapport avec Moïse au Sinaï, Ex **2** 15 s, feront des incursions en Palestine à l'époque des Juges, Jg **6-8**; les Sabéens (Sheba), établis au sud de la péninsule et riches trafiquants d'or et d'aromates, 1 R **10** 1-10; Is **60** 6; les Dédanites (Dedân), Is **21** 13, dont une fraction avoisinait Édom, Jr **49** 8.

b) Les noms des fils de Dedân, dont la forme plurielle détonne dans cette liste, ne sont pas ceux du passage parallèle de 1 Ch **1** 32-33 et ont été probablement ajoutés ici.

c) L'expression, qui revient au v. 17, tire son origine des tombeaux de famille.

Ismaël, ses fils, l'enterrèrent dans la grotte de Makpéla,
dans le champ d'Éphrôn fils de Çohar, le Hittite, qui est
vis-à-vis de Mambré*ᵃ*. ¹⁰ C'est le champ qu'Abraham avait
acheté aux fils de Hèt; là furent enterrés Abraham et sa
femme Sara. ¹¹ Après la mort d'Abraham, Dieu bénit
son fils Isaac, et Isaac habita près du puits de Lahaï Roï*ᵇ*.

La descendance d'Ismaël*ᶜ*. ¹² Voici la descendance d'Ismaël, le fils d'Abraham, que lui enfanta Agar, la servante égyptienne de Sara. ‖ 1 Ch **1** 29-31

¹³ Voici les noms des fils d'Ismaël, selon leurs noms
et leur lignée : le premier-né d'Ismaël Nebayot, puis
Qédar, Adbéel, Mibsam, ¹⁴ Mishma, Duma, Massa,
¹⁵ Hadad, Téma, Yetur, Naphish et Qédma. ¹⁶ Ce sont
là les fils d'Ismaël et tels sont leurs noms, d'après leurs
douars et leurs camps, douze chefs d'autant de tribus.

¹⁷ Voici la durée de la vie d'Ismaël : cent trente-sept ans.
Puis il expira; il mourut et il fut réuni à sa parenté. ¹⁸ Il
habita depuis Havila jusqu'à Shur*ᵈ*, qui est à l'est de
l'Égypte, en allant vers l'Assyrie. Il s'était établi à la
face de ses frères*ᵉ*.

---

18. « *Il habita* » G *Vulg* ; « *Ils habitèrent* » H.

a) Voir le ch. **23**.
b) Voir **24** 62.
c) Les descendants d'Ismaël, **21** 21, constituent les tribus de l'Arabie
du nord : Nebayot (peut-être les Nabatéens qui occuperont plus tard une
partie de la Transjordanie) et Qédar sont aussi mentionnés ensemble dans
Is **60** 7; Duma est aujourd'hui l'oasis d'El-Djof, Téma est aujourd'hui
Teima, toutes deux dans le nord de la péninsule; Yetur et Naphish sont
nommés dans 1 Ch **5** 19, comme adversaires des tribus de Ruben et de
Gad; les Ituréens, successeurs de Yetur, s'installeront plus tard dans
l'Antiliban, Lc **3** 1. Sur Massa, cf. Pr **30** 1; **31** 1.
d) Sur Havila, voir **10** 7 et 29, sur Shur, **16** 7; **20** 1. Les deux termes
semblent délimiter l'Arabie du nord et fixent, dans 1 S **15** 7, le territoire
des Amalécites.
e) Rappel de l'oracle de **16** 12.

III

HISTOIRE D'ISAAC ET DE JACOB

**Naissance d'Ésaü
et de Jacob***ᵃ*.

¹⁹ Voici l'histoire d'Isaac fils d'Abraham.

Abraham engendra Isaac. ²⁰ Isaac avait quarante ans lorsqu'il épousa Rébecca, fille de Bétuel, l'Araméen de Paddân-Aram*ᵇ*, et sœur de Laban l'Araméen. ²¹ Isaac implora Yahvé pour sa femme, car elle était stérile : Yahvé l'exauça et sa femme Rébecca devint enceinte. ²² Or les enfants se heurtaient en elle et elle dit : « S'il en est ainsi, à quoi bon vivre ? » Elle alla donc consulter Yahvé*ᶜ*, ²³ qui lui répondit :

« Il y a deux nations en ton sein,
    deux peuples, issus de toi, se sépareront,
un peuple dominera un peuple,
    l'aîné servira le cadet*ᵈ*. »

---

22. « *vivre* » *Syr ; omis par H. Texte incertain.*

---

a) Récit « yahviste », sauf peut-être de petites additions et le cadre chronologique, d'origine « sacerdotale », vv. 19-21, 26ᵇ.

b) Équivalent d'Aram Naharayim, **24** 10 : la Haute-Mésopotamie.

c) On « consultait Yahvé », c'est-à-dire on demandait un oracle, par l'intermédiaire d'un homme de Dieu ou d'un prophète, 1 S **9** 9; 1 R **14** 5; **22** 5, 8; 2 R **3** 11; **8** 8, etc. Ici, il ne peut s'agir que d'une visite à un lieu sacré où Yahvé se manifeste, peut-être Bersabée, cf. **26** 23 s.

d) La lutte des deux enfants dans le sein maternel est le présage de l'opposition entre deux peuples qui seront des frères ennemis : les Édomites descendants d'Ésaü et les Israélites descendants de Jacob. Les Édomites furent asservis par David, 2 S **8** 13-14, et ne s'affranchirent définitivement que sous Joram de Juda, au milieu du ixᵉ siècle, 2 R **8** 20-22.

²⁴ Quand vint le temps de ses couches, voici qu'elle portait des jumeaux. ²⁵ Le premier sortit : il était roux et tout entier comme un manteau de poils; on l'appela Ésaü*ᵃ*. ²⁶ Ensuite sortit son frère et sa main tenait le talon d'Ésaü; on l'appela Jacob*ᵇ*. Isaac avait soixante ans à leur naissance.

²⁷ Les garçons grandirent : Ésaü devint un habile chasseur, courant la steppe, Jacob était un homme tranquille, demeurant sous les tentes. ²⁸ Isaac préférait Ésaü car le gibier était à son goût, mais Rébecca préférait Jacob*ᶜ*.

Ésaü cède son droit d'aînesse.

²⁹ Une fois, Jacob prépara un potage et Ésaü revint de la campagne, épuisé. ³⁰ Ésaü dit à Jacob : « Laisse-moi avaler ce roux, ce roux-là; je suis épuisé. » — C'est pourquoi on l'a appelé Édom*ᵈ*. — ³¹ Jacob dit : « Vends-moi d'abord ton droit d'aînesse*ᵉ*. ³² Ésaü répondit : « Voici que je vais mourir, à quoi me servira le droit d'aînesse ? » ³³ Jacob reprit : « Prête-moi d'abord serment »; il lui prêta serment et vendit son droit d'aînesse à Jacob. ³⁴ Alors

---

a) Ésaü est roux, *admôni,* et il sera appelé aussi Édom, v. 30; **36** 1 et 8; il est comme un manteau de poils, *sé'ar,* et il habitera le pays de *Sé'ir,* **36** 8-9, il sera même appelé *Sé'ir,* Nb 24 18. Il est curieux que ce double jeu de mots laisse inexpliqué le nom même d'Ésaü.

b) Nouveau jeu de mots : Jacob, *Ya'aqob,* est ainsi appelé parce qu'il tenait le talon, *'âqéb,* de son jumeau, mais d'après **27** 36 et Os **12** 4, cf. Jr **9** 3, parce qu'il a supplanté, *'aqab,* son frère. Étymologies populaires : le nom est en réalité un abrégé de *Ya'aqob-El* et signifie probablement : « Que Dieu protège ! »

c) Prépare le récit du ch. 27.

d) Parce qu'il a mangé un plat de couleur rousse, *âdom,* un autre jeu de mots que celui du v. 25, et que la traduction essaie de rendre, bien que « roux » ne désigne, en français, qu'une sauce entrant dans la composition de certains plats. L'ancêtre des Édomites, ennemis d'Israël, est présenté dans ce ch. d'une manière sarcastique : il est roux, velu et glouton, sacrifiant tout son avenir pour un avantage immédiat, le contraire de Jacob.

e) D'après Dt **21** 15-17, l'aîné avait droit à une double part de l'héritage paternel et la même coutume est attestée en Mésopotamie à l'époque des Patriarches.

Jacob lui donna du pain et du potage de lentilles, il mangea et but, se leva et partit. C'est tout le cas qu'Ésaü fit
du droit d'aînesse.

= 12 10-20
= 20

Isaac à Gérar [a].

26. [1] Il y eut une famine
dans le pays — en plus de
la première famine qui eut
lieu du temps d'Abraham — et Isaac se rendit à Gérar
chez Abimélek, roi des Philistins [b]. [2] Yahvé lui apparut et
dit : « Ne descends pas en Égypte; demeure au pays que
je te dirai [c]. [3] Séjourne dans ce pays-ci, je serai avec toi et
te bénirai. Car c'est à toi et à ta race que je donnerai tous
ces pays-ci et je tiendrai le serment que j'ai fait à ton père
Abraham. [4] Je rendrai ta postérité nombreuse comme les
étoiles du ciel, je lui donnerai tous ces pays et par ta postérité se béniront toutes les nations de la terre, [5] en retour
de l'obéissance d'Abraham [d], qui a gardé mes observances,
mes commandements, mes règles et mes lois. » [6] Ainsi
Isaac demeura à Gérar.

[7] Les gens du lieu l'interrogèrent sur sa femme et il
répondit : « C'est ma sœur. » Il eut peur que, s'il disait :

---

a) L'histoire d'Isaac est incluse dans celle de son père, **21**; **22**; **24**,
et de ses fils, **25** 19-28; **27**; **28** 1-9; **35** 27-29. Seul ce ch. **26** le concerne
directement et il apparaît comme une réplique de l'histoire d'Abra-
ham; la Genèse a rassemblé des traditions parallèles relatives à Abraham
et Isaac. Ainsi l'aventure de Rébecca à Gérar répète celle de Sara,
encore à Gérar et sous le roi Abimélek, **20**; un épisode semblable
avait marqué le séjour d'Abraham en Égypte, **12** 10-20, à quoi fait allusion notre v. 1. Des trois présentations du même thème, celle-ci est la plus
discrète : la supercherie est dévoilée — par une circonstance naturelle et
non par l'intervention de Dieu — avant que l'honneur de Rébecca ait été
atteint; cela marque encore un affinement du sens moral par rapport au
ch. **20**. Le récit suppose que Rébecca est encore jeune et n'a pas d'enfants :
dans la tradition d'où il provient, il devait venir avant **25** 21 s.

b) Pour Gérar et Abimélek, voir les notes sur **20** 1 et **21** 32.

c) Cette phrase, qui ne s'accorde pas avec celle qui suit, paraît être une
addition inspirée de **12** 1.

d) Reprise de **22** 17-18; les derniers mots du v. appartiennent au style
du Deutéronome.

« C'est ma femme », ils ne le fissent mourir à cause de Rébecca, car elle était belle. [8] Il était là depuis longtemps quand Abimélek, le roi des Philistins, regardant une fois par la fenêtre, vit Isaac qui caressait[a] Rébecca, sa femme. [9] Abimélek appela Isaac et dit : « Pour sûr, c'est ta femme ! Comment as-tu pu dire que c'était ta sœur ? » Isaac lui répondit : « Je me disais : je risque de mourir à cause d'elle. » [10] Abimélek reprit : « Qu'est-ce que tu nous as fait là ? Un peu plus, quelqu'un du peuple couchait avec ta femme et tu nous chargeais d'une faute ! » [11] Alors Abimélek donna cet ordre à tout le peuple : « Quiconque touchera à cet homme et à sa femme sera mis à mort. »

[12] Isaac fit des semailles dans ce pays et, cette année-là, il moissonna le centuple[b]. Yahvé le bénit [13] et l'homme s'enrichit, il s'enrichit de plus en plus, jusqu'à devenir extrêmement riche. [14] Il avait des troupeaux de gros et de petit bétail et de nombreux serviteurs. Les Philistins en devinrent jaloux.

Les puits entre Gérar et Bersabée[c].

[15] Tous les puits que les serviteurs de son père avaient creusés, — du temps de son père Abraham, — les Phi-   = **21** 25-3

---

26 7. « *C'est ma femme* » Sam G ; « *ma femme* » H.

---

a) Isaac (*Yṣḥaq*) caresse (*mᵉṣaḥéq*) Rébecca : le même jeu de mots qu'à **21** 9 ; cf. **17** 17 ; **18** 12 s ; **21** 6.

b) Première mention de l'agriculture dans l'histoire patriarcale ; elle reparaîtra **30** 14 et surtout dans l'histoire de Joseph, **37** 5 s. Les semi-nomades allient le labour au soin des troupeaux.

c) Une tradition rapportait à Isaac le forage de certains puits entre Gérar et Bersabée. Leurs noms étaient expliqués par les circonstances qui accompagnèrent leur ouverture : *Éseq* signifie « querelle », *Sitna* « accusation », *Rehobot* « espaces libres ». Mais une autre tradition, partiellement conservée dans le ch. **21** 25-31, attribuait à Abraham le percement de puits dans la même région. Pour concilier les deux témoignages, on a inséré les vv. 15 et 18, qui rompent le contexte.

listins les avaient bouchés et comblés de terre. [16] Abimélek dit à Isaac : « Pars de chez nous, car tu es devenu beaucoup plus puissant que nous. » [17] Isaac partit donc de là et campa dans la vallée de Gérar, où il s'établit. [18] Isaac creusa de nouveau les puits qu'avaient creusés les serviteurs de son père Abraham et que les Philistins avaient bouchés après la mort d'Abraham, et il leur donna les mêmes noms que son père leur avait donnés.

[19] Les serviteurs d'Isaac creusèrent dans la vallée et ils trouvèrent là un puits d'eaux vives. [20] Mais les bergers de Gérar entrèrent en dispute avec les bergers d'Isaac, disant : « L'eau est à nous ! » Isaac nomma ce puits Éseq, parce qu'ils s'étaient querellés avec lui. [21] Ils creusèrent un autre puits et il y eut encore une dispute à son propos; il le nomma Sitna. [22] Alors il partit de là et creusa un autre puits, et il n'y eut pas de dispute à son propos; il le nomma Rehobot et dit : « Maintenant Yahvé nous a donné le champ libre pour que nous prospérions dans le pays. »

[23] De là il monta à Bersabée[a]. [24] Yahvé lui apparut cette nuit-là et dit :

« Je suis le Dieu de ton père Abraham.

Ne crains rien, car je suis avec toi.

Je te bénirai, je multiplierai ta postérité,

en considération de mon serviteur Abraham. »

[25] Il bâtit là un autel et invoqua le nom de Yahvé. Il dressa là sa tente. Les serviteurs d'Isaac forèrent un puits.

---

18. « *qu'avaient creusés les serviteurs* » 'abdê *Vers. ;* « *qu'on avait creusés aux jours* » bîmê *H.*

a) Ce récit, qui mentionne une théophanie et l'érection d'un autel, suppose qu'Isaac fonda le sanctuaire de Bersabée. Mais on racontait aussi qu'Abraham y était venu et avait planté un arbre sacré, 21 25-33. Les deux traditions sont nées auprès du puits célèbre qu'on attribuait soit à Abraham soit à Isaac. La tradition relative à Isaac est probablement la plus ancienne.

**Alliance
avec Abimélek**[a].

[26] Abimélek vint le voir
de Gérar, avec Ahuzzat son
familier et Pikol le chef de
son armée[b]. [27] Isaac leur dit :
« Pourquoi venez-vous à moi, puisque vous me haïssez
et que vous m'avez renvoyé de chez vous ? » [28] Ils répondirent : « Nous avons eu l'évidence que Yahvé était avec
toi et nous avons dit : Qu'il y ait un serment entre nous et
toi et concluons une alliance avec toi : [29] jure de ne nous
faire aucun mal, puisque nous ne t'avons pas molesté,
que nous ne t'avons fait que du bien et t'avons laissé
partir en paix. Maintenant, tu es un béni de Yahvé. » [30] Il
leur prépara un festin, et ils mangèrent et burent.

[31] Levés de bon matin, ils se firent un serment mutuel.
Puis Isaac les congédia et ils le quittèrent en paix. [32] Or
ce fut ce jour-là que les serviteurs d'Isaac lui apportèrent
des nouvelles du puits qu'ils creusaient et ils lui dirent :
« Nous avons trouvé l'eau ! » [33] Il appela le puits Sabée,
d'où le nom de la ville, Bersabée[c], jusqu'à maintenant.

**Les femmes hittites
d'Ésaü**[d].

[34] Quand Ésaü eut quarante ans, il prit pour femmes Yehudit, fille de Bééri
le Hittite, et Basmat, fille

= **21** 22-33

---

28. « *entre nous et toi* » G Syr ; « *entre nous, entre nous et toi* » H.
33. « *Sabée* » š^{e}buʿâh (*serment*) G cf. v. 31 ; šibʿâh (*sept*) H, *influencé par*
21 28-30.

---

a) Comparer le récit parallèle de l'histoire d'Abraham, **21** 22-32.
b) Pikol était déjà mentionné dans **21** 22 et 32. Ahuzzat est nouveau.
c) Bersabée est le « puits du serment », *Beʾer Shébaʿ* (voir la note textuelle). Dans **21** 22-32, cette explication se combine avec une autre : le
« puits des sept ».
d) Le terme « Hittites » désigne improprement une fraction de la population de Palestine, voir déjà **23** 3 et la note. Les noms des femmes d'Ésaü
ne concordent pas avec ceux qui seront donnés dans l'arbre généalogique
du ch. **36** 1-5.

d'Élôn le Hittite. [35] Elles furent un sujet d'amertume pour Isaac et pour Rébecca[a].

27. [1] Isaac était devenu vieux et ses yeux avaient faibli jusqu'à ne plus voir. Il

Jacob surprend la bénédiction d'Isaac[b].

appela son fils aîné Ésaü : « Mon fils ! » lui dit-il, et celui-ci répondit : « Oui ! » [2] Il reprit : « Tu vois, je suis vieux et je ne connais pas le jour de ma mort[c]. [3] Maintenant, prends tes armes, ton carquois

---

a) Comme Abraham, 24 3 s, Isaac a souci de la pureté du sang, 28 1 s.

b) La critique discerne généralement dans ce chapitre la fusion d'une source « yahviste » et d'une source « élohiste » : Isaac serait trompé, dans l'une, par l'odeur des vêtements d'Ésaü, dont Jacob est revêtu, dans l'autre, par le toucher des bras et du cou de Jacob, qui est couvert de la peau des chevreaux. Mais, loin de s'exclure, ces traits se complètent et la division du texte entre deux documents défigure la beauté de cet admirable récit. Il est invraisemblable qu'une pareille œuvre d'art soit le résultat d'un travail rédactionnel et nous attribuons tout le chapitre à la source « yahviste ». Mais avant d'être rédigé sous sa forme parfaite, le récit a eu son histoire : une tradition primitive vantait, en dehors de toute considération morale, l'astuce de Jacob et tournait Ésaü en ridicule, dans l'esprit de 25 24-34. L'auteur final a perçu l'immoralité de la scène et marqué discrètement sa réprobation : Jacob est conscient de sa faute, v. 12, et le poids de celle-ci est rejeté sur Rébecca, vv. 8, 13, 15-17; Ésaü est pris en pitié, vv. 34-40. Dans l'action de Jacob, saint Jérôme et d'autres ont vu un mensonge louable; certains Pères et des scolastiques, depuis Théodoret jusqu'à saint Thomas d'Aquin, ont excusé Jacob, qui pouvait se faire passer pour Ésaü puisqu'il avait acheté le droit d'aînesse de celui-ci; saint Augustin rejette le sens littéral et voit dans Jacob déguisé Jésus Christ chargé des péchés des hommes, dans Jacob supplantant Ésaü les Gentils substitués aux Juifs : *non mendacium sed mysterium*. Non, c'est un mensonge, qui est rapporté par l'Écriture sans être approuvé par elle, et dans le cadre de la morale encore imparfaite de l'A. T., moins exigeante que la morale chrétienne sur les droits de la vérité. Le mystère est celui de l'action de Dieu qui utilise à ses fins les fautes mêmes de l'homme et reste souverainement libre dans ses choix : il a préféré Jacob à Ésaü dès avant leur naissance, 25 23, cf. Ml 1 2 s; Rm 9 13.

c) Isaac est à la veille de mourir (cf. les bénédictions de Jacob, 48-49, celles de Moïse, Dt 33), à l'heure des paroles solennelles et prophétiques. Mais sa mort ne sera rapportée qu'au ch. 35 29. D'autre part, puisque Rébecca garde les vêtements d'Ésaü, v. 15, celui-ci n'est pas encore marié, malgré 26 34-35; 27 46. Preuves que le récit a d'abord été raconté indépendamment de son contexte actuel.

et ton arc, sors dans la campagne et tue-moi du gibier.
[4] Apprête-moi un régal comme j'aime[a] et apporte-le moi,
que je mange, afin que mon âme te bénisse avant que je
meure. » — [5] Or Rébecca écoutait pendant qu'Isaac
parlait à son fils Ésaü. — Ésaü alla donc dans la campagne
chasser du gibier pour son père.

[6] Rébecca[b] dit à son fils Jacob : « Je viens d'entendre
ton père dire à ton frère Ésaü : [7] ' Apporte-moi du gibier
et apprête-moi un régal : je mangerai et je te bénirai devant
Yahvé avant de mourir. ' [8] Maintenant, mon fils, écoute-
moi et fais comme je t'ordonne. [9] Va au troupeau et
apporte-moi de là deux beaux chevreaux et j'en préparerai
un régal pour ton père, comme il aime. [10] Tu le présen-
teras à ton père et il mangera, afin qu'il te bénisse avant
de mourir. »

[11] Jacob dit à sa mère Rébecca : « Vois : mon frère Ésaü
est velu[c], et moi j'ai la peau bien lisse. [12] Peut-être mon père
va-t-il me tâter, il verra que je me suis moqué de lui et
j'attirerai sur moi la malédiction au lieu de la bénédiction. »
[13] Mais sa mère lui répondit : « Je prends sur moi ta malédiction, mon fils ! Écoute-moi seulement et va me chercher les chevreaux. » [14] Il alla les chercher et les apporta
à sa mère qui apprêta un régal comme son père aimait.
[15] Rébecca prit les plus beaux habits d'Ésaü, son fils aîné,
qu'elle avait à la maison, et en revêtit Jacob, son fils
cadet. [16] Avec la peau des chevreaux elle lui couvrit les

---

27 5. « *pour son père* » leʾâbîw *G* ; « *pour apporter* » leʾhâbîʾ *H*.

---

a) Primitivement, cela exprimait peut-être le besoin d'un adjuvant
matériel pour prononcer la bénédiction, conçue comme une force émanant
de l'âme. Dans le contexte actuel, ce n'est plus que le dernier désir d'un
mourant, un trait touchant et vécu.
b) Rébecca préfère Jacob, comme Isaac préfère Ésaü, **25** 28.
c) Voir **25** 25.

bras et la partie lisse du cou. [17] Puis elle mit le régal et le pain qu'elle avait apprêtés entre les mains de son fils Jacob.

[18] Il alla auprès de son père et dit : « Mon père ! » Celui-ci répondit : « Oui ! Qui es-tu, mon fils ? » [19] Jacob dit à son père : « Je suis Ésaü, ton premier-né, j'ai fait ce que tu m'as commandé. Lève-toi, je te prie, assieds-toi et mange de ma chasse, afin que ton âme me bénisse. » [20] Isaac dit à Jacob : « Comme tu as trouvé vite, mon fils ! » — « C'est, répondit-il, que Yahvé ton Dieu m'a été propice[a]. » [21] Isaac dit à Jacob : « Approche-toi donc, que je te tâte, mon fils, pour savoir si, oui ou non, tu es mon fils Ésaü. » [22] Jacob s'approcha de son père Isaac, qui le tâta et dit : « La voix est celle de Jacob, mais les bras sont ceux d'Ésaü ! » [23] Il ne le reconnut pas car ses bras étaient velus comme ceux d'Ésaü son frère, et il le bénit[b]. [24] Il dit : « Tu es bien mon fils Ésaü ? » et l'autre répondit : « Oui. » [25] Isaac reprit : « Sers-moi et que je mange de la chasse de mon fils, afin que mon âme te bénisse. » Il le servit et il mangea, il lui présenta du vin et il but. [26] Son père Isaac lui dit : « Approche-toi et embrasse-moi, mon fils ! » [27] Il s'approcha et embrassa son père, qui respira l'odeur de ses vêtements. Il le bénit ainsi[c] :

------

a) Cet appel à Yavé dans le mensonge nous paraît blasphématoire, mais la mentalité orientale ancienne — comme la moderne — mêlait Dieu à tout, sans trop y penser.

b) Cette indication vient trop tôt et sert aux partisans de la distinction des sources. Mais c'est peut-être une glose marginale passée dans le texte.

c) Il est étonnant que l'odeur d'Ésaü, le chasseur de la steppe, **25** 27, évoque pour Isaac celle d'un champ fertile. Il est remarquable aussi que Jacob, le pasteur, **25** 27 et ici v. 9, soit béni comme un paysan, v. 28. En réalité, cette bénédiction et celle d'Ésaü, vv. 39-40, s'appliquent non pas aux ancêtres mais aux peuples issus d'eux (cf. déjà **25** 23). Les Israélites posséderont la terre riche de Palestine, v. 28, et soumettront les Édomites, v. 29. Il faut noter enfin combien cette bénédiction diffère de celles que Dieu avait accordées à Abraham, la promesse d'une postérité et

« Oui, l'odeur de mon fils
est comme l'odeur d'un champ fertile
que Yahvé a béni.
²⁸ Que Dieu te donne
la rosée du ciel
et les gras terroirs,
froment et moût en abondance !
²⁹ Que des nations te servent,
que des peuples se prosternent devant toi !
Sois un maître pour tes frères,
que se prosternent devant toi les fils de ta mère !
Maudit soit qui te maudira,
Béni soit qui te bénira ! »

³⁰ Isaac avait achevé de bénir Jacob et Jacob sortait tout juste de chez son père Isaac lorsque son frère Ésaü rentra de la chasse. ³¹ Lui aussi apprêta un régal et l'apporta à son père. Il lui dit : « Que mon père se lève et mange de la chasse de son fils, afin que ton âme me bénisse ! » ³² Son père Isaac lui demanda : « Qui es-tu ? » — « Je suis, répondit-il, ton fils premier-né, Ésaü. » ³³ Alors Isaac fut secoué d'un très grand frisson et dit : « Quel est donc celui-là qui a chassé du gibier et me l'a apporté ? De confiance j'ai mangé avant que tu ne viennes et je l'ai béni, et il restera béni[a] ! » ³⁴ Lorsqu'Ésaü entendit les paroles de son père, il cria avec beaucoup de force et d'amertume et dit à son père : « Bénis-moi aussi, mon père ! » ³⁵ Mais celui-ci

---

27. « *fertile* » *Mss Vers.*; omis par *H*.
33. « *De confiance j'ai mangé* » wâ'okal 'âkol *conj.*; « *J'ai mangé de tout* » wâ'okal mikkol *H*.

---

d'une terre, **12** 1-3; **13** 14-16, etc., et renouvelées à Jacob, **28** 13-15. On est dans une autre perspective, qui n'est déjà plus celle de l'époque patriarcale.

a) Les bénédictions (comme les malédictions) sont efficaces et irrévocables, une fois prononcées.

répondit : « Ton frère est venu par ruse et a pris ta bénédiction. » ³⁶ Ésaü reprit : « Est-ce parce qu'il s'appelle
Jacob qu'il m'a supplanté*ᵃ* ces deux fois ? Il avait pris
mon droit d'aînesse *ᵇ* et voilà maintenant qu'il a pris ma
bénédiction ! Mais, ajouta-t-il, ne m'as-tu pas réservé une
bénédiction ? » ³⁷ Isaac, prenant la parole, répondit à
Ésaü : « Je l'ai établi ton maître, je lui ai donné tous ses
frères comme serviteurs, je l'ai pourvu de froment et de
moût. Que pourrais-je faire pour toi, mon fils ? » ³⁸ Ésaü
dit à son père : « Est-ce donc ta seule bénédiction, mon
père ? Bénis-moi aussi, mon père ! » Isaac resta silencieux
et Ésaü se mit à pleurer *ᶜ*. ³⁹ Alors son père Isaac prit la
parole et dit *ᵈ* :

« Loin des gras terroirs
sera ta demeure,
loin de la rosée qui tombe du ciel.
⁴⁰ Tu vivras de ton épée,
tu serviras ton frère.

Mais, quand tu t'affranchiras, tu secoueras son joug de
dessus ton cou *ᵉ*. »

=**27** 46-**28** 5 ⁴¹ Ésaü prit Jacob en haine à cause de la bénédiction
que son père avait donnée à celui-ci et il se dit en lui-

---

38. « *Isaac resta silencieux* » G ; *omis par* H.

a) Jacob (*Yaʿaqob*) supplante (*yaʿaqob*) Ésaü, voir la note sur **25** 25.
b) Voir **25** 29-34. Il y a un jeu de mots entre « droit d'aînesse » *bᵉkorâh,*
et « bénédiction » *bᵉrâkâh.*
c) Ce silence d'Isaac, ces larmes d'Ésaü, l'homme rude du désert, font
un tableau émouvant.
d) Ésaü (c'est-à-dire sa descendance, voir la note sur le v. 27) habitera
hors de la Palestine fertile (la Vulgate fait ici un contresens) et sera soumis
à Jacob (à sa descendance). Tout a été donné à son frère, v. 37, et la seule
bénédiction qui lui reste est de « vivre de son épée », de rapine et de
brigandage.
e) Cette dernière phrase, qui n'est pas rythmée, a peut-être été ajoutée
après la libération des Édomites, sous Joram de Juda, voir la note sur
25 23. La traduction « tu t'affranchiras » est incertaine.

même : « Proche est le temps où l'on fera le deuil de mon père[a]. Alors je tuerai mon frère Jacob. » [42] Lorsqu'on rapporta à Rébecca les paroles d'Ésaü, son fils aîné, elle fit appeler Jacob, son fils cadet, et lui dit : « Ton frère Ésaü veut se venger de toi en te tuant. [43] Maintenant, mon fils, écoute-moi : pars, enfuis-toi chez mon frère Laban[b] à Harân. [44] Tu habiteras avec lui quelque temps, jusqu'à ce que se détourne la fureur de ton frère, [45] jusqu'à ce que la colère de ton frère se détourne de toi et qu'il oublie ce que tu lui as fait; alors je t'enverrai chercher là-bas. Pourquoi vous perdrais-je tous les deux en un seul jour[c] ? »

Isaac envoie Jacob chez Laban[d].

[46] Rébecca dit à Isaac : « Je suis dégoûtée de la vie à cause des filles de Hèt. Si Jacob épouse une des filles de Hèt comme celles-là, une des filles du pays, que m'importe la vie ? »

= **27** 41-45

28. [1] Isaac appela Jacob, il le bénit et lui fit ce commandement : « Ne prends pas une femme parmi les filles de Canaan. [2] Lève-toi ! Va en Paddân-Aram chez Bétuel, le père de ta mère, et choisis-toi une femme de là-bas, parmi les filles de Laban, le frère de ta mère. [3] Qu'El Shaddaï[e] te bénisse, qu'il te fasse fructifier et multiplier pour que tu deviennes une assemblée de peuples[f]. [4] Qu'il

---

a) Voir la note sur le v. 2.

b) Voir **24** 29; préparation de **28-31.**

c) Ésaü, meurtrier de son frère, devrait s'enfuir.

d) C'est l'équivalent de **27** 41-45, d'après la tradition « sacerdotale » qui, choquée peut-être par l'histoire du ch. 27, donnait comme motif du départ de Jacob l'ordre de son père d'aller chercher femme dans sa famille de Mésopotamie. Même souci de la pureté du sang qu'à **24** 3 s et **26** 35, à quoi se réfère notre v. 46.

e) Voir la note sur **17** 1.

f) Plutôt qu'une allusion aux douze tribus issues de Jacob, c'est une référence à la promesse faite à Abraham, **17** 4-5.

t'accorde, ainsi qu'à ta descendance, la bénédiction d'Abraham, pour que tu possèdes le pays dans lequel tu séjournes et que Dieu a donné à Abraham. » [5] Isaac congédia Jacob et celui-ci partit en Paddân-Aram chez Laban, fils de Bétuel l'Araméen et frère de Rébecca, la mère de Jacob et d'Ésaü.

Autre mariage d'Ésaü[a]. [6] Ésaü vit qu'Isaac avait béni Jacob et l'avait envoyé en Paddân-Aram pour y prendre femme, et qu'en le bénissant il lui avait fait ce commandement : « Ne prends pas une femme parmi les filles de Canaan ». [7] Et Jacob avait obéi à son père et à sa mère et était parti en Paddân-Aram. [8] Ésaü comprit que les filles de Canaan étaient mal vues de son père Isaac [9] et il alla chez Ismaël et prit pour femme — en plus de celles qu'il avait — Mahalat, fille d'Ismaël, le fils d'Abraham, et sœur de Nebayot[b].

Le songe de Jacob[c]. [10] Jacob quitta Bersabée et partit pour Harân. [11] Il arriva d'aventure en un cer-

---

a) La source « sacerdotale » continue ici. Elle manifeste le même souci de la pureté du sang pour Ésaü que pour Jacob; mais alors que celui-ci est envoyé prendre femme dans la famille de sa mère, Ésaü cherche une épouse chez les parents de son père.

b) Nebayot était le premier-né d'Ismaël et peut-être l'ancêtre des Nabatéens, **25** 12-13 et la note. D'autres indices (voir la note sur **36** 31-39) confirment cette alliance précoce d'éléments arabes (descendants d'Ismaël) avec les Édomites (descendants d'Ésaü).

c) Dans ce récit semblent se joindre les deux courants « élohiste » et « yahviste ». Le premier, vv. 10-12, 17-18, 20-22, racontait la vision de l'échelle (plutôt un escalier ou une rampe), qui révèle à Jacob la sainteté du lieu. Le second, vv. 13-16 et 19ᵃ, parlait d'une apparition de Yahvé, qui renouvelle à Jacob la promesse faite à Abraham. Les deux traditions rehaussaient le prestige du sanctuaire de Béthel, qui fut l'un des grands lieux de culte d'Israël, Jg **20** 26 s; **21** 2 s; 1 S **10** 3, même après l'érection du Temple de Jérusalem, 1 R **12** 29 s, et jusque sous Josias, 2 R **23** 15 et 16. Jacob est présenté comme le fondateur du sanctuaire, mais Abraham avait déjà dressé un autel tout près de là, **12** 8; **13** 4. Plusieurs Pères, à la suite de

tain lieu et il y passa la nuit, car le soleil s'était couché.
Il prit une des pierres du lieu, la mit sous sa tête et dormit
en ce lieu. ¹² Il eut un songe : voilà qu'une échelle était
dressée sur la terre et que son sommet atteignait le ciel, et
des anges de Dieu y montaient et descendaient ! ¹³ Voilà
que Yahvé se tenait devant lui et dit : « Je suis Yahvé, le
Dieu d'Abraham ton ancêtre et le Dieu d'Isaac. La terre
sur laquelle tu es couché, je la donne à toi et à ta descendance. ¹⁴ Ta descendance deviendra nombreuse comme
la poussière du sol, tu déborderas à l'occident et à l'orient,
au septentrion et au midi, et toutes les nations du monde
se béniront par toi et par ta descendance*ᵃ*. ¹⁵ Je suis avec
toi, je te garderai partout où tu iras et te ramènerai en ce
pays, car je ne t'abandonnerai pas que je n'aie accompli
ce que je t'ai promis. » ¹⁶ Jacob s'éveilla de son sommeil
et dit : « En vérité, Yahvé est en ce lieu et je ne le savais
pas ! » ¹⁷ Il eut peur et dit : « Que ce lieu est redoutable !
Ce n'est rien de moins qu'une maison de Dieu et la porte du
ciel*ᵇ* ! » ¹⁸ Levé de bon matin, il prit la pierre qui lui avait
servi de chevet, il la dressa comme une stèle et répandit
de l'huile sur son sommet*ᶜ*. ¹⁹ A ce lieu, il donna le

Philon, ont vu dans l'échelle de Jacob l'image de la Providence que Dieu
exerce sur la terre par le ministère des anges. Pour d'autres, elle préfigurait
l'Incarnation du Verbe, pont jeté entre le ciel et la terre. De fait, Jésus fait
allusion à ce texte dans Jn **1** 51, pour présenter sa mission comme une manifestation extraordinaire de l'action de Dieu dans le monde, mais aussi il
est lui-même dans une communication ineffable avec Dieu et, pour nous,
la voie qui conduit au Père, Jn **14** 6.

a) Renouvellement des promesses à Abraham, **12** 3 ; **13** 14 s ; **15** 5, 7 s ;
18 18 ; **22** 17 s, et à Isaac, **26** 4. Les derniers mots « et par ta descendance »
pourraient être une glose. Cette promesse est faite à Jacob précisément
quand il va quitter la Terre Sainte : Dieu le ramènera pour que la promesse
s'accomplisse, v. 15.

b) Ce texte est utilisé par la liturgie dans l'office et la messe de la dédi-
cace des églises.

c) La pierre localise la présence divine. Elle devient une *beit El,* une
« maison de Dieu », vv. 17 et 22, ce qui explique le nom de Béthel donné

nom de Béthel, mais auparavant la ville s'appelait Luz[a].

[20] Jacob fit ce vœu : « Si Dieu est avec moi et me garde
en la route par où je vais, s'il me donne du pain à manger
et des habits pour me vêtir, [21] si je reviens sain et sauf
chez mon père, alors Yahvé sera mon Dieu[b] [22] et cette
pierre que j'ai dressée comme une stèle sera une maison
de Dieu, et de tout ce que tu me donneras je te payerai
fidèlement la dîme[c]. »

**Jacob arrive
chez Laban[d].**

29. [1] Jacob se mit en
marche et alla au pays des
fils de l'Orient. [2] Et voici
qu'il vit un puits dans la
campagne, près duquel étaient couchés trois troupeaux de
petit bétail : c'était à ce puits qu'on abreuvait les trou-

à l'endroit, v. 19. Et c'est pour cela qu'elle reçoit une onction d'huile,
en acte de culte. Mais de telles pratiques, se retrouvant dans la religion
cananéenne et dans tout le milieu sémitique, furent plus tard condamnées
par la loi et les prophètes, qui proscrivirent les pierres dressées, les *maṣṣé-
bôt,* Ex **23** 24; Lv **26** 1; Dt **16** 22; Os **10** 1; Mi **5** 12, etc. Ici même, à cette
idée d'une demeure divine sur la terre se juxtapose une notion plus spirituelle : Béthel est la « porte du ciel » où Dieu réside, cf. 1 R **8** 27.

a) Cet ancien nom de Béthel est encore mentionné **35** 6; **48** 3; Jg **1** 23.

b) Les traductions « Yahvé se sera vraiment montré mon Dieu » ou,
en reliant à ce qui précède, « et si Yahvé s'est vraiment montré mon Dieu »
estompent la portée du texte : celui-ci représente une tradition qui
plaçait à Béthel la révélation de Yahvé à Jacob, cf. le v. 13 : Yahvé qui
était le Dieu d'Isaac, **27** 20, le Dieu d'Abraham et d'Isaac, ici 13, devient
le Dieu de Jacob, qui fonde pour lui un sanctuaire, dont il établit le culte,
cf. la note suivante.

c) Gn **28** 10-22 est, avec Gn **35** 1-9, 14-15, le récit de fondation du
sanctuaire de Béthel. Les actes du fondateur fixent un rituel et ils sont
reproduits par les fidèles : il y avait à Béthel un sanctuaire où l'on oignait
une stèle, v. 18, cf. Gn **35** 14, où l'on versait la dîme, v. 22, où l'on venait
en pèlerinage, Gn **35** 2 s. Le pèlerinage est attesté par 1 S **10** 3, la dîme
par Am **4** 4.

d) Récit « yahviste » qui continue le ch. **28**. Cette scène pastorale est
de la même veine que celle du ch. **24**, qui prélude au mariage d'Isaac,
mais on remarquera que, cette fois, aucune allusion n'est faite à un dessein
de mariage; par-dessus **27** 46-28 5, qui est « sacerdotal », c'est la suite de
27 41-45 : Jacob est allé seulement se réfugier chez Laban, sans avoir
d'abord l'intention d'y prendre femme.

peaux, mais la pierre qui en fermait l'ouverture était grande. [3] Quand tous les troupeaux étaient rassemblés là, on roulait la pierre de sur la bouche du puits, on abreuvait le bétail, puis on remettait la pierre en place sur la bouche du puits. [4] Jacob demanda aux pâtres : « Mes frères, d'où êtes-vous ? » et ils répondirent : « Nous sommes de Harân. » [5] Il leur dit : « Connaissez-vous Laban, fils de Nahor[a] ? » — « Nous le connaissons », répondirent-ils. [6] Il leur demanda : « Va-t-il bien ? » Ils répondirent : « Il va bien, et voici justement sa fille Rachel qui vient avec le troupeau. » [7] Jacob dit : « Il fait encore grand jour, ce n'est pas le moment de rentrer le bétail. Abreuvez les bêtes et retournez au pâturage. » [8] Mais ils répondirent : « Nous ne pouvons le faire avant que soient rassemblés tous les troupeaux et qu'on roule la pierre de sur la bouche du puits ; alors nous abreuverons les bêtes. »

[9] Il conversait encore avec eux lorsque Rachel arriva avec le bétail de son père, car elle était bergère. [10] Dès que Jacob eut vu Rachel, la fille de son oncle Laban, et le bétail de son oncle Laban, il s'approcha, roula la pierre de sur la bouche du puits et abreuva le bétail de son oncle Laban[b]. [11] Jacob donna un baiser à Rachel puis éclata en sanglots. [12] Il apprit à Rachel qu'il était le parent de son père et le fils de Rébecca, et elle courut en informer son père. [13] Dès qu'il entendit qu'il s'agissait de Jacob, le fils de sa sœur, Laban courut à sa rencontre, il le serra dans ses bras, le couvrit de baisers et le conduisit dans sa maison[c].

---

a) Voir les notes sur **24** 1 et 50.

b) La pierre est grande, v. 2, et son déplacement réclame les efforts conjugués de tous les bergers, vv. 3 et 8. Jacob la roule sans aide : il a une force extraordinaire, cf. **32** 25 s.

c) Comparer l'empressement de Laban, **24** 29-31. Le caractère du personnage est nettement dessiné : sous des dehors engageants, il cache des calculs intéressés, cf. vv. 15 s et 26-27 ; **30** 27 s ; **31** 26 s. Ici Laban suppute déjà le profit qu'il pourra tirer de son jeune neveu.

Et Jacob lui raconta toute cette histoire[a]. ¹⁴ Alors Laban lui dit : « Oui, tu es de mes os et de ma chair ! » et Jacob demeura chez lui un mois entier.

**Les deux mariages
de Jacob[b].**

¹⁵ Alors Laban dit à Jacob : « Parce que tu es mon parent, vas-tu me servir pour rien ? Indique-moi quel doit être ton salaire. » ¹⁶ Or Laban avait deux filles : l'aînée s'appelait Léa, et la cadette, Rachel. ¹⁷ Léa avait les yeux ternes, mais Rachel avait belle tournure et beau visage, ¹⁸ et Jacob aimait Rachel. Il répondit : « Je te servirai sept années pour Rachel, ta fille cadette[c]. » ¹⁹ Laban dit : « Mieux vaut la donner à toi qu'à un étranger[d]; reste chez moi. »

²⁰ Donc Jacob servit pour Rachel, pendant sept années qui lui parurent comme quelques jours, tellement il l'aimait. ²¹ Puis Jacob dit à Laban : « Accorde-moi ma femme car mon temps est accompli, et que j'aille vers elle ! » ²² Laban réunit tous les gens du lieu et donna un banquet. ²³ Mais voici qu'au soir il prit sa fille Léa et la conduisit à Jacob; et celui-ci s'unit à elle ! — ²⁴ Laban donna sa servante Zilpa comme servante à sa fille Léa. — ²⁵ Le matin arriva, et voici que c'était Léa[e] !

---

a) Ses démêlés avec Ésaü, ch. **27**.

b) Sur des indices fragiles, ce récit, qui continue le précédent, est attribué à la tradition « élohiste » par la majorité des critiques. En Léa et en Rachel, beaucoup de Pères, à la suite de saint Justin, ont vu la figure de la Synagogue et de l'Église, la première étant délaissée, la seconde préférée par l'Époux, Jésus Christ.

c) Le mariage était subordonné à un paiement que le fiancé faisait au beau-père et dont le montant était débattu entre les parties. Il arrivait que ce paiement fût remplacé par un louage temporaire de services. Sept années de travail représentaient un beau prix.

d) Jacob est cousin germain de Rachel et ce degré de parenté lui donne, d'après la coutume orientale ancienne et moderne, la priorité sur tout autre prétendant.

e) La ruse de Laban et l'erreur de Jacob s'expliquent par l'usage — encore vivant — de garder la fiancée voilée jusqu'à la nuit des noces,

Jacob dit à Laban : « Que m'as-tu fait là ? N'est-ce pas pour
Rachel que j'ai servi chez toi ? Pourquoi m'as-tu trompé ? »
²⁶ Laban répondit : « Ce n'est pas l'usage dans notre
contrée de marier la plus jeune avant l'aînée. ²⁷ Mais achève
cette semaine de noces[a] et je te donnerai aussi l'autre
comme prix du service que tu feras chez moi pendant
encore sept autres années[b]. » ²⁸ Jacob fit ainsi : il acheva
cette semaine de noces et Laban lui donna sa fille Rachel
pour femme. — ²⁹ Laban donna sa servante Bilha comme
servante à sa fille Rachel. — ³⁰ Jacob s'unit aussi à Rachel
et il aima Rachel plus que Léa; il servit chez son oncle
encore sept autres années.

Les enfants de Jacob[c]. ³¹ Yahvé vit que Léa était
délaissée[d] et il la rendit fé-
conde, tandis que Rachel

---

29 25. « *Jacob* » *G ; omis par H.*
27. « *je te donnerai* » *Vers.*; « *te sera donnée* » *ou* « *nous te donnerons* » *H.*
30. « *et il aima* » *G Vulg*; « *et il aima aussi* » *H.*

cf. **24** 65. Le v. 24, qui interrompt le récit, est, comme le v. 29, l'addition
d'un rédacteur qui prépare **30** 3 s et 9 s.

a) La fête des noces durait sept jours, Jg **14** 12 et 17, pendant lesquels
on banquetait, Jg **14** 10-12. Mais le mariage était consommé dès le premier
soir, Jg **14** 16-17.

b) Le mariage avec deux sœurs ne fut interdit que par la loi de Lv **18** 18.
Anciennement il était admis et servit même aux Prophètes pour figurer
les relations de Yahvé avec Israël et Juda, Jr **3** 6 s; Ez **23**. Jacob est
astreint ainsi à quatorze années de service : trompé par Laban, il expie
d'avoir trompé Ésaü, ch. **27**.

c) Cette section rattache les tribus d'Israël à la lignée patriarcale par les
douze fils de Jacob (Benjamin naîtra en Canaan, **35** 16 s), qui reparaîtront
tous comme ancêtres éponymes dans les bénédictions de Jacob, ch. **49**,
mais dont plusieurs n'auront aucune part dans les récits qui vont suivre.
Tableau assez sec, animé seulement par la rivalité de Léa et de Rachel.
Cette rivalité sert à expliquer les noms propres, par des étymologies populaires parfois obscures. Des fils des épouses sont distingués les fils des servantes : Dan et Nephtali, Gad et Asher, précisément les tribus qui res-
teront le plus en marge de la communauté israélite. Indice que l'histoire
postérieure a influencé ici la mise en œuvre des traditions anciennes.

d) Le texte dit « haïe », mais le terme ne désigne ici que la situation
moins favorable de l'épouse non préférée dans un ménage polygame,

demeurait stérile. ³² Léa conçut et elle enfanta un fils
qu'elle appela Ruben, car, dit-elle, « Yahvé a vu ma
détresse*ᵃ*; maintenant mon mari m'aimera ». ³³ Elle
conçut encore et elle enfanta un fils; elle dit : « Yahvé a
entendu *ᵇ* que j'étais délaissée et il m'a aussi donné celui-
ci »; et elle l'appela Siméon. ³⁴ Elle conçut encore et elle
enfanta un fils; elle dit : « Cette fois, mon mari s'attachera
à moi*ᶜ*, car je lui ai donné trois fils »; et elle l'appela Lévi.
³⁵ Elle conçut encore et elle enfanta un fils; elle dit : « Cette
fois, je rendrai gloire*ᵈ* à Yahvé »; c'est pourquoi elle
l'appela Juda. Puis elle cessa d'avoir des enfants.

30. ¹ Rachel, voyant qu'elle-même ne donnait pas
d'enfants à Jacob, devint jalouse de sa sœur et elle dit à
Jacob : « Fais-moi avoir aussi des enfants, ou je meurs ! »
² Jacob s'emporta contre Rachel et dit : « Est-ce que je
tiens la place de Dieu, qui t'a refusé la maternité ? » ³ Elle
reprit : « Voici ma servante Bilha. Va vers elle et qu'elle
enfante sur mes genoux : par elle j'aurai moi aussi des
enfants*ᵉ* ! » ⁴ Elle lui donna donc pour femme sa servante
Bilha et Jacob s'unit à celle-ci. ⁵ Bilha conçut et enfanta
à Jacob un fils. ⁶ Rachel dit : « Dieu m'a rendu justice*ᶠ*,
même il m'a exaucée et m'a donné un fils »; c'est pour-

---

cf. Dt **21** 15-17; Pr **30** 23; Si **7** 26 (hébr.). Yahvé se penche sur cette
délaissée, comme sur Agar renvoyée avec Ismaël, **21** 17 s, sur Joseph vendu,
39 1 s, ou emprisonné, **39** 21 s. Cette providence spéciale de Dieu pour
les malheureux s'exprime souvent en dehors de la Genèse et elle est l'un
des traits de l'Ancien Testament qui préparent le Nouveau.

a) *râ'âh bᵉᶜonyi* « il a vu ma détresse » rapproché de Ruben.

b) *šâmaᶜ* « il a entendu » explique Siméon.

c) *yillâwèh* « il s'attachera » explique Lévi.

d) *'ôdèh* « je rendrai gloire » explique Juda.

e) Voir **16** 2 et la note. La servante enfante « sur les genoux » de sa maîtresse; c'est un rite expressif d'adoption : l'enfant est mis sur les genoux
ou entre les genoux de celui ou de celle qui l'adopte, Gn **48** 5, 12; **50** 23,
cf. Rt **4** 16-17; et c'est Rachel en effet qui donne son nom à l'enfant,
privilège réservé à la mère dans tout le chapitre.

f) *dânannî* « m'a rendu justice » explique Dan.

quoi elle l'appela Dan. [7] Bilha, la servante de Rachel, conçut encore et elle enfanta à Jacob un second fils. [8] Rachel dit : « J'ai lutté[a] contre ma sœur les luttes de Dieu et je l'ai emporté »; et elle l'appela Nephtali.

[9] Léa, voyant qu'elle avait cessé d'avoir des enfants, prit sa servante Zilpa et la donna pour femme à Jacob[b]. [10] Zilpa, la servante de Léa, enfanta à Jacob un fils. [11] Léa dit : « Par bonne fortune[c] ! » et elle l'appela Gad. [12] Zilpa, la servante de Léa, enfanta à Jacob un second fils. [13] Léa dit : « Pour ma félicité ! car les femmes me féliciteront »; et elle l'appela Asher[d].

[14] Étant sorti au temps de la moisson des blés[e], Ruben trouva dans les champs des pommes d'amour[f], qu'il apporta à sa mère, Léa. Rachel dit à Léa : « Donne-moi, s'il te plaît, des pommes d'amour de ton fils », [15] mais Léa lui répondit : « N'est-ce donc pas assez que tu m'aies pris mon mari, pour que tu prennes aussi les pommes d'amour de mon fils ? » Rachel reprit : « Eh bien, qu'il couche avec toi cette nuit, en échange des pommes d'amour de ton fils. » [16] Lorsque Jacob revint des champs le soir, Léa sortit à sa rencontre et lui dit : « Il faut que tu viennes vers moi, car je t'ai pris à gages pour les pommes d'amour de mon fils », et il coucha avec elle cette nuit-là. [17] Dieu exauça Léa, elle conçut et elle enfanta à Jacob un cinquième fils; [18] Léa dit : « Dieu m'a donné mon salaire,

---

a) *niptalti* « j'ai lutté » explique Nephtali.

b) Voir les notes sur le v. 3 et sur **16** 2.

c) *gâd* « bonne fortune » explique Gad.

d) Asher est expliqué par *'ošri* « ma félicité ».

e) Une des rares notes agricoles de l'histoire patriarcale, voir **26** 12.

f) Littéralement des fruits de « mandragores », plante dont le nom hébreu est formé de la même racine que « amour » et à laquelle les anciens attribuaient une vertu aphrodisiaque. La tradition primitive devait mettre ce fruit en relation avec la naissance de Joseph. L'auteur sacré ne garde de l'ancien récit que ce qu'il faut pour expliquer les noms d'Issachar et de Joseph.

pour avoir donné ma servante à mon mari »; et elle l'appela Issachar[a]. ¹⁹ Léa conçut encore et elle enfanta à Jacob un sixième fils. ²⁰ Léa dit : « Dieu m'a fait un beau présent, cette fois mon mari m'honorera[b], car je lui ai donné six fils »; et elle l'appela Zabulon. ²¹ Ensuite elle mit au monde une fille et elle l'appela Dina.

²² Alors Dieu se souvint de Rachel, il l'exauça et la rendit féconde. ²³ Elle conçut et elle enfanta un fils; elle dit : « Dieu a enlevé ma honte »; ²⁴ et elle l'appela Joseph, disant : « Que Yahvé m'ajoute un autre fils[c] ! »

Comment Jacob s'enrichit. ²⁵ Lorsque Rachel eut enfanté Joseph, Jacob dit à Laban : « Laisse-moi partir, que j'aille chez moi, dans mon pays. ²⁶ Donne-moi mes femmes, pour lesquelles je t'ai servi, et mes enfants, et que je m'en aille. Tu sais bien quel service j'ai accompli pour toi. » ²⁷ Laban lui dit : « Si j'ai gagné ton amitié...[d] J'ai appris par les présages[e] que Yahvé m'avait béni à cause de toi. ²⁸ Aussi, ajouta-t-il, fixe-moi ton salaire et je te payerai. » ²⁹ Il lui répondit : « Tu sais bien de quelle façon je t'ai servi et ce que ton bien est devenu avec moi. ³⁰ Le peu que tu avais avant moi s'est accru énormément, et Yahvé t'a béni sur mes pas. Maintenant, quand travaillerai-je moi aussi pour ma maison ? » ³¹ Laban reprit : « Que faut-il te payer ? »

---

a) Le nom d'Issachar est expliqué deux fois : v. 16, Léa a « pris à gages », *śākor*, son mari; v. 18, Dieu lui a donné son « salaire », *śākâr*.

b) Zabulon est expliqué par *yizbᵉlénî* « il m'honorera », d'après d'autres « il me supportera ». La traduction commune « il demeurera avec moi » est sûrement erronée.

c) Deux explications du nom de Joseph : Dieu a « enlevé », *'âsap,* la honte de Rachel; Rachel souhaite que Dieu « ajoute », *yôsép,* un autre fils.

d) Litt. : « Si j'ai trouvé grâce à tes yeux ». La phrase est interrompue et l'on sous-entend : « écoute-moi » ou : « reste ici ».

e) Laban a recouru à la divination.

Jacob répondit : « Tu n'auras rien à me payer : si tu fais pour moi ce que je vais dire, je reprendrai la conduite de ton troupeau.

³² « Je passerai aujourd'hui dans tout ton troupeau *a*. Sépares-en tout animal noir parmi les moutons et ce qui est tacheté ou moucheté parmi les chèvres. Tel sera mon salaire, ³³ et mon honnêteté portera témoignage pour moi dans la suite : quand tu viendras vérifier mon salaire, tout ce qui ne sera pas moucheté ou tacheté parmi les chèvres, ou noir parmi les moutons, sera chez moi un vol. » ³⁴ Laban dit : « C'est bien; qu'il en soit comme tu as dit. » ³⁵ Ce jour-là, il mit à part les boucs rayés et tachetés, toutes les chèvres mouchetées et tachetées, tout ce qui avait du blanc, et tout ce qui était noir parmi les moutons. Il les confia à ses fils ³⁶ et il mit trois jours de chemin entre lui et Jacob. Et Jacob faisait paître le reste du bétail de Laban.

³⁷ Jacob prit des baguettes fraîches de peuplier, d'amandier et de platane et il les écorça de bandes blanches, mettant à nu l'aubier qui était sur les baguettes. ³⁸ Il mit les baguettes qu'il avait écorcées en face des bêtes dans les auges, dans les abreuvoirs où les bêtes venaient boire, et

---

30 31. *A la fin du v.* H *ajoute* « *je garderai* », *glose.*
    32. *Après* « *tout animal* », H *ajoute* « *moucheté et tacheté et tout animal* »; *omis par* G.

---

a) Le nouveau contrat proposé par Jacob, vv. 32-36, et la manière dont il le tourne à son profit, vv. 37-43, sont difficiles à interpréter. La répartition proposée du texte entre une source « yahviste » et une source « élohiste » n'apporte guère de clarté; le récit a peut-être été obscurci par des gloses malaisées à discerner. La proposition de Jacob part du fait que, dans les troupeaux orientaux, les moutons sont blancs et les chèvres noires; moutons noirs et chèvres tachetées de blanc sont très rares. Ce sont ces bêtes d'exception que Jacob réclame pour son seul salaire dans la suite, v. 33, celles qui remplissent présentement ces conditions ayant été écartées, vv. 35-36. Laban croit conclure une bonne affaire.

les bêtes s'accouplaient en venant boire. [39] Elles s'accou-
plèrent donc devant les baguettes et elles mirent bas des
petits rayés, mouchetés et tachetés. [40] Quant aux moutons,
Jacob les mit à part et il tourna les bêtes vers ce qui était
rayé et tout ce qui était noir dans le troupeau de Laban.
Ainsi il se constitua des troupeaux à lui, qu'il ne mit
pas avec les troupeaux de Laban. [41] De plus, chaque fois
que s'accouplaient les bêtes robustes, Jacob mettait les
baguettes devant les yeux des bêtes dans les auges, pour
qu'elles s'accouplent devant les baguettes. [42] Quand les
bêtes étaient chétives, il ne les mettait pas, et ainsi ce qui
était chétif fut pour Laban, ce qui était robuste fut pour
Jacob[a]. [43] L'homme s'enrichit énormément et il eut du
bétail en quantité, des servantes et des serviteurs, des
chameaux et des ânes.

Fuite de Jacob[b].	**31.** [1] Jacob apprit que les fils de Laban disaient :

« Jacob a pris tout ce qui
était à notre père et c'est aux dépens de notre père qu'il a

---

a) L'artifice de Jacob revient à ceci : 1° pour les chèvres, vv. 37-39, il les
fait accoupler devant des baguettes rayées de blanc, dont la vue influence
la formation de l'embryon, et il obtient des chevreaux tachetés, qui sont
pour lui ; les naturalistes anciens rapportent que des procédés analogues
étaient employés pour varier le pelage des animaux ; 2° pour les moutons,
v. 40, il leur fait regarder, quand ils s'accouplent, les chèvres noires du
troupeau et il obtient des agneaux noirs ; 3° pour ces opérations, il choisit
les reproducteurs robustes, laissant à Laban les bêtes débiles et leur descendance. L'histoire est très ancienne, n'ayant pu se former que dans un
milieu de semi-nomades, spécialistes de l'élevage, mais a réjoui tous
les Israélites, heureux que Jacob, indignement exploité par Laban, prenne
enfin sa revanche. Et il la prenait « honnêtement », v. 33, s'en tenant aux
termes du contrat !
b) Le récit vient de la tradition « élohiste », avec quelques débris d'une
recension « yahviste », vv. 1, 3, 21. Il est naturel que Jacob défende sa
conduite devant Léa et Rachel, et se réclame de la protection divine, pour
décider ses femmes à prendre son parti contre leur père. Mais cet entretien
est, pour l'auteur, l'occasion de mettre en relief le bon droit de Jacob et
l'action de Dieu en toute cette affaire, ce qui ne ressortait pas du ch. **30**,
qui se tient sur le plan profane.

constitué toute cette richesse. » ² Jacob vit à la mine de
Laban qu'il n'était plus avec lui comme auparavant.
³ Yahvé dit à Jacob : « Retourne au pays de tes pères, dans
ta patrie, et je serai avec toi. » ⁴ Jacob fit appeler Rachel
et Léa aux champs où étaient ses troupeaux, ⁵ et il leur
dit : « Je vois à la mine de votre père qu'il n'est plus à
mon égard comme auparavant, mais le Dieu de mon père
a été avec moi. ⁶ Vous savez vous-mêmes que j'ai servi
votre père de toutes mes forces*a*. ⁷ Votre père s'est joué
de moi, il a changé dix fois mon salaire, mais Dieu ne lui
a pas permis de me faire du tort. ⁸ Chaque fois qu'il disait :
' Ce qui est moucheté sera ton salaire ', toutes les bêtes
mettaient bas des petits mouchetés; chaque fois qu'il
disait : ' Ce qui est rayé sera ton salaire ', toutes les bêtes
mettaient bas des petits rayés*b*, ⁹ et Dieu a enlevé son
bétail à votre père et me l'a donné. ¹⁰ Il arriva, au temps
où les bêtes entrent en chaleur, que je levai les yeux et je
vis en songe que les boucs en passe de saillir les bêtes
étaient rayés, tachetés ou tavelés*c*. ¹¹ L'Ange de Dieu*d*
me dit en songe : ' Jacob ', et je répondis : ' Oui '. ¹² Il dit :
' Lève les yeux et vois : tous les boucs qui saillissent
les bêtes sont rayés, tachetés ou tavelés, car j'ai vu tout ce
que Laban te fait. ¹³ Je suis le Dieu de Béthel, où tu as
oint une stèle et où tu m'as fait un vœu*e*. Maintenant,
debout, sors de ce pays et retourne dans ta patrie '. »

a) Après l'histoire de **30** 25-42, cette affirmation nous choque, mais
Jacob, qui plaide sa cause, ne veut parler que de ses quatorze premières
années de service.

b) Ces modifications du contrat n'ont pas été racontées. Cette tradition
devait présenter les faits d'une manière moins simple que le récit précédent.

c) Les vv. 10 et 12, qui sont bizarres et rompent le contexte, furent probablement ajoutés par un rédacteur qui voulait insister sur l'intervention
divine en faveur de Jacob.

d) Voir la note sur **16** 7; l'identification de cet Ange avec Dieu est faite
au v. 13.

e) Allusion à **28** 18-22.

¹⁴ Rachel et Léa lui répondirent ainsi : « Avons-nous encore une part et un héritage dans la maison de notre père ? ¹⁵ Ne sommes-nous pas considérées par lui comme des étrangères, puisqu'il nous a vendues et qu'il a ensuite mangé notre argent[a] ? ¹⁶ Oui, toute la richesse que Dieu a retirée à notre père est à nous et à nos enfants. Fais donc maintenant tout ce que Dieu t'a dit. »

¹⁷ Jacob se leva, fit monter ses enfants et ses femmes sur des chameaux, ¹⁸ et poussa devant lui tout son bétail, — avec tous les biens qu'il avait acquis, le bétail qui lui appartenait et qu'il avait acquis en Paddân-Aram, — pour aller chez son père Isaac, au pays de Canaan[b]. ¹⁹ Laban était allé tondre son troupeau et Rachel déroba les idoles domestiques[c] qui étaient à son père. ²⁰ Jacob abusa l'esprit de Laban l'Araméen en ne lui laissant pas soupçonner qu'il fuyait. ²¹ Il s'enfuit avec tout ce qu'il avait, il partit, passa le Fleuve[d] et se dirigea vers le mont Galaad[e].

Laban poursuit Jacob[f].

²² Le troisième jour, on apprit à Laban que Jacob s'était enfui. ²³ Il prit ses

---

a) Les bons usages demandaient que la somme versée au beau-père par le fiancé lors de la conclusion du mariage (note sur **29** 18) fût en partie remise à l'épouse, mais Laban a profité seul des services de Jacob : il a vendu ses filles et dépensé le montant de leur vente.

b) Le v. est surchargé d'une addition, « avec tous les biens... en Paddân-Aram », dont le vocabulaire trahit l'origine « sacerdotale ».

c) En hébr. *teraphim,* petites idoles domestiques dont le rôle ici sera expliqué à propos des vv. 30 s.

d) L'Euphrate.

e) Voir **31** 45 s.

f) Tradition « élohiste » comme le précédent paragraphe (sauf les restes d'une courte recension « yahviste », vv. 27, 31, 38-40 ?); on y retrouve le même souci de justifier Jacob et de marquer la protection que Dieu lui accorde. Cette note religieuse ne supprime pas l'humour dru du récit primitif : les perquisitions de Laban et sa déconvenue, la ruse de Rachel assise sur les dieux de son père et prétextant un état d'impureté, qui souille les pauvres idoles, Lv **15** 19-20, le discours véhément de Jacob qui laisse Laban pantois.

frères avec lui, le poursuivit sept jours de chemin et l'atteignit au mont Galaad. ²⁴ Dieu visita Laban l'Araméen dans une vision nocturne et il lui dit : « Garde-toi de dire à Jacob quoi que ce soit^a. » ²⁵ Laban rejoignit Jacob qui avait planté sa tente dans la montagne, et Laban planta sa tente au mont Galaad.

²⁶ Laban dit à Jacob : « Qu'as-tu fait d'abuser mon esprit et d'emmener mes filles comme des captives de guerre ? ²⁷ Pourquoi as-tu fui en secret et m'as-tu abusé au lieu de m'avertir, pour que je te reconduise dans l'allégresse et les chants, avec tambourins et lyres ? ²⁸ Tu ne m'as pas laissé embrasser mes fils et mes filles. Vraiment, tu as agi en insensé^b ! ²⁹ Il serait en mon pouvoir de te faire du mal, mais le Dieu de ton père, la nuit passée, m'a dit ceci : ' Garde-toi de dire à Jacob quoi que ce soit. ' ³⁰ Maintenant, tu es donc parti, parce que tu languissais tellement après la maison de ton père ! Mais pourquoi as-tu volé mes dieux^c ? »

³¹ Jacob répondit ainsi à Laban : « J'ai eu peur, je me suis dit que tu allais m'enlever tes filles. ³² Mais celui chez qui tu trouveras tes dieux ne restera pas vivant^d : devant

---

31 25. « *sa tente* » (2°) 'èt-'ohălô *conj.*; « *avec ses frères* » 'èt-'èḥayw *H.*
29. « *te faire... ton père* » *Sam G* ; « *vous faire... votre père* » *H.*
30. « *Mais pourquoi* » *G* ; « *Pourquoi* » *H.*

---

a) Litt. « ni bien ni mal », rien du tout.
b) Laban reste le même : on n'est pas plus aimable que ce beau-père cupide qui court après son gendre et après son bien.
c) Laban appelle les *teraphim* volés par Rachel, v. 19, ses « dieux ». D'après un contrat mésopotamien, ces idoles devaient passer à l'héritier principal et, par conséquent, leur possession était un titre à l'héritage. On comprend mieux ainsi que Laban soit anxieux de les retrouver, passant sur tout le reste selon l'ordre divin du v. 24.
d) Jacob est de bonne foi, cf. le v. 19 rappelé à la fin du v. La curiosité des auditeurs est en suspens : si Laban trouvait les idoles ! Mais la rouerie de Rachel va tout sauver.

nos frères, reconnais ce qui est à toi chez moi, et prends-
le. » Jacob ignorait en effet que Rachel les avait dérobés.
³³ Laban alla chercher dans la tente de Jacob, puis dans la
tente de Léa, puis dans la tente des deux servantes, et il
ne trouva rien. Il sortit de la tente de Léa et entra dans
celle de Rachel. ³⁴ Or Rachel avait pris les idoles domestiques, les avait mises dans le palanquin*a* du chameau et
s'était assise dessus; Laban fouilla toute la tente et ne
trouva rien. ³⁵ Rachel dit à son père : « Que Monseigneur
ne voie pas avec colère que je ne puisse me lever en ta
présence*b*, car j'ai ce qui est coutumier aux femmes. »
Laban chercha et ne trouva pas les idoles.

³⁶ Jacob se mit en colère et prit à partie Laban. Et
Jacob adressa ainsi la parole à Laban : « Quel est mon
crime, quelle est ma faute, que tu te sois acharné après
moi ? ³⁷ Tu as fouillé toutes mes affaires : as-tu rien trouvé
de toutes les affaires de ta maison ? Produis-le ici, devant
mes frères et tes frères, et qu'ils jugent entre nous deux !
³⁸ Voici vingt ans que je suis chez toi, tes brebis et tes
chèvres n'ont pas avorté et je n'ai pas mangé les béliers
de ton troupeau. ³⁹ Les animaux déchirés par les fauves,
je ne te les rapportais pas, c'était moi qui compensais
leur perte; tu me les réclamais, que j'aie été volé de jour
ou que j'aie été volé de nuit*c*. ⁴⁰ J'ai été dévoré par la cha-

32. « *ce qui est à toi chez moi* » G ; « *ce qui est chez moi* » H.
33. « *chercher* » Sam G ; *omis par* H.

a) Dans lequel voyageaient les femmes et qu'au campement on dépo-
sait sous la tente.
b) Les jeunes doivent se lever devant les personnes âgées, Lv **19** 32,
les enfants doivent honorer leurs parents, Ex **20** 12; Dt **5** 16.
c) D'après la loi d'Ex **22** 13, le pâtre est exonéré s'il produit les restes
de la bête déchirée, cf. Am **3** 12. Jacob a fait plus que ne demandait la
justice ! Encore une fois nous sommes choqués de cette assurance, après
les histoires du ch. **30**, mais tout ce discours de Jacob est un morceau
d'humour.

leur pendant le jour, par le froid pendant la nuit, et le sommeil a fui mes yeux. 41 Voici vingt ans que je suis dans ta maison : je t'ai servi quatorze ans pour tes deux filles et six ans pour ton troupeau, et tu as changé dix fois mon salaire[a]. 42 Si le Dieu de mon père, le Dieu d'Abraham, le Parent d'Isaac[b], n'avait pas été avec moi, tu m'aurais renvoyé les mains vides. Mais Dieu a vu mes fatigues et le labeur de mes bras et, la nuit passée, il a rendu son jugement[c]. »

Traité entre Jacob et Laban[d].

43 Laban répondit ainsi à Jacob : « Ces filles sont mes filles, ces enfants sont mes enfants, ce bétail est mon bétail, tout ce que tu vois est à moi. Mais que pourrais-je faire aujourd'hui à mes filles que voici et aux enfants qu'elles ont mis au monde ? 44 Allons, concluons un traité, moi et toi...[e], et que cela serve de témoin entre moi et toi. »

---

a) Voir le v. 7.

b) Ce titre divin ne se retrouve qu'au v. 53 du même chapitre. On le traduit par « Terreur d'Isaac » et l'on se réfère à 28 17. Mais, d'après l'usage du palmyrénien et de l'arabe, le mot peut avoir le sens que nous adoptons ici.

c) Dans le songe de Laban, v. 29.

d) Deux traditions paraissent ici amalgamées : 1° un pacte politique fixe la frontière entre Laban et Jacob, v. 52, c'est-à-dire entre Aram et Israël, et le monument de ce pacte est un « monceau de témoignage » gal'ed, qui explique le nom de Galaad ; 2° un accord privé concerne les filles de Laban données à Jacob, v. 50, Yahvé « guettera », yiṣeph, les deux contractants, et le nom du lieu en vient, c'est Miṣpah « la guette » ; le monument de cet accord est une stèle, maṣṣebah, autre jeu de mots avec Miṣpah. Mais il est possible qu'au lieu de deux sources on ait ici deux explications et apparemment deux noms parce que la tradition s'attache à un nom composé Miṣpeh Galaad, « la guette de Galaad », localité connue par Jg 11 29 et située en Transjordanie, au sud du Yabboq. Le texte a encore été embrouillé par des gloses (ainsi le v. 47, dans le v. 51 « et voici la stèle », dans le v. 52 « la stèle est témoin », « et cette stèle ») et par des changements de personnes (ainsi aux vv. 45 et 46 on lirait mieux Laban au lieu de Jacob, puisque Laban donne la signification des monuments, vv. 48-49).

e) Quelques mots sont probablement tombés du texte.

⁴⁵ Alors Jacob prit une pierre et la dressa comme une stèle. ⁴⁶ Et Jacob dit à ses frères : « Ramassez des pierres. » Ils ramassèrent des pierres et en firent un monceau et ils mangèrent là, sur le monceau. ⁴⁷ Laban le nomma Yegar Sahaduta et Jacob le nomma Galéed*a*. ⁴⁸ Laban dit : « Que ce monceau soit aujourd'hui un témoin entre moi et toi. » C'est pourquoi il le nomma Galéed, ⁴⁹ et Miçpa, parce qu'il dit : « Que Yahvé soit un guetteur entre moi et toi, quand nous ne serons plus en vue l'un de l'autre. ⁵⁰ Si tu maltraites mes filles ou si tu prends d'autres femmes en sus de mes filles, et que personne ne soit avec nous, vois : Dieu est témoin entre moi et toi. » ⁵¹ Et Laban dit à Jacob : « Voici ce monceau que j'ai entassé entre moi et toi, et voici la stèle. ⁵² Ce monceau est témoin, la stèle est témoin, que moi je ne dois pas dépasser ce monceau vers toi et que toi tu ne dois pas dépasser ce monceau et cette stèle, vers moi, avec de mauvaises intentions. ⁵³ Que le Dieu d'Abraham et le dieu de Nahor jugent entre nous. » Et Jacob prêta serment par le Parent d'Isaac*b*, son père. ⁵⁴ Jacob fit un sacrifice sur la montagne et invita ses frères au repas. Ils prirent le repas et passèrent la nuit sur la montagne.

⁵⁵ **32.** ¹*c* Levé de bon matin, Laban embrassa ses petits-enfants et ses filles et les bénit. Puis Laban partit et retourna

32. ¹ chez lui. ² Comme Jacob poursuivait son chemin, il ren-

---

46. « *Ils ramassèrent* » wayyilqᵉṭû G *cf. début du v.*; « *Ils prirent* » wayyiqḥû H.

53. *Après* « *entre nous* », *H ajoute* « *le Dieu de leurs pères* », *glose qui manque dans quelques Mss et dans G.*

---

a) Le v. est une glose érudite : *Yegar Sahaduta* est, en araméen, la traduction exacte de *Gal'ed,* « monceau de témoignage » et convient bien dans la bouche de l'Araméen Laban, mais le texte original néglige ces finesses et c'est Laban qui donne le nom de *Gal'ed* au v. 48.

b) Voir le v. 42.

c) Ce v. est rattaché au ch. **31** (v. 55) par le grec et la Vulgate, qui restent en retard d'un verset dans tout le ch. **32.**

² contra à l'improviste des anges de Dieu. ³ En les voyant, Jacob dit : « C'est le camp de Dieu ! » et il donna à ce lieu le nom de Mahanayim*ᵃ*.

3

Jacob
prépare sa rencontre
4　　**avec Ésaü**ᵇ.

⁴ Jacob envoya au devant de lui des messagers à son frère Ésaü, au pays de Séïr, la steppe d'Édom*ᶜ*. ⁵ Il leur donna cet ordre : « Ainsi parlerez-vous à Monseigneur Ésaü : Voici le message de ton serviteur Jacob : J'ai séjourné chez Laban et je m'y
5　suis attardé jusqu'à maintenant. ⁶ J'ai acquis bœufs et ânes, petit bétail, serviteurs et servantes. Je veux en faire porter la nouvelle à Monseigneur, pour trouver grâce à ses yeux. »

6　　⁷ Les messagers revinrent auprès de Jacob en disant : « Nous sommes allés vers ton frère Ésaü. Lui-même vient maintenant à ta rencontre et il a quatre cents hommes avec lui. »

7　　⁸ Jacob eut grand-peur et se sentit angoissé. Alors il

---

a) Le « camp » *maḥănèh* explique le nom de *Mahanayim*. Ce sera plus tard une ville de Transjordanie, Jos **13** 26, 30; 2 S **2** 8; **17** 24; **19** 33; 1 R **4** 14, située près du Yabboq.

b) Jacob, arrivant près du pays où s'est établi Ésaü, prend ses précautions, comme toute caravane approchant d'un territoire hostile. Cette sauvegarde est présentée de deux façons. D'après la tradition « yahviste », vv. 4-14ᵃ, Jacob fait annoncer son arrivée et, apprenant que son frère s'avance avec une escorte, il divise en deux ses troupeaux, espérant en sauver au moins une moitié. D'après la tradition « élohiste », vv. 14ᵇ-22, il envoie un présent magnifique réparti en plusieurs groupes : ces cadeaux répétés devraient fléchir le ressentiment d'Ésaü. Les deux traditions s'accordent sur l'attitude humble de Jacob envers Ésaü : il est le « serviteur » de son « seigneur », vv. 5-6 et 19-20, et sur le besoin qu'il éprouve de se faire pardonner, vv. 6 et 21. Nous rejoignons ainsi **27** 41-45. Jacob reste l'homme tranquille, **25** 27, qui évite les conflits et doit ses succès à l'habileté plutôt qu'à des coups de force. Ésaü, au contraire, vit de son épée, **27** 40.

c) La Transjordanie méridionale, occupée par les Édomites, descendants d'Ésaü. Le pays de Séïr est une désignation équivalente, **36** 8-9; Jos **24** 4; Is **21** 11; cf. la note sur **25** 25.

divisa en deux camps les gens qui étaient avec lui, le
8 petit et le gros bétail. 9 Il se dit : « Si Ésaü se dirige vers
l'un des camps et l'attaque, le camp qui reste pourra se
9 sauver. » 10 Jacob dit[a] : « Dieu de mon père Abraham et
Dieu de mon père Isaac, Yahvé, qui m'as commandé :
' Retourne dans ton pays et dans ta patrie et je te ferai
10 du bien ', 11 je suis indigne de toutes les faveurs et de toute
la bonté que tu as eues pour ton serviteur. Je n'avais que
mon bâton pour passer le Jourdain que voici, et mainte-
11 nant je puis former deux camps. 12 Veuille me sauver de
la main de mon frère Ésaü, car j'ai peur de lui, qu'il ne
12 vienne et ne nous frappe, la mère avec les enfants[b]. 13 Pourtant, c'est toi qui as dit : ' Je te comblerai de bienfaits et
je rendrai ta descendance comme le sable de la mer, qu'on
13 ne peut pas compter, tant il y en a '. » 14 Et Jacob passa
la nuit en cet endroit.

De ce qu'il avait en mains, il prit de quoi faire un pré-
14 sent à son frère Ésaü : 15 deux cents chèvres et vingt boucs,
15 deux cents brebis et vingt béliers, 16 trente chamelles qui
allaitaient, avec leurs petits, quarante vaches et dix tau-
16 reaux, vingt ânesses et dix ânons. 17 Il les confia à ses serviteurs, chaque troupeau à part, et il dit à ses serviteurs :
« Passez devant moi et laissez du champ entre les trou-
17 peaux. » 18 Au premier il donna cet ordre : « Lorsque
mon frère Ésaü te rencontrera et te demandera : ' A qui
es-tu ? Où vas-tu ? A qui appartient ce qui est devant toi ? '

---

32 8. *Après* « *le gros bétail* », *H ajoute* « *et les chameaux* »; *omis par G.*

---

a) Cette prière, si simple, si adaptée aux circonstances, si libre de formules toutes faites, n'est pas un développement postérieur : elle est une
expression du profond sens religieux dont la tradition « yahviste » anime
les récits d'apparence profane qu'elle recueille. Seule est étrange la mention
du Jourdain, v. 11, alors que Jacob va franchir le Yabboq.
b) Expression proverbiale d'une extermination complète, Os **10** 14.

¹⁸ ¹⁹ tu répondras : ' C'est à ton serviteur Jacob, c'est un présent envoyé à Monseigneur Ésaü, et lui-même arrive derrière nous '. » ²⁰ Il donna le même ordre au second et au troisième et à tous ceux qui marchaient derrière les troupeaux : « Voilà, leur dit-il, comment vous parlerez à Ésaü quand vous le trouverez, ²¹ et vous direz : ' Et même, ton serviteur Jacob arrive derrière nous[a] '. » Il s'était dit en effet : « Je me le concilierai par un présent qui me précédera, ensuite je me présenterai à lui, peut-être me fera-t-il grâce. » ²² Le présent passa en avant et lui-même demeura cette nuit-là au camp.

La lutte avec Dieu[b]. ²³ Cette même nuit, il se leva, prit ses deux femmes, ses deux servantes, ses onze enfants et passa le gué du Yabboq. ²⁴ Il les prit et leur fit passer le torrent, et il fit passer aussi tout ce qu'il possédait. ²⁵ Et Jacob resta seul.

---

24. « *tout ce qu'il possédait* » *Sam Vers.*; « *ce qu'il possédait* » *H*.

a) Après chaque groupe Ésaü croira rencontrer Jacob, et il trouvera un nouveau cadeau ! Comment ne serait-il pas finalement apaisé ?

b) Récit mystérieux, comme celui d'Ex 4 24-26 où Yahvé assaille Moïse, la nuit, « pour le faire mourir ». Il s'agit bien d'une lutte physique, d'un corps à corps avec Dieu, où Jacob paraît d'abord triompher. Lorsqu'il a reconnu le caractère surnaturel de son adversaire, il force sa bénédiction. Osée, **12** 4-5, se référant à ce passage, fait intervenir non pas Dieu lui-même mais son ange. Le texte, lui, évite le nom de Yahvé et l'agresseur inconnu refuse de se nommer. L'auteur utilise une vieille histoire pour expliquer le nom de Penuel et donner une origine au nom d'Israël. Du même coup, il la charge d'un sens religieux : le Patriarche s'accroche à Dieu, lui force la main pour obtenir une bénédiction, qui obligera Dieu vis-à-vis de ceux qui, après lui, porteront le nom d'Israël. Ainsi la scène a pu devenir l'image du combat spirituel et de l'efficacité d'une prière instante (saint Jérôme, Origène). Ce sens littéral et cette application qu'on en tire légitimement suffisent pour rendre admirable, ici et ailleurs, la transmutation que la Bible opère sur les éléments étrangers qu'elle incorpore à l'histoire de la révélation. Mais beaucoup de Pères, depuis saint Justin jusqu'à Théodoret, ont vu en plus dans cet «homme», v. 25, qui est « Dieu », v. 29, le type de Jésus Christ. Pour Luther, c'est Jésus Christ ayant mis un « masque ».

Et quelqu'un[a] lutta[b] avec lui jusqu'au lever de l'aurore.
25- 26 Voyant qu'il ne le maîtrisait pas, il le frappa à l'emboîture de la hanche, et la hanche de Jacob se démit pendant
26 qu'il luttait avec lui. 27 Il dit : « Lâche-moi, car l'aurore
est levée », mais Jacob répondit : « Je ne te lâcherai pas,
27 que tu ne m'aies béni. » 28 Il lui demanda : « Quel est ton
28 nom ? » — « Jacob », répondit-il. 29 Il reprit : « On ne
t'appellera plus Jacob, mais Israël, car tu as été fort[c]
contre Dieu, et contre les hommes tu l'emporteras. »
29 30 Jacob fit cette demande : « Révèle-moi ton nom, je te
prie », mais il répondit : « Et pourquoi me demandes-tu
mon nom ? » et, là même, il le bénit.
30   31 Jacob donna à cet endroit le nom de Penuel[d], « car,
dit-il, j'ai vu Dieu face à face et j'ai eu la vie sauve »[e].
31 32 Au lever du soleil, il avait passé Penuel et il boitait
32 de la hanche. 33 C'est pourquoi les Israélites ne mangent
pas, jusqu'à ce jour, le nerf sciatique qui est à l'emboîture
de la hanche[f], parce qu'il avait frappé Jacob à l'emboîture
de la hanche, au nef sciatique.

---

29. « *tu l'emporteras* » G^mss *Vulg ;* « *et tu l'as emporté* » H.

---

a) Litt. « un homme ».

b) En hébr. *yé'âbéq,* par jeu de mots avec le nom du Yabboq, *yabboq.*

c) Sens que les versions donnent au verbe *śârâh,* employé seulement ici
et dans le parallèle d'Os **12** 5. « Israël », qui signifiait probablement « Que
Dieu se montre fort » est expliqué par « Il a été fort contre Dieu », étymologie populaire.

d) Penuel sera plus tard une ville, Jg 8 8 s; 1 R **12** 25, située à un gué
du Yabboq, très probablement au lieu dit actuellement Tulul ed-Dahab.
Le nom signifie « face de Dieu » et justifie l'explication qui va être
donnée.

e) La vision directe de la majesté redoutable de Dieu comporte pour
l'homme un danger mortel, Ex **33** 20; Jg 6 22; **13** 22. C'est une faveur
spéciale que d'en sortir vivant.

f) Vieille prescription alimentaire, qui n'est pas autrement attestée dans
la Bible.

33. La rencontre avec Ésaü*a*.

¹ Jacob, levant les yeux, vit qu'Ésaü arrivait accompagné de quatre cents hommes*b*. Alors, il répartit les enfants entre Léa, Rachel et les deux servantes, ² il mit en tête les servantes et leurs enfants, plus loin Léa et ses enfants, plus loin Rachel et Joseph*c*. ³ Cependant, lui-même passa devant eux et se prosterna sept fois à terre*d* avant d'aborder son frère. ⁴ Mais Ésaü, courant à sa rencontre, le prit dans ses bras, lui donna l'accolade et pleura. ⁵ Lorsqu'il leva les yeux et qu'il vit les femmes et les enfants, il demanda : « Qui sont ceux que tu as là ? » Jacob répondit : « Ce sont les enfants dont Dieu a gratifié ton serviteur. » ⁶ Les servantes s'approchèrent, elles et leurs enfants, et se prosternèrent. ⁷ Léa s'approcha elle aussi avec ses enfants et ils se prosternèrent; enfin Rachel et Joseph s'approchèrent et se prosternèrent.

⁸ Ésaü demanda : « Que veux-tu faire de tout ce camp que j'ai rencontré*e* ? » — « C'est, répondit-il, pour trouver grâce aux yeux de Monseigneur. » ⁹ Ésaü reprit : « J'ai suffisamment, mon frère, garde ce qui est à toi. » ¹⁰ Mais

---

33 4. « *et pleura* » *conj. cf.* **45** 14; **46** 29; « *et ils pleurèrent* » H. — *Avant ce mot, H ajoute* « *et le baisa* », *mais ce mot est exponctué par la Massore.*
7. « *Rachel et Joseph* » G Syr *cf. v.* 2; « *Joseph et Rachel* » H.

---

a) Récit de tradition « yahviste », comme **32** 4-14ª qu'il continue. Jacob adoucit Ésaü par ses flatteries et ses présents, Ésaü se montre magnanime et les deux frères se réconcilient.
b) Annoncé dans **32** 7.
c) Rachel, la bien-aimée, et son fils Joseph sont mis au lieu le plus sûr.
d) Marque de soumission qu'un vassal donnait à son suzerain.
e) Non pas les groupes de **32** 14ᵇ-22, dont le caractère de présents était manifeste et qui appartiennent à la tradition « élohiste », mais le premier camp de **32** 8. Jacob, qui l'avait sacrifié, **32** 9, est trop heureux de l'offrir en présent.

Jacob dit : « Non, je t'en prie ! Si j'ai trouvé grâce à tes yeux, reçois de ma main mon présent. En effet, j'ai affronté ta présence comme on affronte celle de Dieu[a], et tu m'as bien reçu. [11] Accepte donc le présent qui t'est apporté, car Dieu m'a favorisé et j'ai tout ce qu'il me faut » et, sur ses instances, Ésaü accepta.

Jacob se sépare d'Ésaü[b].

[12] Celui-ci dit : « Levons le camp et partons, je marcherai en tête. » [13] Mais Jacob lui répondit : « Monseigneur sait que les enfants sont délicats et que je dois penser aux brebis et aux vaches qui allaitent : si on les surmène un seul jour, tout le bétail va mourir. [14] Que Monseigneur parte donc en avant de son serviteur; pour moi, je cheminerai doucement au pas du troupeau que j'ai devant moi et au pas des enfants, jusqu'à ce que j'arrive chez Monseigneur, en Séïr[c]. » [15] Alors Ésaü dit : « Je vais au moins laisser avec toi une partie des gens qui m'accompagnent ! » Mais Jacob répondit : « Pourquoi cela ? Que je trouve seulement grâce aux yeux de Monseigneur ! » [16] Ésaü reprit ce jour-là sa route vers Séïr, [17] mais Jacob partit pour Sukkot[d], il se bâtit une maison et fit des huttes pour son bétail; c'est pourquoi on a donné à l'endroit le nom de Sukkot.

---

a) Après avoir traité Ésaü comme son suzerain, Jacob pousse la flatterie jusqu'à le comparer à Dieu : la rencontre avec son frère fut aussi émouvante et aussi profitable qu'une rencontre avec Dieu. Nouvelle allusion au nom de Penuel « face de Dieu », **32** 31.

b) Jacob, se méfiant d'Ésaü, le laisse prendre les devants et, au lieu de le suivre, lui tourne le dos. Encore une fois, le subtil Jacob s'est joué de ce balourd d'Ésaü !

c) Voir la note sur **32** 4.

d) Localisé au Tell Deir Alla, dans la vallée du Jourdain non loin du gué de Damieh. Le nom signifie « huttes de branchages » comme l'explique la suite du verset.

Arrivée à Sichem*a*.

[18] Puis Jacob arriva sain et sauf à la ville de Sichem, au pays de Canaan, lorsqu'il revint de Paddân-Aram, et il campa en face de la ville. [19] Il acheta aux fils de Hamor*b*, le père de Sichem, pour cent pièces*c* d'argent, la parcelle de champ où il avait dressé sa tente [20] et il y érigea un autel, qu'il nomma « El, Dieu d'Israël ».

Violence faite à Dina*d*.

34. [1] Dina, la fille que Léa avait donnée à Jacob, sortit pour aller voir les filles du pays. [2] Sichem, le fils de Hamor le Hivvite*e*,

---

a) A Sichem, où Abraham s'était déjà arrêté, **12** 6, Jacob acquiert un titre foncier en Canaan, comme Abraham avait fait à Hébron, ch. **23**. Dans ce champ furent enterrés les os de Joseph, ramenés d'Égypte, Jos **24** 32. On y connaissait à l'époque du Christ, Jn **4** 6 — et on y montre encore — le puits de Jacob.

b) Voir le ch. **34**.

c) En hébr. *qᵉ s̄̂iṭah,* que les versions traduisent « agneau » mais qui est une unité pondérale, qu'on ne peut déterminer; cf. Jos **24** 32; Jb **42** 11.

d) La critique voit généralement dans ce chapitre deux sources combinées : une histoire de famille, Sichem ayant violé Dina la demande en mariage et accepte pour cela de se faire circoncire, mais il est traîtreusement tué par Siméon et Lévi qui encourent la colère de Jacob; et une histoire de clans, Hamor, père de Sichem, propose aux fils de Jacob une alliance matrimoniale générale qui est acceptée à condition que tous les Sichémites se fassent circoncire. Mais le pacte est rompu par les fils de Jacob qui pillent la ville et tuent ses habitants. On ne s'accorde d'ailleurs pas sur l'attribution de ces deux variantes aux grandes sources « élohiste » et « yahviste ». Mais ces deux formes données au récit aboutissent à un même sens général, car, dans cette civilisation communautaire, un mariage entre deux familles influentes entraînait la fusion de deux groupes humains; d'autre part, même dans « l'histoire de famille », les individus représentent des collectivités : Sichem, fils de Hamor, est l'éponyme d'une ville, dont les habitants s'appellent les Benê-Hamor, Siméon et Lévi sont deux tribus dont le sort futur est conditionné par la conduite violente de leurs ancêtres, **49** 5-7. C'est le souvenir historique d'une tentative malheureuse de certains groupes hébreux pour prendre pied dans la région de Sichem, à l'époque patriarcale.

e) L'un des anciens peuples de Canaan, **10** 17. Mais il faut probablement lire « Horite » avec le grec, îlot d'une population non sémitique

prince du pays, la vit et, l'ayant enlevée, il coucha avec elle et lui fit violence. ³ Mais son cœur s'attacha à Dina, fille de Jacob, il eut de l'amour pour la jeune fille et il la consola. ⁴ Sichem parla ainsi à son père Hamor : « Prends-moi cette petite pour femme. » ⁵ Jacob avait appris qu'il avait déshonoré sa fille Dina, mais comme ses fils étaient aux champs avec son troupeau, Jacob garda le silence jusqu'à leur retour.

Pacte matrimonial avec les Sichémites.

⁶ Hamor, le père de Sichem, se rendit chez Jacob pour lui parler. ⁷ Lorsque les fils de Jacob revinrent des champs et apprirent cela, ces hommes furent indignés et entrèrent en grand courroux de ce qu'il avait commis une infamie en Israël[a] en couchant avec la fille de Jacob : cela ne doit pas se faire ! ⁸ Hamor leur parla ainsi : « Mon fils Sichem s'est épris de votre fille, veuillez la lui donner pour femme. ⁹ Alliez-vous à nous : vous nous donnerez vos filles et vous prendrez les nôtres pour vous. ¹⁰ Vous demeurerez avec nous et le pays vous sera ouvert : vous pourrez y habiter, y trafiquer, vous y établir. » ¹¹ Sichem dit au père et aux frères de la jeune fille : « Que je trouve grâce à vos yeux et je donnerai ce que vous me demanderez ! ¹² Imposez-moi une grosse somme comme prix et comme présent, je payerai autant que vous me demanderez, mais donnez-moi la jeune fille pour femme[b] ! »

¹³ Les fils de Jacob répondirent à Sichem et à son père

---

venant du nord; les Sichémites ne sont pas des Cananéens, car ils ne pratiquent pas la circoncision, vv. 14 s.

a) Expression consacrée, Dt **22** 21; Jg **20** 10; Jr **29** 23. L'auteur oublie que le peuple d'Israël n'existe pas encore.

b) Hamor, vv. 9-10, négociait dans l'intérêt général de son peuple (cf. les vv. 21-23). L'amoureux Sichem ne songe qu'à lui et à la femme qu'il convoite.

Hamor et ils parlèrent avec ruse[a], parce qu'il avait déshonoré leur sœur Dina. [14] Ils leur dirent : « Nous ne pouvons pas faire une chose pareille : donner notre sœur à un homme incirconcis, car c'est un déshonneur chez nous. [15] Nous ne vous donnerons notre consentement qu'à cette condition : c'est que vous deveniez comme nous et fassiez circoncire tous vos mâles. [16] Alors nous vous donnerons nos filles et nous prendrons les vôtres pour nous, nous demeurerons avec vous et formerons un seul peuple. [17] Mais si vous ne nous écoutez pas, touchant la circoncision, nous prendrons notre fille et nous partirons. » [18] Leurs paroles plurent à Hamor et à Sichem, fils de Hamor. [19] Le jeune homme n'hésita pas à faire la chose, car il était épris de la fille de Jacob; or il était le plus considéré de toute sa famille.

[20] Hamor et son fils Sichem allèrent à la porte de leur ville[b] et parlèrent ainsi aux hommes de leur ville : [21] « Ces gens-là sont bien intentionnés : qu'ils demeurent avec nous dans le pays, ils y trafiqueront, le pays sera ouvert pour eux dans toute son étendue, nous prendrons leurs filles pour femmes et nous leur donnerons nos filles. [22] Mais ces gens ne consentiront à demeurer avec nous pour former un seul peuple qu'à cette condition : c'est que tous nos mâles soient circoncis comme ils le sont eux-mêmes. [23] Leurs troupeaux, leurs biens, tout leur bétail ne seront-ils pas à nous ? Donnons-leur seulement notre consentement, pour qu'ils demeurent avec nous. »

---

34 13. *« et ils parlèrent avec ruse » Syr ; « avec ruse et ils parlèrent » H.*

21. *« sont bien intentionnés : qu'ils demeurent avec nous » Sam G ; « sont bien intentionnés envers nous : qu'ils demeurent » H.*

---

a) L'arrangement qu'ils vont proposer a seulement pour fin de livrer les étrangers à leur merci, v. 25.

b) Voir la note sur **19** 1.

²⁴ Hamor et son fils Sichem furent écoutés par tous ceux qui franchissaient la porte de leur ville, et tous les mâles se firent circoncire.

Vengeance traîtresse de Siméon et de Lévi.

²⁵ Or, le troisième jour, tandis qu'ils étaient souffrants*ᵃ*, les deux fils de Jacob, Siméon et Lévi, les frères de Dina*ᵇ*, prirent chacun son épée et marchèrent en toute sécurité contre la ville : ils tuèrent tous les mâles. ²⁶ Ils passèrent au fil de l'épée Hamor et son fils Sichem, enlevèrent Dina de la maison de Sichem et partirent. ²⁷ Les fils de Jacob assaillirent les blessés et pillèrent la ville, parce qu'on avait déshonoré leur sœur. ²⁸ Ils prirent leur petit et leur gros bétail et leurs ânes, ce qui était dans la ville et ce qui était aux champs. ²⁹ Ils ravirent tous leurs biens, tous leurs enfants et leurs femmes, et ils pillèrent tout ce qu'il y avait dans les maisons.

³⁰ Jacob dit à Siméon et à Lévi : « Vous m'avez mis en mauvaise posture en me rendant odieux aux habitants du pays, les Cananéens et les Perizzites*ᶜ* : j'ai peu d'hommes, ils se rassembleront contre moi, me vaincront et je serai anéanti avec ma maison. » ³¹ Mais ils répliquèrent : « Devait-on traiter notre sœur comme une prostituée ? »

Jacob à Béthel*ᵈ*.

35. ¹ Dieu dit à Jacob : « Debout ! Monte à Béthel et fixe-toi là-bas. Tu y feras

---

24. *A la fin du v. H répète* « *tous ceux qui franchissent la porte de leur ville* »; *omis par* G.

29. « *et ils pillèrent tout* » G ; « *et ils pillèrent et tout* » H.

---

a) Des suites de la circoncision.
b) Siméon et Lévi sont fils de Léa, comme Dina.
c) Voir **13** 7.
d) Ce chapitre groupe, sur la route de Jacob entre Sichem et Hébron,

un autel au Dieu qui t'est apparu lorsque tu fuyais la présence de ton frère Ésaü[a]. »

² Jacob dit à sa famille et à tous ceux qui étaient avec lui : « Otez les dieux étrangers qui sont au milieu de vous[b], purifiez-vous et changez vos vêtements[c]. ³ Partons et montons à Béthel ! J'y ferai un autel au Dieu qui m'a exaucé lorsque j'étais dans l'angoisse et m'a assisté dans le voyage que j'ai fait. » ⁴ Ils donnèrent à Jacob tous les dieux étrangers qu'ils possédaient et les anneaux qu'ils portaient aux oreilles[d], et Jacob les enfouit sous le chêne qui est près de Sichem[e]. ⁵ Ils levèrent le camp et une terreur divine tomba sur les villes d'alentour : on ne poursuivit pas les fils de Jacob.

⁶ Jacob arriva à Luz, au pays de Canaan, — c'est Béthel[f], — lui et tous les gens qu'il avait. ⁷ Là, il construisit un autel et donna au lieu le nom de Béthel, car Dieu s'y était révélé[g] à lui lorsqu'il fuyait la présence de son frère.

---

35 7. « *Béthel* » *Vers.*; « *El Béthel* » (*Dieu Béthel ou Dieu de Béthel*) H.

---

des traditions d'origine variée. Ainsi, on quitte Sichem pour échapper à la vengeance des Cananéens : c'est la suite du ch. **34**, auquel le v. 5 fait allusion, mais les vv. 1-4 donnent au départ un motif religieux.

a) Voir **28** 10-22 auquel se réfèrent les vv. 3, 7, 12.

b) Comparer le discours de Josué, encore à Sichem, Jos **24** 23. Cela signifie plus que le rejet des petites idoles domestiques emportées par Rachel, **31** 19, 34; c'est, comme dans Jos **24**, un acte de foi au Dieu unique.

c) Purification préparatoire au pèlerinage de Béthel; cf. Ex **19** 10.

d) Par leur forme ou leur ornement, ces anneaux avaient valeur d'amulettes, cf. Is **3** 18 s.

e) C'est le Chêne de Moré, **12** 6 et la note.

f) Voir **28** 19, qui date du premier passage de Jacob le changement de nom, rapporté ici à son retour, vv. 7 et 15. Les deux récits sont des doublets.

g) En hébreu, ce verbe est au pluriel, s'accordant comme en quelques autres passages à la forme plurielle du nom de Dieu « Élohim ». D'autres l'expliquent de la pluralité des êtres célestes qui apparurent à Jacob, **28** 12.

⁸ Alors mourut Débora*ᵃ*, la nourrice de Rébecca, et elle fut ensevelie au-dessous de Béthel, sous le chêne; aussi l'appela-t-on le Chêne-des-Pleurs.

⁹ Dieu apparut encore à Jacob, à son retour de Paddân-Aram, et il le bénit. ¹⁰ Dieu lui dit : « Ton nom est Jacob, mais on ne t'appellera plus Jacob, ton nom sera Israël. » Aussi l'appela-t-on Israël.

¹¹ Dieu lui dit : « Je suis El Shaddaï. Sois fécond et multiplie. Un peuple, une assemblée de peuples naîtra de toi et des rois sortiront de tes flancs. ¹² Le pays que j'ai donné à Abraham et à Isaac, je te le donne, et à ta postérité après toi je donnerai ce pays. » ¹³ Et Dieu remonta d'auprès de lui*ᵇ*.

¹⁴ Jacob dressa une stèle à l'endroit où il lui avait parlé, une stèle de pierre, sur laquelle il fit une libation et versa de l'huile. ¹⁵ Et Jacob donna le nom de Béthel au lieu où Dieu lui avait parlé.

Naissance de Benjamin et mort de Rachel.

¹⁶ Ils partirent de Béthel. Il restait un bout de chemin pour arriver à Éphrata*ᶜ* quand Rachel accoucha. Ses cou-

---

13. *A la fin H ajoute « au lieu où il lui avait parlé »; omis par Vulg, dittographie du v. 14.*

---

a) La nourrice de Rébecca était mentionnée dans **24** 59, sans être nommée. A-t-elle donc vécu si longtemps et accompagné Jacob en Mésopotamie ? C'est plutôt une notice aberrante, qui n'est attachée à ce récit que pour son rapport avec Béthel. Il est douteux qu'il s'agisse du même arbre sacré que le « palmier » de la « prophétesse » Débora, Jg **4** 5.

b) Ces deux révélations divines, vv. 9-13, répètent des communications antérieures : v. 10, le changement du nom de Jacob en celui d'Israël, que **32** 29 rattache au passage du Yabboq; vv. 11-12, l'extension à Jacob des promesses faites à Abraham, comme **28** 13-14, et cf. **17** 16; ces vv. sont cités dans **48** 3-4. Pour le v. 13, cf. **17** 22. La mention de Paddân-Aram (**25** 20; **28** 2, 5-7) et de El Shaddaï (**17** 1; **28** 3) dénotent la tradition « sacerdotale ».

c) Éphrata est identifié à Bethléem, au v. 19 et à **48** 7 qui se réfère à

ches furent pénibles [17] et, comme elle accouchait difficilement, la sage-femme lui dit : « Rassure-toi, c'est encore un fils que tu as ! » [18] Au moment de rendre l'âme, car elle se mourait, elle le nomma Ben-Oni, mais son père l'appela Benjamin[a]. [19] Rachel mourut et fut enterrée sur le chemin d'Éphrata — c'est Bethléem. [20] Jacob dressa une stèle sur son tombeau; c'est la stèle du tombeau de Rachel, qui existe encore aujourd'hui[b].

Inceste de Ruben[c]. [21] Israël partit et planta sa tente au delà de Migdal-Édèr[d]. [22] Pendant qu'Israël habitait dans cette région, Ruben alla coucher avec Bilha, la concubine de son père, et Israël l'apprit.

Les douze fils de Jacob[e]. Les fils de Jacob furent au nombre de douze. [23] Les fils de Léa : le premier-né de Jacob, Ruben, puis Siméon, Lévi, Juda, Issachar et Zabulon. [24] Les fils de Rachel : Joseph et Benjamin. [25] Les fils de Bilha, la servante de Rachel : Dan et Nephtali.

---

notre passage; cf. Rt **4** 11 et Mi **5** 2. Mais Bethléem n'a reçu le nom d'Éphrata que parce qu'elle fut peuplée par un clan éphratéen, 1 Ch **2** 19, 50-51; Rt **1** 2. « Bethléem » du v. 19 est une glose. Le tombeau de Rachel se trouvait normalement dans le territoire de Benjamin, où 1 S **10** 2 le localise effectivement, cf. Jr **31** 15. Il a dû y avoir dans cette région une Éphrata, plus tard oubliée.

a) La mère mourante appelle le nouveau-né Ben-Oni « fils de ma douleur », mais le père change ce nom de mauvais présage en Benjamin « fils de la droite = fils de bon augure ».

b) On montre maintenant le tombeau de Rachel près de Bethléem conformément à la tradition du v. 19, mais voir la note *c*, pp. 160-161.

c) La mention, brève et réticente, de la faute de Ruben prépare sa condamnation par Jacob, **49** 3-4 : pour cela il perdit son droit d'aînesse.

d) Localité inconnue, signalée par une tour qui protégeait les pâturages : tel est le sens du nom propre.

e) La liste provient de l'auteur « sacerdotal », qui énumère d'abord les fils des épouses, puis ceux des concubines. Comparer le récit de **29** 31-**30** 24 et remarquer que la naissance de Benjamin, qui vient d'être racontée, est reportée ici en Mésopotamie.

²⁶ Les fils de Zilpa, la servante de Léa : Gad et Asher. Tels sont les fils qui furent enfantés à Jacob en Paddân-Aram.

Mort d'Isaacᵃ.

²⁷ Jacob arriva chez son père Isaac, à Mambré, à Qiryat-Arba, — c'est Hébron, — où séjournèrent Abraham et Isaac. ²⁸ La durée de la vie d'Isaac fut de cent quatre-vingts ans, ²⁹ et Isaac expira. Il mourut et il fut réuni à sa parenté, âgé et rassasié de jours; ses fils Ésaü et Jacob l'ensevelirent.

Femmes et enfants d'Ésaü en Canaanᵇ.

36. ¹ Voici la descendance d'Ésaü, qui est Édomᶜ. ² Ésaü prit ses femmes parmi les filles de Canaan : Ada, la fille d'Élôn le Hittite, Oholibama, la fille d'Ana, fils de Çibéôn le Horite, ³ Basmat, la fille d'Ismaël et la sœur de Nebayot. ⁴ Ada enfanta à Ésaü Éliphaz, Basmat enfanta Réuel, ⁵ Oholibama enfanta Yéush, Yalam et Qorah. Tels sont les fils d'Ésaü qui lui naquirent au pays de Canaan.

---

36 2. « *fils de Çibéôn* » *Vers.*; « *fille de Çibéôn* » H. — « *Horite* » *cf. v.* 20; « *Hivvite* » H.

---

a) Conclusion de l'histoire d'Isaac, d'après l'auteur « sacerdotal » qui fait vivre jusqu'alors le Patriarche (cf. **27** 1-2) et qui identifie Mambré avec Hébron, par réaction contre le culte qui s'y attachait, voir la note sur **13** 18; il tait le différend entre Jacob et Ésaü, voir **36** 6 s, et déjà **27** 46-**28** 2.

b) Il ne sera plus question d'Ésaü et la Genèse bloque ici les renseignements qui concernent sa descendance (de même que pour les frères d'Isaac, **25** 1-6, 12-18). Le ch. **36** rassemble des traditions (ou des documents) d'origine israélite (vv. 1-5 ?) ou édomite (vv. 9-14 ?; 15-39) sans se préoccuper de les accorder entre elles ou avec ce qui a déjà été dit. Ainsi les noms des femmes d'Ésaü aux vv. 2-3 ne correspondent pas à ceux qui avaient été donnés en **26** 34 et **28** 9.

c) Ésaü, le père des Édomites, est appelé aussi Édom, voir **25** 25 et 30. L'équivalence est peut-être ici une glose, comme encore aux vv. 8 et 19.

Migration d'Ésaü[a].

⁶ Ésaü prit ses femmes, ses fils et ses filles, toutes les personnes de sa maison, son bétail et toutes ses bêtes de somme, bref tout le bien qu'il avait acquis au pays de Canaan, et il partit pour le pays de Séïr[b], loin de son frère Jacob. ⁷ En effet, ils avaient de trop grands biens pour habiter ensemble et le pays où ils séjournaient ne pouvait pas leur suffire, en raison de leur avoir. ⁸ Ainsi Ésaü s'établit dans la montagne de Séïr. Ésaü c'est Édom.

Descendance d'Ésaü en Séïr[c].

⁹ Voici la descendance d'Ésaü, père d'Édom, dans la montagne de Séïr.

= **36** 15-19

¹⁰ Voici les noms des fils d'Ésaü : Éliphaz, le fils d'Ada, femme d'Ésaü, et Réuel, le fils de Basmat, femme d'Ésaü.

¹¹ Les fils d'Éliphaz furent : Témân, Omar, Çepho, Gaétam, Qenaz. ¹² Éliphaz, fils d'Ésaü, eut pour concubine Timna et elle lui enfanta Amaleq. Tels sont les fils d'Ada, la femme d'Ésaü.

¹³ Voici les fils de Réuel : Nahat, Zérah, Shamma, Mizza. Tels furent les fils de Basmat, la femme d'Ésaü.

¹⁴ Voici les fils d'Oholibama, fille d'Ana, fils de Çibéôn, la femme d'Ésaü : elle lui enfanta Yéush, Yalam et Qorah.

---

6. « *le pays de Séïr* » *Syr* ; « *le pays* » *H* ; « *du pays de Canaan* » *G.*
14. « *fils de Çibéôn* » *comme au v. 2.*

---

a) Ce passage appartient à la source « sacerdotale » qui ne dit rien de la discorde entre Jacob et Ésaü (voir les notes sur **27** 46 s et **35** 27-28) et explique leur séparation par une nécessité économique comme elle avait fait pour Abraham et Lot, et presque dans les mêmes termes.
b) Voir **32** 4.
c) On remarquera que — si l'on exclut le bâtard Amaleq — il y a douze noms, comme pour Israël, **35** 22ᵇ-26, et pour Ismaël, **25** 12-16.

= 36 9-14

Les chefs d'Édom[a].

15 Voici les chefs des fils d'Ésaü.

Fils d'Éliphaz, premier-né d'Ésaü : le chef Témân, le chef Omar, le chef Çepho, le chef Qenaz, 16 le chef Gaétam, le chef Amaleq. Tels sont les chefs d'Éliphaz au pays d'Édom, tels sont les fils d'Ada.

17 Et voici les fils de Réuel, le fils d'Ésaü : le chef Nahat, le chef Zérah, le chef Shamma, le chef Mizza. Tels sont les chefs de Réuel au pays d'Édom, tels sont les fils de Basmat, femme d'Ésaü.

18 Et voici les fils d'Oholibama, la femme d'Ésaü : le chef Yéush, le chef Yalam, le chef Qorah. Tels sont les chefs d'Oholibama, fille d'Ana, femme d'Ésaü.

19 Tels sont les fils d'Ésaü et tels sont leurs chefs. C'est Édom.

Descendance de Séïr le Horite[b].

20 Voici les fils de Séïr le Horite, les indigènes du pays : Lotân, Shobal, Çibéôn, Ana, 21 Dishôn, Éçer, Dishân, tels sont les chefs des Horites, les fils de Séïr au pays d'Édom. 22 Les fils de Lotân furent Hori et Hémam, et la sœur de Lotân était Timna. 23 Voici les fils de Shobal : Alvân, Manahat, Ébal, Shepho, Onam. 24 Voici les fils de Çibéôn :

---

16. *Au début H ajoute* « le chef Qorah » ; *omis par Sam, vient probablement du v.* 18.

---

a) Liste identique à la précédente, — sauf l'inversion de deux noms, — mais les fils et petits-fils d'Ésaü apparaissent comme les chefs des clans édomites. Pour « chef », l'hébreu emploie ici le mot *'allûp,* qui est réservé aux princes édomites (vv. 40 s) et horites (vv. 29 s) et est d'origine étrangère, probablement hurrite.

b) Liste des clans horites, les anciens habitants du pays de Séïr, dont le nom devient celui de leur ancêtre. D'après Dt 2 12 et 22, ils furent dépossédés par les Édomites. Il y eut plutôt une fusion des races : Timna du v. 22 est la concubine d'Éliphaz, v. 12 ; Oholibama du v. 25 est une femme d'Ésaü, v. 2.

Ayya, Ana — c'est cet Ana qui trouva les eaux chaudes[a] au désert en faisant paître les ânes de son père Çibéôn. [25] Voici les enfants d'Ana : Dishôn, Oholibama, fille d'Ana. [26] Voici les fils de Dishôn : Hemdân, Eshbân, Yitrân, Kerân. [27] Voici les fils d'Éçer : Bilhân, Zaavân, Aqân. [28] Voici les fils de Dishân : Uç et Arân.

[29] Voici les chefs des Horites : le chef Lotân, le chef Shobal, le chef Çibéôn, le chef Ana, [30] le chef Dishôn, le chef Éçer, le chef Dishân. Tels sont les chefs des Horites, d'après leurs clans, au pays de Séïr.

Les rois d'Édom[b].

[31] Voici les rois qui régnè- || 1 Ch **1** 43-50
rent au pays d'Édom avant
que ne régnât un roi des
Israélites[c]. [32] En Édom régna Béla, fils de Béor, et sa ville s'appelait Dinhaba. [33] Béla mourut et à sa place régna Yobab, fils de Zérah, de Boçra. [34] Yobab mourut et à sa place régna Husham du pays des Témanites. [35] Husham mourut et à sa place régna Hadad, fils de Bedad, qui battit les Madianites dans la campagne de Moab, et sa ville s'appelait Avvit. [36] Hadad mourut et à sa place régna Samla, de Masréqa. [37] Samla mourut et à sa place régna

---

30. « *leurs clans* » le⁺alpêhèm *G* ; « *leurs chefs* » le⁺allupêhèm *H*.

---

a) Mot unique de sens inconnu; la traduction suit celle de la Vulgate, qui n'est peut-être qu'une conjecture. Une autre hypothèse récente : « les serpents ».

b) La liste est reprise dans 1 Ch **1** 43-50. C'est un vieux document qui énumère les rois d'Édom depuis Béla, qui est peut-être le roi contemporain de Moïse, Nb **20** 14, jusqu'à Hadad, qui doit être le roi détrôné par David, 2 S **8** 13-14. Aucun de ces rois n'est le fils de son prédécesseur et la capitale change avec les règnes : indices d'une royauté élective ou de la prépondérance successive de clans différents. Plusieurs des noms sont arabes et témoignent encore du mélange des sangs en Édom.

c) C'est-à-dire « avant qu'un roi israélite ne régnât sur Édom », à partir de David, plutôt que « avant que ne régnât un roi en Israël » (comme a compris le grec), ce qui nous reporterait à l'époque de Saül.

Shaûl, de Rehobot-han-Nahar. [38] Shaûl mourut et à sa place régna Baal-Hanân, fils d'Akbor. [39] Baal-Hanân, fils d'Akbor, mourut et à sa place régna Hadad ; sa ville s'appelait Païe ; sa femme s'appelait Mehétabéel, fille de Matred, de Mé-Zahab.

|| 1 Ch **1** 51-54

Encore les chefs d'Édom[a].

[40] Voici les noms des chefs d'Ésaü, selon leurs clans et leurs lieux, d'après leurs noms : le chef Timna, le chef Alva, le chef Yetèt, [41] le chef Oholibama, le chef Éla, le chef Pinôn, [42] le chef Qenaz, le chef Témân, le chef Mibçar, [43] le chef Magdiel, le chef Iram. Tels sont les chefs d'Édom, selon leurs résidences au pays qu'ils possédaient. C'est Ésaü, père d'Édom.

37. [1] Mais Jacob demeura dans le pays où son père avait séjourné, dans le pays de Canaan.

IV

HISTOIRE DE JOSEPH[b]

Joseph et ses frères[c].

[2] Voici l'histoire de Jacob. Joseph avait dix-sept ans. Il gardait le petit bétail avec ses frères, — il était jeune, — avec les fils de Bilha et les

---

a) Ce dernier paragraphe, par son style, se rattache à la source « sacerdotale ». La liste est reprise dans 1 Ch **1** 51 s. Certains noms figurent dans les listes des vv. 15-30 (les femmes Timna et Oholibama deviennent des « chefs »), d'autres sont nouveaux et paraissent être des toponymes.

b) Toute la dernière partie de la Genèse est une biographie de Joseph. Seuls les ch. **38**, histoire de Tamar, et **49**, bénédictions de Jacob, interrompent le développement du récit : le complot des frères envoie Joseph en Égypte où, après de pénibles débuts, il atteint à une haute position. Alors que celle-ci lui permettrait de tirer vengeance des coupables, il utilise

fils de Zilpa, femmes de son père, et Joseph rapporta à leur père le mal qu'on disait d'eux.

³ Israël aimait Joseph plus que tous ses autres enfants, car il était le fils de sa vieillesse, et il lui fit faire une tunique à longues manches*a*. ⁴ Ses frères virent que son père l'aimait plus que tous ses autres fils et ils le prirent en haine, devenus incapables de lui parler amicalement.

---

37 4. « *tous ses autres fils* » *quelques Mss Sam G ;* « *tous ses frères* » *H.*

---

son crédit en leur faveur et les attire près de lui, avec leur vieux père. Après une vie remplie de bonnes œuvres, Joseph meurt enfin pleinement réconcilié avec ses frères. Au contraire des sections précédentes, cette histoire se déroule sans intervention visible de Dieu, sans révélation nouvelle, mais elle est tout entière un enseignement, qui est exprimé en clair à la fin, **50** 20 et déjà **45** 5-8 : la Providence divine se joue des calculs des hommes et sait faire tourner au bien leurs mauvais vouloirs. C'est elle qui a sauvé Joseph et l'a conduit au bonheur. Plus que cela, le crime des frères de Joseph devient l'instrument du dessein de Dieu : la venue des fils de Jacob en Égypte prépare la naissance du peuple élu. Toujours la même perspective de salut, qui traverse tout l'A. T., pour déboucher dans le Nouveau, en s'élargissant. C'est une esquisse de la Rédemption : comme Joseph a été conduit en Égypte pour le salut de sa race, Dieu enverra Jésus Christ pour « sauver la vie à un peuple nombreux », **50** 20; cf. **45** 7; comme Joseph a été vendu par ses frères, Jésus sera livré par Judas et le peuple juif. Le parallèle se poursuivra dans l'Exode et sera exploité par les Pères : passage de la mer Rouge et baptême, etc.

Par son contenu et son genre littéraire, cette admirable histoire est un écrit sapientiel qui, comme ceux de l'ancienne sagesse, a dû être composé dans l'entourage du roi. Elle peut dater du règne de Salomon, à une époque où la littérature sapientielle s'est développée en Israël et où des rapports de toute sorte — dont témoigne le récit — étaient entretenus avec l'Égypte; c'est d'ailleurs l'époque où les noms propres qui y sont mentionnés commencent d'être attestés en Égypte. Mais ce récit combine déjà les données de deux traditions, « yahviste » et « élohiste », qui étaient donc déjà constituées, si elles n'étaient pas mises par écrit.

c) Le v. 2 paraît être le débris d'une tradition parallèle, venant de la source « sacerdotale ». L'inimitié des frères a un motif vague et elle est restreinte aux enfants des concubines. L'histoire continue de Joseph commence au v. 3.

a) Le sens n'est pas certain. C'était, en tout cas, un vêtement princier, voir 2 S **13** 18. Symbole de la préférence du père, occasion de la haine des frères, cette tunique va être un des éléments du drame, vv. 23 et 31-33.

⁵ Or Joseph eut un songe[a] et il en fit part à ses frères.
⁶ Il leur dit : « Écoutez le rêve que j'ai fait : ⁷ il me paraissait que nous étions à lier des gerbes dans les champs[b],
et voici que ma gerbe se dressa et qu'elle se tint debout,
et vos gerbes l'entourèrent et elles se prosternèrent devant
ma gerbe. » ⁸ Ses frères lui répondirent : « Voudrais-tu
donc régner sur nous en roi ou bien nous dominer en
maître ? » et ils le haïrent encore plus, à cause de ses rêves
et de ses propos. ⁹ Il eut encore un autre songe, qu'il
raconta à ses frères. Il dit : « J'ai encore fait un rêve : il
me paraissait que le soleil, la lune et onze étoiles se pros-
ternaient devant moi. » ¹⁰ Il raconta cela à son père et à
ses frères, mais son père le gronda et lui dit : « En voilà
un rêve que tu as fait ! Allons-nous donc, moi, ta mère[c]
et tes frères, venir nous prosterner à terre devant toi ? »
¹¹ Ses frères furent jaloux de lui, mais son père gardait la
chose dans sa mémoire[d].

**Joseph vendu
par ses frères**[e].

¹² Ses frères allèrent paître
le petit bétail de leur père à
Sichem. ¹³ Israël dit à Joseph : « Tes frères ne sont-ils

---

5. *A la fin H ajoute « et ils le haïrent encore plus » ; omis par G, glose qui
anticipe sur le v. suivant.*

---

a) Les songes occupent une grande place dans l'histoire de Joseph,
songe des officiers, ch. **40**, de Pharaon, ch. **41** ; ce sont des prémonitions,
ce ne sont plus des apparitions divines comme à **20** 3 ; **28** 12 s ; **31** 11 et 24.
b) Sur cet aspect agricole de la vie des Patriarches, voir **26** 12.
c) Cependant Rachel est déjà morte, d'après **35** 19, mais notre récit
doit suivre une tradition qui plaçait plus tard la mort de Rachel et la naissance de Benjamin ; remarquer que Joseph apparaît comme le plus jeune
de ses frères, v. 3, et voir encore **43** 29.
d) Jacob, malgré sa réprimande à Joseph, se demande si les songes ne
viennent pas de Dieu et il attend en silence leur réalisation, cf. Dn **7** 28 ;
Lc **2** 19 et 51.
e) L'histoire de Joseph combine deux sources, « élohiste » et « yahviste »,
qu'on discerne bien ici (mais cf. la note au début du chapitre). D'après la

pas au pâturage à Sichem ? Viens, je vais t'envoyer vers
eux » et il répondit : « Je suis prêt. » [14] Il lui dit : « Va donc
voir comment se portent tes frères et le bétail, et rapporte-
moi des nouvelles. » Il l'envoya de la vallée d'Hébron et
Joseph arriva à Sichem.

[15] Un homme le rencontra errant dans la campagne et
cet homme lui demanda : « Que cherches-tu ? » [16] Il répondit : « Je cherche mes frères. Indique-moi, je te prie, où
ils paissent leurs troupeaux. » [17] L'homme dit : « Ils ont
décampé d'ici, je les ai entendus qui disaient : Allons à
Dotân »; Joseph partit en quête de ses frères et il les
trouva à Dotân[a].

[18] Ils l'aperçurent de loin et avant qu'il n'arrivât près
d'eux ils complotèrent de le faire mourir. [19] Ils se dirent
entre eux : « Voilà l'homme aux songes qui arrive !
[20] Maintenant, venez, tuons-le et jetons-le dans n'importe
quelle citerne; nous dirons qu'une bête féroce l'a dévoré.
Nous allons voir ce qu'il adviendra de ses songes ! »

[21] Mais Ruben entendit et il le sauva de leurs mains.
Il dit : « N'attentons pas à sa vie ! » [22] Ruben leur dit :
« Ne répandez pas le sang ! Jetez-le dans cette citerne du
désert, mais ne portez pas la main sur lui ! » C'était pour
le sauver de leurs mains et le ramener à son père. [23] Donc,
lorsque Joseph arriva près de ses frères, ils le dépouillè-
rent de sa tunique, la tunique à longues manches qu'il

---

17. *« je les ai entendus »* Sam G *; « j'ai entendu »* H.

---

première, les frères veulent tuer Joseph et Ruben obtient qu'on le jette
seulement dans une citerne, d'où il espère le retirer. Mais des marchands
madianites, passant à l'insu des frères, enlèvent Joseph et l'emmènent en
Égypte. D'après la seconde source, les frères veulent tuer Joseph, mais
Juda leur propose de le vendre plutôt à une caravane d'Ismaélites en route
pour l'Égypte. Les deux récits se rejoignent ensuite.

a) Aujourd'hui Tell Dotan, 30 km. au nord de Sichem.

portait. [24] Ils se saisirent de lui et le jetèrent dans la citerne ; c'était une citerne vide, où il n'y avait pas d'eau[a]. [25] Puis ils s'assirent pour manger.

Comme ils levaient les yeux, voici qu'ils aperçurent une caravane d'Ismaélites qui venait de Galaad. Leurs chameaux étaient chargés de gomme adragante, de baume, de ladanum[b], qu'ils allaient livrer en Égypte. [26] Alors Juda dit à ses frères : « Quel profit y aurait-il à tuer notre frère et couvrir son sang[c] ? [27] Venez, vendons-le aux Ismaélites, mais ne portons pas la main sur lui : il est notre frère, de la même chair que nous. » Et ses frères l'écoutèrent.

[28] Or des gens passèrent, des marchands madianites, et ils retirèrent Joseph de la citerne. Ils vendirent Joseph aux Ismaélites pour vingt sicles d'argent[d] et ceux-ci le conduisirent en Égypte. [29] Lorsque Ruben retourna à la citerne, voilà que Joseph n'y était plus ! Il déchira ses vêtements [30] et, revenant vers ses frères, il dit : « L'enfant n'est plus là ! Et moi, où vais-je aller ? »

[31] Ils prirent la tunique de Joseph et, ayant égorgé un bouc, ils trempèrent la tunique dans le sang. [32] Ils envoyèrent la tunique à longues manches, ils la firent porter à leur père avec ces mots : « Voilà ce que nous avons trouvé ! Regarde si ce ne serait pas la tunique de ton fils. » [33] Celui-ci regarda et dit : « C'est la tunique de mon fils ! Une bête féroce l'a dévoré, Joseph a été dépecé comme une proie ! »

---

a) C'est pourquoi Ruben l'a choisie, voulant ensuite sauver son frère.

b) Aromates que produisait la Palestine, **43** 11, surtout la région de Galaad, à l'est du Jourdain, Jr **8** 22, et qu'on appréciait en Égypte, spécialement pour les soins médicaux, Jr **46** 11, et la préparation des momies.

c) Pour éviter que le sang de la victime ne crie vengeance vers le ciel, **4** 10 et la note, le meurtrier le couvrait de terre, Ez **24** 7.

d) C'est le prix moyen d'un esclave en Mésopotamie ancienne ; c'est aussi à quoi est estimée la valeur d'un garçon entre 5 et 20 ans, d'après Lv **27** 5.

[34] Jacob déchira son vêtement, il mit un sac sur ses reins[a]
et fit le deuil de son fils pendant longtemps. [35] Tous ses fils
et ses filles vinrent pour le consoler, mais il refusa toute
consolation et dit : « Non, c'est en deuil[b] que je veux descendre au shéol auprès de mon fils. » Et son père le pleura.

[36] Cependant, les Madianites l'avaient vendu en Égypte
à Potiphar[c], eunuque de Pharaon et commandant des
gardes.

**Histoire de Juda
et de Tamar[d].**

38. [1] Il arriva, vers ce
temps-là, que Juda se sépara
de ses frères et se rendit chez
un homme d'Adullam[e] qui
se nommait Hira. [2] Là, Juda vit la fille d'un Cananéen qui
se nommait Shua, il la prit pour femme et s'unit à elle.
[3] Celle-ci conçut et enfanta un fils, qu'elle appela Er. [4] De
nouveau, elle conçut et enfanta un fils, qu'elle appela Onân.
[5] Encore une fois, elle enfanta un fils, qu'elle appela Shéla ;
elle se trouvait à Kezib[f] quand elle lui donna naissance.

---

38 3. « *qu'elle appela* » *plusieurs Mss Sam, cf. vv.* 4 *et* 5 ; « *qu'il appela* » *H.*
5. « *elle se trouvait* » *G* ; « *il se trouvait* » *H.*

---

a) Déchirer ses vêtements et porter le sac sont des coutumes de deuil
ou de pénitence, 2 S **3** 31 ; 1 R **21** 27, etc.

b) Jacob veut garder son vêtement de deuil le reste de sa vie, jusqu'à
ce qu'il rejoigne son fils au shéol, le séjour souterrain des morts ; cf. **42** 38
et la note.

c) Le nom, attesté en Égypte, signifie « Don de Râ » (le dieu solaire).

d) Dès son début, l'histoire de Joseph est interrompue par une tradition
« yahviste » relative aux origines de la tribu de Juda. Vivant à l'écart de
ses frères (alors que, d'après les ch. **37** et **42-50**, il n'est pas séparé d'eux),
Juda s'est allié aux Cananéens. De son union avec sa belle-fille Tamar, sont
issus les clans de Péreç et de Zérah, Nb **26** 21 ; 1 Ch **2** 3 s ; Péreç est l'ancêtre de David, Rt **4** 18 s, et par lui du Messie, Mt **1** 3 ; Lc **3** 33. Ainsi
s'affirment le mélange des sangs dans Juda et sa destinée distincte de
celle des autres tribus (Jg **1** 3 ; Dt **33** 7 et toute la suite de l'histoire).

e) Probablement Id-el-Ma, dans la montagne judéenne.

f) Peut-être identique à Akzib, Jos **15** 44 ; Mi **1** 14. Localisation
incertaine.

[6] Juda prit une femme pour son premier-né Er; elle se nommait Tamar. [7] Mais Er, premier-né de Juda, déplut à Yahvé, qui le fit mourir. [8] Alors Juda dit à Onân : « Va vers la femme de ton frère, remplis avec elle ton devoir de beau-frère[a] et assure une postérité à ton frère. » [9] Cependant Onân savait que la postérité ne serait pas sienne[b] et, chaque fois qu'il s'unissait à la femme de son frère, il laissait perdre à terre pour ne pas donner une postérité à son frère. [10] Ce qu'il faisait déplut à Yahvé[c], qui le fit mourir lui aussi. [11] Alors Juda dit à sa belle-fille Tamar : « Retourne comme une veuve chez ton père[d], en attendant que grandisse mon fils Shéla[e]. » Il se disait : « Il ne faut pas que celui-là meure comme ses frères. » Tamar s'en retourna donc chez son père.

[12] Bien des jours passèrent et la fille de Shua, la femme de Juda, mourut. Lorsque Juda fut consolé[f], il monta à Timna pour la tonte de ses brebis, lui et Hira, son ami

---

11. « *Retourne* » šubî *conj.* *cf.* Lv **22** 13; « *Reste* » šᵉbî *H.* — « *s'en retourna* » wattâšâb *conj.*; « *resta* » wattéšèb *H.*

---

a) Dans l'antique Israël, comme chez d'autres peuples orientaux (Hittites, Assyriens), le frère d'un homme mort sans enfants avait l'obligation d'épouser la veuve du défunt, pour assurer la perpétuité de son nom. C'est la loi du « lévirat » (ainsi appelée du latin *levir* « beau-frère »). Elle fut codifiée, sous une forme adoucie, dans Dt **25** 5-10, et s'est maintenue dans le Judaïsme postérieur, malgré l'opposition de certains groupes, Mt **22** 23 s.

b) Le premier-né d'un mariage léviratique était reconnu comme le fils et l'héritier du défunt, Dt **25** 6.

c) Dieu condamne à la fois l'égoïsme d'Onân et le péché qu'il commet contre la loi naturelle et donc divine du mariage.

d) C'était la règle pour une veuve sans enfants, Lv **22** 13; Rt **1** 8.

e) La loi du lévirat atteint successivement tous les frères survivants du défunt, Mt **22** 23 s.

f) C'est-à-dire simplement « lorsqu'il eut accompli tous les rites du deuil », cf. Jr **16** 7. La mort de la femme de Juda n'est mentionnée que pour atténuer le scandale de sa liaison avec une prostituée, v. 15. Sans doute la loi n'interdisait pas à un homme marié d'avoir de tels rapports, mais le sens moral était plus exigeant.

d'Adullam. ¹³ On avertit Tamar : « Voici, lui dit-on, que ton beau-père monte à Timna pour tondre ses brebis. » ¹⁴ Alors, elle quitta ses vêtements de veuve, elle se couvrit d'un voile, s'enveloppa*ᵃ* et s'assit à l'entrée d'Énayim, qui est sur le chemin de Timna*ᵇ*. Elle voyait bien que Shéla était devenu grand et qu'elle ne lui avait pas été donnée pour femme*ᶜ*.

¹⁵ Juda l'aperçut et la prit pour une prostituée, car elle s'était voilé le visage. ¹⁶ Il se dirigea vers elle sur le chemin et dit : « Laisse, que j'aille avec toi ! » Il ne savait pas que c'était sa belle-fille. Mais elle demanda : « Que me donneras-tu pour aller avec moi ? » ¹⁷ Il répondit : « Je t'enverrai un chevreau du troupeau. » Mais elle reprit : « Oui, si tu me donnes un gage en attendant que tu l'envoies ! » ¹⁸ Il demanda : « Quel gage te donnerai-je ? » et elle répondit : « Ton sceau et ton cordon et la canne que tu as à la main*ᵈ*. » Il les lui donna et alla avec elle, qui devint enceinte de lui. ¹⁹ Elle se leva, partit, enleva son voile et reprit ses vêtements de veuve.

²⁰ Juda envoya le chevreau par l'intermédiaire de son ami d'Adullam, pour reprendre les gages des mains de la

---

17. « *Je t'enverrai* » Vers.; « *J'enverrai* » H.

a) Ou peut-être « se parfuma », d'après le sens de la racine en ugaritique et en arabe : Tamar se voile pour n'être pas reconnue par Jacob et elle se parfume pour l'attirer.

b) Timna, aujourd'hui Tibna à l'ouest de Bethléem, et Énayim, site incertain, sont citées parmi les villes judéennes dans Jos **15** 34 et 57.

c) Tamar, mise comme une prostituée, attend Juda sur le chemin. Elle est poussée, non par l'impudicité, mais par le désir sauvage d'avoir un enfant du sang de son mari défunt; elle accepte le déshonneur apparent et elle risque la mort, v. 24, pour obtenir ce qu'elle considère comme son droit. Juda reconnaîtra qu'elle est « juste », v. 26, et ses descendants loueront son action, qui passait pour héroïque, Rt **4** 12.

d) Un homme distingué ne se déplaçait pas sans son sceau, enfilé à un cordon, et son bâton orné. Ces objets étaient strictement personnels, de vraies pièces d'identité.

femme, mais celui-ci ne la retrouva pas. ²¹ Il demanda aux
gens du lieu : « Où est cette prostituée ᵃ qui était à Énayim,
sur le chemin ? » Mais ils répondirent : « Il n'y a jamais eu
là de prostituée ! » ²² Il revint donc auprès de Juda et dit :
« Je ne l'ai pas retrouvée. Et même, les gens du lieu m'ont
dit qu'il n'y avait jamais eu là de prostituée. » ²³ Juda
reprit : « Qu'elle garde tout : il ne faut pas qu'on se moque
de nous ᵇ, mais j'ai bien envoyé le chevreau que voici, et
toi, tu ne l'as pas retrouvée. »

²⁴ Environ trois mois après, on avertit Juda : « Ta belle-
fille Tamar, lui dit-on, s'est prostituée, elle est même
enceinte par suite de son inconduite. » Alors Juda ordonna :
« Qu'elle soit amenée dehors et brûlée vive ᶜ ! » ²⁵ Mais,
comme on l'amenait, elle envoya dire à son beau-père :
« C'est de l'homme à qui appartient cela que je suis
enceinte. Examine donc, dit-elle, à qui sont ce sceau, ce
cordon et cette canne. » ²⁶ Juda les examina et dit : « Elle
est plus juste que moi. C'est qu'en effet je ne lui avais pas
donné mon fils Shéla ᵈ. » Et il n'eut plus de rapports
avec elle.

²⁷ Lorsque vint le temps de ses couches, il apparut
qu'elle avait dans son sein des jumeaux. ²⁸ Pendant
l'accouchement, l'un d'eux tendit la main et la sage-femme

---

21. « *du lieu* » *Sam G Syr* ; « *de son lieu* » *H.*

---

a) Proprement « prostituée sacrée », hiérodule d'un culte païen. Nous
sommes en milieu cananéen.
b) Juda préfère que son aventure peu honorable ne soit pas ébruitée.
Il souligne seulement, dans la fin du v., qu'il a rempli son engagement.
c) Tamar est femme d'Er et, par la loi du lévirat, promise à Shéla. Bien
qu'habitant chez son père, elle reste donc sous l'autorité de Juda, qui la
condamne comme adultère. La loi postérieure, Dt **22** 23 s; Jn **8** 5, punis-
sait cette faute par la lapidation, mais il semble que la coutume primitive imposait la peine du feu, qui fut maintenue pour les filles des prêtres,
Lv **21** 9.
d) Voir les notes sur les vv. 11 et 14.

la saisit et y attacha un fil écarlate, en disant : « C'est
celui-là qui est sorti le premier. » ²⁹ Mais il advint qu'il
retira sa main et ce fut son frère qui sortit. Alors elle dit :
« Comme tu t'es ouvert une brèche ! » Et on l'appela
Péreç*ᵃ*. ³⁰ Ensuite sortit son frère, qui avait le fil écarlate
à la main, et on l'appela Zérah*ᵇ*.

39. ¹ Joseph avait donc
Les débuts de Joseph   été emmené en Égypte. Poti-
en Égypte *ᶜ*.   phar, eunuque de Pharaon
                             et commandant des gardes,
un Égyptien, l'acheta des Ismaélites qui l'avaient amené
là-bas. ² Or Yahvé assista Joseph, à qui tout réussit, et il
resta dans la maison de son maître, l'Égyptien*ᵈ*. ³ Comme
son maître voyait que Yahvé l'assistait et faisait réussir
entre ses mains tout ce qu'il entreprenait, ⁴ Joseph trouva
grâce devant ses yeux : il fut attaché au service du maître,
qui l'institua son majordome et lui confia tout ce qui lui
appartenait. ⁵ Et, à partir du moment où il l'eut mis en
charge de sa maison et de tout ce qui lui appartenait,
Yahvé bénit la maison de l'Égyptien, en considération de
Joseph : la bénédiction de Yahvé atteignit tout ce qu'il

a) « Péreç » signifie « brèche ».
b) Le nom de Zérah doit faire allusion au fil rouge qui liait sa main. De
fait, dans les langues apparentées à l'hébreu, le rouge foncé est désigné
par un mot de la même racine.
c) Ce récit continue le ch. **37**, dans la ligne de la tradition « yahviste ».
Vendu à un Égyptien anonyme, Joseph gagne la faveur de son maître, mais
la femme de celui-ci, déçue dans ses désirs impurs, le calomnie et il est jeté
en prison ; il y mérite la confiance du geôlier chef. C'est le développement
du thème central de l'histoire de Joseph : Dieu fait tout concourir au bien
de ceux qu'il aime, voir la note au début du ch. **37**. Le ch. **40**, d'origine « élohiste », racontera l'histoire d'une manière un peu différente :
vendu à Potiphar, commandant des gardes, Joseph est chargé par lui du
soin de deux prisonniers de marque, dont il interprète les songes, ce qui
assurera ensuite sa faveur auprès de Pharaon. Ces deux traditions ont été
conservées, unifiées par quelques retouches rédactionnelles, ici la mention
de Potiphar au v. ɪ, celle des prisonniers du roi au v. 20.
d) Il ne fut pas mis à travailler aux champs.

possédait à la maison et aux champs. ⁶ Alors, il abandonna
entre les mains de Joseph tout ce qu'il avait et, avec lui,
il ne se préoccupa plus de rien, sauf de la nourriture
qu'il prenait. Joseph avait une belle prestance et un beau
visage.

**Joseph
et la séductrice**ᵃ.

⁷ Il arriva, après ces événements, que la femme de
son maître jeta les yeux sur
Joseph et dit : « Couche avec
moi ! » ⁸ Mais il refusa et dit à la femme de son maître :
« Avec moi, mon maître ne se préoccupe pas de ce qui se
passe à la maison et il m'a confié tout ce qui lui appartient.
⁹ Lui-même n'est pas plus puissant que moi dans cette
maison : il ne m'a rien interdit que toi, parce que tu es sa
femme. Comment pourrais-je accomplir un aussi grand
mal et pécher contre Dieu ? » ¹⁰ Bien qu'elle parlât à
Joseph chaque jour, il ne consentit pas à coucher à son
côté, à se donner à elle.

¹¹ Or, un certain jour, Joseph vint à la maison pour faire
son service et il n'y avait là, dans la maison, aucun des
domestiques. ¹² La femme le saisit par son vêtement en
disant : « Couche avec moi ! » mais il abandonna le vêtement entre ses mains, prit la fuite et sortit. ¹³ Voyant
qu'il avait laissé le vêtement entre ses mains et qu'il s'était
enfui dehors, ¹⁴ elle appela ses domestiques et leur dit :
« Voyez cela ! Il nous a amené un Hébreu pour badiner
avec nous ! Il m'a approchée pour coucher avec moi, mais
j'ai poussé un grand cri, ¹⁵ et en entendant que j'élevais

---

a) Joseph est offert comme un modèle de pureté. L'épisode présente
des analogies frappantes avec un conte égyptien de la XIXᵉ dynastie, le
Conte des Deux Frères, qui a peut-être influencé notre récit, mais le thème
est assez fréquent dans les littératures populaires pour que la Bible ne l'ait
pas nécessairement emprunté à l'Égypte. Pr **5-7** met les jeunes gens en
garde contre les femmes adultères.

la voix et que j'appelais il a laissé son vêtement près de moi, il a pris la fuite et il est sorti. »

¹⁶ Elle déposa le vêtement à côté d'elle en attendant que le maître vînt à la maison. ¹⁷ Alors, elle lui dit les mêmes paroles : « L'esclave hébreu que tu nous a amené m'a approchée pour badiner avec moi ¹⁸ et, quand j'ai élevé la voix et appelé, il a laissé son vêtement près de moi et il s'est enfui dehors. » ¹⁹ Lorsque le mari entendit ce que lui disait sa femme : « Voilà de quelle manière ton esclave a agi envers moi », sa colère s'enflamma. ²⁰ Le maître de Joseph le fit saisir et mettre en geôle*ᵃ*, là où étaient détenus les prisonniers du roi.

Ainsi, il demeura en geôle.

Joseph en prison. ²¹ Mais Yahvé assista Joseph, il étendit sur lui sa bonté et lui fit trouver grâce aux yeux du geôlier chef. ²² Le geôlier chef confia à Joseph tous les détenus qui étaient en geôle; tout ce qui s'y faisait se faisait par lui. ²³ Le geôlier chef ne s'occupait en rien de ce qui lui était confié, parce que Yahvé l'assistait et faisait réussir ce qu'il entreprenait.

40. ¹ Il arriva, après ces

Joseph interprète les songes des officiers de Pharaonᵇ. événements, que l'échanson du roi d'Égypte et son panetier se rendirent coupables envers leur maître, le roi d'Égypte. ² Pharaon s'irrita contre ses deux eunuques, le

---

a) L'hébreu a un mot qui n'est employé que dans ce récit et au début du ch. **40**, mais le sens est certain.

b) Ce récit est « élohiste », sauf quelques retouches. Il se développe avec beaucoup d'art : les deux officiers ont, la même nuit, un songe analogue; la réponse donnée à l'échanson éveille chez le panetier l'espoir d'une interprétation aussi favorable; de fait, tous les deux seront relâchés le même jour, mais l'un sera gracié et l'autre pendu. On attend alors que l'échanson intervienne en faveur de Joseph, mais il l'oublie. L'intérêt reste en suspens; il rebondira à l'épisode suivant, que celui-ci prépare.

grand échanson et le grand panetier, ³ et il les mit aux arrêts chez le commandant des gardes, dans la geôle où Joseph était détenu. ⁴ Le commandant des gardes leur adjoignit Joseph pour qu'il les servît et ils restèrent un certain temps aux arrêts.

⁵ Or, une même nuit, tous deux eurent un songe ayant pour chacun sa signification, l'échanson et le panetier du roi d'Égypte, qui étaient détenus dans la geôle. ⁶ Venant les trouver le matin, Joseph s'aperçut qu'ils étaient maussades ⁷ et il demanda aux eunuques de Pharaon qui étaient avec lui aux arrêts chez son maître : « Pourquoi faites-vous mauvais visage aujourd'hui ? » ⁸ Ils lui répondirent : « Nous avons eu un songe et il n'y a personne pour l'interpréter*ᵃ*. » Joseph leur dit : « C'est Dieu qui donne l'interprétation ; mais, racontez-moi donc ! »

⁹ Le grand échanson raconta à Joseph le songe qu'il avait eu : « J'ai rêvé, dit-il, qu'il y avait devant moi un cep de vigne, ¹⁰ et sur le cep trois sarments : dès qu'il bourgeonna, il monta en fleur, ses grappes firent mûrir les raisins. ¹¹ J'avais en mains la coupe de Pharaon, je pris les raisins, je les pressai sur la coupe de Pharaon et je mis la coupe dans la main de Pharaon. » ¹² Joseph lui dit : « Voici ce que cela signifie : les trois sarments représentent trois jours. ¹³ Encore trois jours et Pharaon te relèvera la tête, et il te rendra ton emploi : tu mettras la coupe de Pharaon en sa main, comme tu avais coutume de faire autrefois où tu étais son échanson. ¹⁴ Souviens-toi de moi, lorsqu'il te sera arrivé du bien, et sois assez bon pour parler de moi à Pharaon, qu'il me fasse sortir de cette maison. ¹⁵ En

---

a) Les Égyptiens attachaient aux rêves une valeur de présages. On a retrouvé récemment, sur un papyrus, une sorte de « clé des songes », où ceux-ci sont interprétés, comme ici, par des similitudes ou des jeux de mots.

effet, j'ai été enlevé du pays des Hébreux et ici même je n'ai rien fait pour qu'on me mette en prison. »

¹⁶ Le grand panetier vit que c'était une interprétation favorable et il dit à Joseph : « Moi aussi, j'ai rêvé : il y avait trois corbeilles de gâteaux sur ma tête. ¹⁷ Dans la corbeille du dessus, il y avait de tout ce que mange Pharaon en fait de pâtisseries, mais les oiseaux les mangeaient dans la corbeille, sur ma tête. » ¹⁸ Joseph lui répondit ainsi : « Voici ce que cela signifie : les trois corbeilles représentent trois jours. ¹⁹ Encore trois jours et Pharaon te relèvera la tête[a], et il te pendra au gibet et les oiseaux mangeront la chair de dessus toi. »

²⁰ Effectivement, le troisième jour, qui était l'anniversaire de Pharaon, celui-ci donna un banquet à tous ses officiers et il relâcha le grand échanson et le grand panetier au milieu de ses officiers. ²¹ Il rétablit le grand échanson dans son échansonnerie et celui-ci mit la coupe dans la main de Pharaon; ²² quant au grand panetier, il le pendit, comme Joseph lui avait expliqué. ²³ Mais le grand échanson ne se souvint pas de Joseph, il l'oublia[b].

Les songes de Pharaon[c].

41. ¹ Deux ans après, il advint que Pharaon eut un songe : il se tenait près du Nil ² et il vit monter du Nil

---

40 19. *Après « la tête » H ajoute « de dessus toi », glose influencée par la fin du v.*

---

a) L'expression a généralement un sens favorable, cf. v. 13 et 2 R **25** 27; Jr **52** 31. Mais il y a ici un jeu de mots tragique : la tête de l'échanson sera « élevée », il sera gracié, v. 13 ; la tête du panetier sera « élevée » aussi : il sera pendu.

b) Ingratitude des heureux du monde envers ceux qui les ont obligés en un moment difficile.

c) Ce récit continue le précédent et vient de la même source. Seulement, à partir surtout du v. 33, s'y mêlent les restes d'une tradition parallèle qu'on attribue au courant « yahviste ». Cet épisode marque le tournant

sept vaches de belle apparence et grasses de chair, qui pâturèrent dans les joncs. ³ Mais voici que sept autres vaches montèrent du Nil derrière elles, laides d'apparence et maigres de chair, et elles se rangèrent à côté des premières, sur la rive du Nil. ⁴ Et les vaches laides d'apparence et maigres de chair dévorèrent les sept vaches grasses et belles d'apparence. Alors Pharaon s'éveilla.

⁵ Il se rendormit et eut un second rêve : sept épis montaient d'une même tige, gros et beaux. ⁶ Mais voici que sept épis grêles et brûlés par le vent d'est poussèrent après eux. ⁷ Et les épis grêles engloutirent les sept épis gros et pleins. Alors Pharaon s'éveilla : voilà que c'était un rêve !

⁸ Au matin, l'esprit troublé, Pharaon fit appeler tous les devins et tous les sages d'Égypte et il leur raconta son rêve, mais personne ne put l'expliquer à Pharaon[a]. ⁹ Alors, le grand échanson adressa la parole à Pharaon et dit : « Je dois confesser aujourd'hui mes fautes ! ¹⁰ Pharaon s'était irrité contre ses serviteurs et les avait mis aux arrêts chez le commandant des gardes, moi et le grand panetier. ¹¹ Nous eûmes un songe, la même nuit, lui et moi, mais la signification du songe était différente pour chacun. ¹² Il y avait là

---

41 8. « *l'expliquer* » G cf. v. 15 ; « *les expliquer* » H.
   10. « *les avait mis* » Sam Targ ; « *m'avait mis* » H.

---

décisif dans l'histoire de Joseph : la fin de ses épreuves et le début de sa grandeur. Mais ce retournement du sort vient de Dieu, qui éclaire pour lui les songes de Pharaon, v. 16. Comme dans toute cette fin de la Genèse, l'action de Dieu est moins éclatante que dans les histoires d'Abraham ou de Jacob, mais elle est aussi profonde et efficace. C'est aussi l'avenir du peuple qui se prépare en secret : la famine sera l'occasion de la descente des fils de Jacob en Égypte, la position acquise par Joseph facilitera leur établissement.

a) L'Égypte était la terre des magiciens et des sages, Ex **7** 11 et 22; **8** 3; 1 R **5** 10; Is **19** 11-13, mais leur science était éclipsée par celle que Dieu dispense aux siens. Le thème se retrouve dans l'histoire de Moïse, Ex **7-8**, spécialement **8** 14-15. Cf. aussi, dans un autre cadre, Dn **2**.

avec nous un jeune Hébreu, un esclave du commandant des gardes. Nous lui avons raconté nos songes et il nous les a interprétés : il a donné à chacun l'interprétation de son rêve. [13] Et juste comme il nous l'avait expliqué, ainsi arriva-t-il : je fus rétabli dans mon emploi et l'autre fut pendu[a]. »

[14] Alors Pharaon fit appeler Joseph, et on l'amena en hâte de la prison. Il se rasa, changea de vêtements et se présenta devant Pharaon. [15] Pharaon dit à Joseph : « J'ai eu un songe et personne ne peut l'interpréter. Mais j'ai entendu dire de toi qu'il te suffit d'entendre un songe pour savoir l'interpréter. » [16] Joseph répondit à Pharaon : « Je ne compte pas ! C'est Dieu qui donnera à Pharaon une réponse favorable[b]. »

[17] Alors Pharaon parla ainsi à Joseph[c] : « Dans mon songe, il me semblait que je me tenais sur la rive du Nil. [18] Voici que montèrent du Nil sept vaches grasses de chair et belles d'aspect, qui pâturèrent dans les joncs. [19] Mais voici que sept autres vaches montèrent après elles, efflanquées, très laides d'aspect et maigres de chair, je n'en ai jamais vu d'aussi laides dans tout le pays d'Égypte. [20] Les vaches maigres et laides dévorèrent les sept premières, les vaches grasses. [21] Et lorsqu'elles les eurent avalées, on ne s'aperçut pas qu'elles les avaient avalées, car leur apparence était aussi laide qu'au début. Là-dessus, je m'éveillai. [22] Puis j'ai vu en songe sept épis monter d'une même tige, pleins et beaux. [23] Mais voici que sept épis desséchés, grêles et brûlés par le vent d'est poussèrent après eux. [24] Et les épis grêles engloutirent les sept beaux épis. J'ai

---

a) Voir le ch. **40**.

b) Cf. **40** 8.

c) Ces longues répétitions — on en trouvera d'autres dans les ch. **42-44** — ne sont pas une maladresse, elles sont une loi du style narratif antique né de la récitation orale. D'ailleurs de légers changements dans l'exposé et dans le vocabulaire témoignent d'un réel souci littéraire.

dit cela aux devins, mais il n'y a personne qui me donne la solution. »

²⁵ Joseph dit à Pharaon : « Le songe de Pharaon ne fait qu'un : Dieu a annoncé à Pharaon ce qu'il va accomplir. ²⁶ Les sept belles vaches représentent sept années, et les sept beaux épis représentent sept années, c'est un seul et même songe. ²⁷ Les sept vaches maigres et laides qui montent ensuite représentent sept années et aussi les sept épis grêles et brûlés par le vent d'est : c'est qu'il y aura sept années de famine*a*. ²⁸ C'est ce que j'ai dit à Pharaon; Dieu a montré à Pharaon ce qu'il va accomplir : ²⁹ voici que viennent sept années où il y aura grande abondance dans tout le pays d'Égypte, ³⁰ puis leur succéderont sept années de famine et on oubliera toute l'abondance dans le pays d'Égypte; la famine épuisera le pays ³¹ et l'on ne saura plus ce qu'était l'abondance dans le pays, en face de cette famine qui suivra, car elle sera très dure. ³² Et si le songe de Pharaon s'est renouvelé deux fois, c'est que la chose est bien décidée de la part de Dieu et que Dieu a hâte de l'accomplir.

³³ « Maintenant, que Pharaon discerne un homme intelligent et sage et qu'il l'établisse sur le pays d'Égypte. ³⁴ Que Pharaon agisse et qu'il institue des fonctionnaires sur le pays; il imposera au cinquième le pays d'Égypte pendant les sept années d'abondance, ³⁵ ils ramasseront

27. « *grêles* » haddaqqôt *Sam G Targ Syr* ; « *vides* » hâréqôt *H*.

a) C'est le point important qui va être développé. Malgré sa fertilité proverbiale, l'Égypte n'était pas à l'abri de la disette. De nombreux textes en témoignent, en particulier une inscription d'époque ptolémaïque, qui rappelle une famine de sept années survenue pendant l'Ancien Empire. La calamité pouvait venir d'une crue insuffisante du Nil, plus souvent d'une mauvaise gestion. Précisément, c'est la bonne administration de Joseph qui évitera au peuple les affres de la faim.

tous les vivres de ces bonnes années qui viennent, ils
emmagasineront le blé sous l'autorité de Pharaon, ils
mettront les vivres dans les villes et les y garderont. [36] Ces
vivres serviront de réserve au pays pour les sept années
de famine qui s'abattront sur le pays d'Égypte, et le pays
ne sera pas exterminé par la famine[a]. »

[37] Le discours plut à Pha-

Élévation de Joseph.   raon et à tous ses officiers
[38] et Pharaon dit à ses offi-
ciers : « Trouverons-nous un homme comme celui-ci, en
qui soit l'esprit de Dieu ? » [39] Alors Pharaon dit à Joseph :
« Après que Dieu t'a fait connaître tout cela, il n'y a personne d'intelligent et de sage comme toi. [40] C'est toi qui
seras mon maître du palais et tout mon peuple se confor-
mera à tes ordres, je ne te dépasserai que par le trône. »
[41] Pharaon dit à Joseph : « Vois : je t'établis sur tout le
pays d'Égypte » [42] et Pharaon ôta son anneau de sa main
et le mit à la main de Joseph, il le revêtit d'habits de lin fin
et lui passa au cou le collier d'or. [43] Il le fit monter sur le
meilleur char qu'il avait après le sien et on criait devant lui
« Abrek »[b]. Ainsi fut-il établi sur tout le pays d'Égypte.

---

35. « *ils mettront* » *conj. cf. v.* 48 ; *omis par H.*

---

a) Ces conseils montrent que le don d'inspiration s'allie chez Joseph
aux qualités pratiques d'un administrateur. L'impôt du cinquième, ici
mesure d'exception dont Joseph fera une règle d'après **47** 26, correspond
à un usage attesté par les documents égyptiens ; les greniers publics sont
également connus par les textes et par les fouilles. La tradition israélite
faisait honneur à Joseph de ces mesures de bon gouvernement. Un double
avis est donné : nommer un vizir qui prélèvera le cinquième des bonnes
récoltes, instituer plusieurs fonctionnaires qui emmagasineront tous les
vivres ; cette dualité ne s'explique que par la fusion de deux traditions
parallèles, que révèlent aussi les doublets du paragraphe suivant.
b) Cette scène d'investiture est bien égyptienne : Joseph devient le vizir
d'Égypte, et comme celui-ci il n'a d'autre supérieur que le Pharaon, il
régit sa maison qui est le siège de l'administration, il détient le sceau royal ;

[44] Pharaon dit à Joseph : « Je suis Pharaon, mais sans ta permission personne ne lèvera la main ni le pied dans tout le pays d'Égypte. » [45] Et Pharaon imposa à Joseph le nom de Çophnat-Panéah et il lui donna pour femme Asnat, fille de Poti-Phéra, prêtre d'On[a]. Et Joseph partit pour le pays d'Égypte.

[46] Joseph avait trente ans lorsqu'il se présenta devant Pharaon, roi d'Égypte, et Joseph quitta la présence de Pharaon et parcourut tout le pays d'Égypte. [47] Pendant les sept années d'abondance, la terre produisit à profusion [48] et il ramassa tous les vivres des sept années où il y eut abondance au pays d'Égypte et déposa les vivres dans les villes, mettant dans chaque ville les vivres de la campagne environnante. [49] Joseph emmagasina le blé comme le sable de la mer, en telle quantité qu'on renonça à en faire le compte, car cela dépassait toute mesure.

Les fils de Joseph. [50] Avant que vînt l'année de la famine, il naquit à Joseph deux fils que lui donna Asnat, fille de Poti-Phéra, prêtre d'On. [51] Joseph donna à l'aîné le nom de Manassé, « car, dit-il, Dieu m'a fait oublier toute ma peine et toute la famille de mon père ». [52] Quant

---

48. « *où il y eut abondance* » Sam G ; « *qu'il il y eut* » H.

---

le lin fin dont il est revêtu est désigné par un mot égyptien *shes,* le collier d'or est une décoration dont la remise par le Pharaon est illustrée par des scènes figurées. Les coureurs qui précèdent son char d'honneur crient « Abrek », qui peut encore s'expliquer par l'égyptien *'ib-r-k* « ton cœur à toi », « attention ». D'autres y reconnaissent une forme égyptianisée du sémitique *brk* : « Prosternez-vous ! »

a) Ce sont de bons noms égyptiens : *Çophnat Panéah* = « Dieu dit : il est vivant », *Asnat* = « Appartenant à la déesse Neith », *Poti-Phéra,* même nom que Potiphar de **37** 36 sous une forme pleine. Le beau-père de Joseph est prêtre d'On = Héliopolis, centre du culte solaire, dont le sacerdoce avait un rôle politique important. Joseph est allié à la plus haute noblesse d'Égypte.

au second, il l'appela Éphraïm, « car, dit-il, Dieu m'a rendu fécond au pays de mon malheur »[a].

[53] Alors prirent fin les sept années d'abondance qu'il y eut au pays d'Égypte [54] et commencèrent à venir les sept années de famine, comme l'avait dit Joseph. Il y avait famine dans tous les pays, mais il y avait du pain dans tout le pays d'Égypte. [55] Tout le pays d'Égypte souffrit de la faim et le peuple demanda à grands cris du pain à Pharaon, mais Pharaon dit à tous les Égyptiens : « Allez à Joseph et faites ce qu'il vous dira. » — [56] La famine sévissait par toute la terre. — Alors Joseph ouvrit tous les magasins à blé et vendit du grain aux Égyptiens. La famine s'aggrava encore au pays d'Égypte. [57] De toute la terre on vint en Égypte pour acheter du grain à Joseph, car la famine s'aggravait par toute la terre[b].

Première rencontre de Joseph et de ses frères[c].

42. [1] Jacob, voyant qu'il y avait du grain à vendre en Égypte, dit à ses fils : « Pourquoi restez-vous à vous regarder ? [2] J'ai appris, leur dit-il, qu'il y avait du grain à vendre en Égypte. Descendez-y et achetez-nous du grain de là-bas, pour que nous restions en vie et ne mourions pas. » [3] Dix des frères de

---

56. « *tous les magasins à blé* » kol-'oṣᵉrôt bar *cf.* G Syr ; « *tout ce qui était en eux* » kol-'ăšèr bâhèm H. — « *et rendit* » wayyašbér Sam^mss; « *et acheta* » wayyišbor H.

---

a) Le nom de Mᵉnaššèh est expliqué par naššani « il m'a fait oublier », celui d''Éphrâïm par hiprâni « il m'a rendu fécond ». Comparer les autres étymologies de la Genèse, en particulier celles des fils de Jacob, **29** 31-**30** 24.
b) Prépare le récit suivant.
c) Ce chapitre est presque entièrement « élohiste », mais la tradition « yahviste » connaissait aussi une première rencontre avec Joseph, qui est présupposée par le récit « yahviste » du ch. **43** et qui apparaît ici par des bribes, en particulier aux vv. 27-28 et 38.

Joseph descendirent donc pour acheter du blé en Égypte.
⁴ Quant à Benjamin, le frère de Joseph, Jacob ne l'envoya
pas avec les autres : « Il ne faut pas, se disait-il, qu'il lui
arrive malheur*a*. »

⁵ Les fils d'Israël, mêlés aux autres voyageurs, allèrent
donc pour acheter du grain, car la famine sévissait au pays
de Canaan. ⁶ Joseph — il avait autorité sur le pays — était
celui qui vendait le grain à tout le monde. Les frères de
Joseph arrivèrent et se prosternèrent devant lui, la face
contre terre. ⁷ Dès que Joseph vit ses frères il les reconnut,
mais il feignit de leur être étranger et leur parla durement*b*.
Il leur demanda : « D'où venez-vous ? » et ils répondirent :
« Du pays de Canaan pour acheter des vivres. »

⁸ Ainsi Joseph reconnut ses frères, mais eux ne le recon-
nurent pas. ⁹ Joseph se souvint des songes qu'il avait eus
à leur sujet*c* et il leur dit : « Vous êtes des espions ! C'est
pour reconnaître les points faibles du pays que vous êtes
venus. » ¹⁰ Ils protestèrent : « Non, Monseigneur ! Tes
serviteurs sont venus pour acheter des vivres. ¹¹ Nous
sommes tous les fils d'un même homme, nous sommes
sincères, tes serviteurs ne sont pas des espions. » ¹² Mais
il leur dit : « Non ! Ce sont les points faibles du pays que
vous êtes venus voir. » ¹³ Ils répondirent : « Tes serviteurs sont au nombre de douze, tous frères, tous fils d'un
même homme, au pays de Canaan : le plus jeune est maintenant avec notre père et il y en a un qui n'est plus. »

---

a) L'affection spéciale de Jacob pour Benjamin est l'un des thèmes de
cette histoire, v. 38, et rendra dramatique le dernier épisode, **44** 27-34.

b) Dans les scènes qui suivent, l'attitude de Joseph sera mélangée de
sévérité et de tendresse. La sévérité fera sentir à ses frères le poids de leur
faute et les conduira au repentir, la tendresse sort de son cœur et triom-
phera enfin.

c) Voir **37** 5-11 ; les songes sont réalisés : les frères de Joseph sont à ses
pieds, v. 6.

¹⁴ Joseph reprit : « C'est comme je vous ai dit : vous êtes des espions ! ¹⁵ Voici l'épreuve que vous subirez : aussi vrai que Pharaon est vivant, vous ne partirez pas d'ici à moins que votre jeune frère n'y vienne ! ¹⁶ Envoyez l'un de vous chercher votre frère; pour vous, restez prisonniers. On éprouvera vos paroles et l'on verra si la vérité est avec vous ou non. Si non, aussi vrai que Pharaon est vivant, vous êtes des espions ! » ¹⁷ Et il les mit tous en prison pour trois jours.

¹⁸ Le troisième jour, Joseph leur dit : « Voici ce que vous ferez pour avoir la vie sauve, car je crains Dieu : ¹⁹ si vous êtes sincères, que l'un de vos frères reste détenu dans votre prison; pour vous, partez en emportant le grain dont vos familles ont besoin. ²⁰ Vous me ramènerez votre plus jeune frère : ainsi vos paroles seront vérifiées et vous ne mourrez pas. » — Ainsi firent-ils. — ²¹ Ils se dirent l'un à l'autre : « En vérité, nous expions ce que nous avons fait à notre frère : nous avons vu la détresse de son âme, quand il nous demandait grâce*a*, et nous n'avons pas écouté. C'est pourquoi cette détresse nous est venue. » ²² Ruben leur répondit : « Ne vous avais-je pas dit de ne pas commettre de faute contre l'enfant*b* ? Mais vous ne m'avez pas écouté et voici qu'il nous est demandé compte de son sang. » ²³ Ils ne savaient pas que Joseph les comprenait car, entre lui et eux, il y avait l'interprète. ²⁴ Alors il s'écarta d'eux et pleura*c*. Puis il revint vers eux et leur parla; il prit d'entre eux Siméon et le fit lier sous leurs yeux.

---

a) Le trait est absent du récit de **37** 18-27.
b) Voir **37** 22.
c) Voir encore **43** 30 (« yahviste »). Cet accent mis sur les sentiments humains des personnages est un trait des derniers récits de la Genèse, **42** 36; **45** 2, 14-15; **48** 10; **50** 1, etc.

Retour des fils de Jacob en Canaan.

²⁵ Joseph donna l'ordre de remplir de blé leurs bagages, de remettre l'argent de chacun dans son sac et de leur donner des provisions de route. Et c'est ce qu'on leur fit. ²⁶ Ils chargèrent le grain sur leurs ânes et s'en allèrent. ²⁷ Mais lorsque l'un d'eux, au campement pour la nuit, ouvrit son sac à blé pour donner du fourrage à son âne, il vit son argent qui était à l'entrée de son sac à blé. ²⁸ Il dit à ses frères : « On a rendu mon argent, voici qu'il est dans mon sac à blé ! » Alors le cœur leur manqua et ils se regardèrent en tremblant, se disant : « Qu'est-ce que Dieu nous a fait[a] ? »

²⁹ Revenus chez leur père Jacob, au pays de Canaan, ils lui racontèrent tout ce qui leur était arrivé. ³⁰ « L'homme qui est seigneur du pays, dirent-ils, nous a parlé durement et nous a pris pour des espions du pays. ³¹ Nous lui avons dit : 'Nous sommes sincères, nous ne sommes pas des espions, ³² nous sommes douze frères, les fils d'un même père, l'un de nous n'est plus et le plus jeune est maintenant avec notre père au pays de Canaan.' ³³ Mais cet homme qui est seigneur du pays nous a répondu : 'Voici comment je saurai si vous êtes sincères : laissez près de moi un de vos frères, prenez le grain dont vos familles ont besoin et partez, ³⁴ mais ramenez-moi votre plus jeune frère et

---

42 25. « ce qu'on leur fit » cf. Syr Vulg ; « ce qu'il leur fit » H.

27. « son sac à blé » G cf. **43** 21 ; « son sac » H.

33. « le grain dont » G Syr cf. v. 19 ; « ce dont » H.

---

a) Les vv. 27-28 proviennent de la tradition « yahviste », d'après laquelle les frères avaient retrouvé leur argent au sommet de leurs sacs dès la première halte, cf. **43** 21. D'après la tradition « élohiste », ci-dessous, v. 35, ils le trouvèrent en arrivant chez Jacob, au fond de leurs sacs. Dans les deux cas, la découverte provoque une crainte religieuse, comme devant un fait mystérieux où se devine la main de Dieu.

je saurai que vous n'êtes pas des espions mais que vous êtes sincères. Alors je vous rendrai votre frère et vous pourrez trafiquer dans le pays '. »

[35] Comme ils vidaient leurs sacs, voici que chacun avait dans son sac sa bourse d'argent, et lorsqu'ils virent leurs bourses d'argent ils eurent peur, eux et leur père. [36] Alors leur père Jacob leur dit : « Vous me privez de mes enfants : Joseph n'est plus, Siméon n'est plus, et vous voulez prendre Benjamin, c'est sur moi que tout cela retombe[a] ! »

[37] Mais Ruben dit à son père : « Tu mettras mes deux fils à mort si je ne te le ramène pas. Confie-le moi et je te le rendrai[b] ! » [38] Mais il reprit : « Mon fils ne descendra pas avec vous : son frère est mort et il reste seul[c]. S'il lui arrivait malheur dans le voyage que vous allez entreprendre, vous feriez descendre dans l'affliction mes cheveux blancs au shéol[d]. »

Les fils de Jacob repartent avec Benjamin[e].

43. [1] Mais la famine pesait sur le pays [2] et lorsqu'ils eurent achevé de manger le grain qu'ils avaient apporté d'Égypte, leur père leur dit : « Retournez et achetez-nous un peu de vivres. » [3] Juda lui répondit : « Cet homme nous a expressément avertis que

---

a) Cri du cœur paternel : « Ce ne sont pas vos enfants, ce sont les miens qui sont en jeu. » Et c'est pourquoi Ruben va offrir ses deux fils comme otages.

b) Dans la tradition « yahviste », Juda, et non pas Ruben, se portait garant du retour de Benjamin, voir **43** 8-9, ce qui correspond au rôle tenu par chacun dans les deux traditions de l'enlèvement de Joseph, **37** 22 et 26.

c) Seul des deux fils de Rachel, la bien-aimée.

d) Cf. **37** 35 : on croyait que, dans la vie d'outre-tombe, le mort restait dans l'état où son décès l'avait saisi ; Jacob serait perpétuellement en deuil. A cette crainte qu'il exprime, s'opposera sa douce fin, entouré de tous ses fils, ch. **49**.

e) A part quelques gloses brèves, les ch. **43** et **44** viennent tout entiers de la tradition « yahviste ».

nous ne serions pas admis en sa présence à moins que notre frère ne soit avec nous. [4] Si tu es prêt à laisser partir notre frère avec nous, nous descendrons et t'achèterons des vivres, [5] mais si tu ne le laisses pas partir, nous ne descendrons pas, car cet homme nous a dit : ' Vous ne serez pas admis en ma présence à moins que votre frère ne soit avec vous '. » [6] Israël dit : « Pourquoi m'avez-vous fait ce mal de dire à cet homme que vous aviez encore un frère ? » — [7] « C'est, répondirent-ils, que l'homme s'est enquis de nous et de notre famille en demandant : ' Votre père est-il encore vivant, avez-vous un frère ? ' et nous l'avons informé en conséquence. Pouvions-nous savoir qu'il dirait : ' Amenez votre frère ' ? » [8] Alors Juda dit à son père Israël : « Laisse aller l'enfant avec moi. Allons, mettons-nous en route pour que nous conservions la vie et ne mourions pas, nous-mêmes avec toi et les personnes à notre charge. [9] Je me porte garant pour lui et tu m'en demanderas compte : s'il m'arrive de ne pas te le ramener et de ne pas le remettre devant tes yeux, j'en porterai la faute pendant toute ma vie[a]. [10] Si nous n'avions pas tant tardé, nous serions déjà revenus pour la seconde fois ! »

[11] Alors leur père Israël leur dit : « Puisqu'il le faut, faites donc ceci : dans vos bagages prenez des meilleurs produits du pays pour les apporter en présent à cet homme, un peu de baume et un peu de miel, de la gomme adragante et du ladanum, des pistaches et des amandes[b]. [12] Prenez avec vous une seconde somme d'argent et rapportez l'argent qui a été remis à l'entrée de vos sacs à blé : c'était peut-être une méprise. [13] Prenez votre frère et partez,

------

a) Juda joue ici le rôle qui était dévolu à Ruben dans le récit « élohiste », voir **42** 37 et la note.

b) Ce sont des spécialités de Canaan qui étaient appréciées en Égypte, voir **37** 25.

retournez auprès de cet homme. ¹⁴ Qu'El Shaddaï*ᵃ* vous fasse trouver miséricorde auprès de cet homme et qu'il vous laisse ramener votre autre frère*ᵇ* et Benjamin. Pour moi, que je perde mes enfants si je dois les perdre*ᶜ* ! »

La rencontre chez Joseph*ᵈ*. ¹⁵ Nos gens prirent donc ce présent, le double d'argent avec eux, et Benjamin; ils partirent et descendirent en Égypte et ils se présentèrent devant Joseph. ¹⁶ Quand Joseph les vit avec Benjamin, il dit à son intendant : « Conduis ces gens à la maison*ᵉ*, abats une bête et apprête-la, car ces gens mangeront avec moi à midi. » ¹⁷ L'homme fit comme Joseph avait commandé et conduisit nos gens à la maison de Joseph.

¹⁸ Nos gens eurent peur parce qu'on les conduisait à la maison de Joseph et ils se dirent : « C'est à cause de l'argent qui s'est retrouvé la première fois dans nos sacs à blé qu'on nous emmène : on va nous assaillir, tomber sur nous et nous prendre pour esclaves, avec nos ânes. » ¹⁹ Ils s'approchèrent de l'intendant de Joseph et lui parlèrent à l'entrée de la maison : ²⁰ « Pardon, Monseigneur ! dirent-ils, nous sommes descendus une première fois pour acheter des vivres ²¹ et, lorsque nous sommes arrivés au

---

a) Voir **17** 1.

b) Siméon, voir **42** 24.

c) Jacob prévoit le pire, et s'y résigne.

d) Le récit de cette seconde rencontre fait délibérément contraste avec celui de **42** 5-24 : autant Joseph avait traité durement ses frères, autant maintenant il les comble d'attentions. Le v. 16 suggère que la vue de Benjamin lui commande ce changement; mais il ne s'agissait que d'une attitude, car il a toujours eu les mêmes sentiments profonds, **42** 24 et ici le v. 30.

e) Les fils de Jacob se sont présentés au bureau de Joseph, la salle d'audience du vizir, mais il veut les recevoir chez lui. Se souvenant du premier accueil, les frères ne peuvent pas croire que ce soit par bien veillance, v. 18.

campement pour la nuit*ᵃ* et que nous avons ouvert nos sacs à blé, voici que l'argent de chacun se trouvait à l'entrée de son sac, *notre argent bien compté, et nous le rapportons avec nous.* ²² Nous avons apporté une autre somme pour acheter des vivres. Nous ne savons pas qui a mis notre argent dans nos sacs à blé. » ²³ Mais il répondit : « Soyez en paix et n'ayez pas peur ! C'est votre Dieu et le Dieu de votre père qui vous a mis un trésor dans vos sacs à blé; votre argent m'est bien parvenu »*ᵇ* et il leur amena Siméon.

²⁴ L'homme introduisit nos gens dans la maison de Joseph, il leur apporta de l'eau pour qu'ils se lavent les pieds et il donna du fourrage à leurs ânes. ²⁵ Ils disposèrent le présent en attendant que Joseph vienne pour midi, car ils avaient appris qu'ils prendraient là leur repas.

²⁶ Quand Joseph rentra à la maison, ils lui offrirent le présent qu'ils avaient avec eux et se prosternèrent à terre. ²⁷ Mais il les salua amicalement et demanda : « Comment se porte votre vieux père dont vous m'avez parlé, est-il encore en vie ? » ²⁸ Ils répondirent : « Ton serviteur, notre père, se porte bien, il est encore en vie » et ils s'agenouillèrent et se prosternèrent. ²⁹ Levant les yeux, Joseph vit son frère Benjamin, le fils de sa mère*ᶜ*, et demanda : « Est-ce là votre plus jeune frère, dont vous m'avez parlé ? » et s'adressant à lui : « Que Dieu te fasse grâce, mon fils*ᵈ*. » ³⁰ Et Joseph se hâta de sortir, car ses entrailles

---

43 26. *Après « avec eux » H répète « à la maison »; omis par Vulg.*

---

a) Voir **42** 27-28 et la note.
b) L'intendant a reçu l'ordre de Joseph, **42** 25, et il connaît ses intentions.
c) Joseph et Benjamin sont les deux seuls fils de Rachel.
d) Il y a une grande différence d'âge entre Joseph et Benjamin, voir **30** 22 s et **35** 16. Peut-être même, une tradition faisait-elle naître Benjamin après l'enlèvement de Joseph, voir **37** 10 et la note.

s'étaient émues pour son frère et les larmes lui venaient aux yeux : il entra dans sa chambre et là, il pleura. [31] S'étant lavé le visage, il revint et, se contenant, il ordonna : « Servez le repas. » [32] On le servit à part, eux à part et à part aussi les Égyptiens qui mangeaient chez lui, car les Égyptiens ne peuvent pas prendre leurs repas avec les Hébreux : ils ont cela en horreur[a]. [33] Ils étaient placés en face de lui, chacun à son rang, de l'aîné au plus jeune, et nos gens se regardaient avec étonnement[b]. [34] Mais lui leur fit porter, de son plat, des portions d'honneur, et la portion de Benjamin surpassait cinq fois celle de tous les autres. Avec lui ils burent et se mirent en joie[c].

La coupe de Joseph dans le sac de Benjamin.

44. [1] Puis Joseph dit à son intendant : « Remplis les sacs de ces gens avec autant de vivres qu'ils peuvent porter et mets l'argent de chacun à l'entrée de son sac[d]. [2] Ma coupe, celle d'argent, tu la mettras à l'entrée du sac du plus jeune, avec le prix de son grain. » Et il fit comme Joseph avait dit.

[3] Lorsque le matin parut, on renvoya nos gens avec leurs ânes. [4] Ils étaient à peine sortis de la ville et n'étaient pas bien loin que Joseph dit à son intendant : « Debout ! Cours après ces hommes, rattrape-les et dis-leur : Pourquoi avez-vous rendu le mal pour le bien ? [5] N'est-ce pas

---

a) Trait de mœurs, qui est confirmé par Hérodote et qui donne au récit une touche de couleur locale.

b) Comment cet inconnu sait-il dans quel ordre ils se suivent ?

c) La bonne humeur du banquet dissipe la crainte des frères : ils s'abandonnent à la confiance, et le lecteur avec eux. L'épisode suivant en est rendu plus dramatique. Il y a là beaucoup de psychologie et un grand art littéraire.

d) La mention de l'argent remis dans les sacs aux vv. 1 et 2 paraît être une addition, inspirée de **42** 25 : il n'en est plus question ensuite et cela paraît exclu par le v. 8.

ce qui sert à mon maître pour boire et aussi pour lire les présages[a] ? C'est mal ce que vous avez fait ! »

[6] Il les rattrapa donc et leur redit ces paroles. [7] Mais ils répondirent : « Pourquoi Monseigneur parle-t-il ainsi ? Loin de tes serviteurs de faire une chose pareille ! [8] Vois donc : l'argent que nous avions trouvé à l'entrée de nos sacs à blé, nous te l'avons rapporté du pays de Canaan, comment aurions-nous volé, de la maison de ton maître, argent ou or ? [9] Celui de tes serviteurs avec qui on trouvera l'objet sera mis à mort et nous-mêmes deviendrons esclaves de ton maître. » [10] Il reprit : « Eh bien ! Qu'il en soit comme vous avez dit : celui avec qui on trouvera l'objet sera mon esclave, mais vous autres vous serez quittes. » [11] Vite, chacun descendit à terre son sac à blé et chacun l'ouvrit. [12] Il les fouilla en commençant par l'aîné et en finissant par le plus jeune, et la coupe fut trouvée dans le sac de Benjamin[b] ! [13] Alors, ils déchirèrent leurs vêtements, rechargèrent chacun son âne et revinrent à la ville.

[14] Lorsque Juda et ses frères entrèrent dans la maison de Joseph, celui-ci s'y trouvait encore, et ils tombèrent à terre devant lui. [15] Joseph leur demanda : « Quelle est cette action que vous avez commise ? Ne saviez-vous pas qu'un homme comme moi sait deviner[c] ? » [16] et Juda

---

a) Le mouvement ou le son de l'eau tombant dans la coupe ou la figure qu'y prenaient quelques gouttes d'huile étaient interprétés comme des signes. Ce mode de divination a été connu dans l'Ancien Orient et les Égyptiens passaient pour des maîtres ès arts magiques. Le grec a explicité en ajoutant au début du v. : « Pourquoi m'avez-vous volé la coupe d'argent ? » mais le texte court de l'hébreu est préférable, car, au v. 9, l'objet du délit est encore désigné d'une manière vague.

b) C'est le coup de théâtre, habilement amené : les frères sont sûrs de leur fait, vv. 6-9, la coupe n'est retrouvée qu'à la fin de la perquisition, v. 12, et c'est dans le sac de Benjamin, sur qui se concentrait déjà tout l'intérêt du récit.

c) Joseph est encore pour ses frères un représentant de la sagesse mystérieuse de l'Égypte.

répondit : « Que dirons-nous à Monseigneur, comment parler et comment nous justifier ? C'est Dieu qui a mis en évidence la faute de tes serviteurs[a]. Nous voici donc les esclaves de Monseigneur, aussi bien nous autres que celui aux mains duquel on a trouvé la coupe. » [17] Mais il reprit : « Loin de moi d'agir ainsi ! L'homme aux mains duquel la coupe a été trouvée sera mon esclave, mais vous, retournez en paix chez votre père. »

L'intervention de Juda[b]. [18] Alors Juda s'approcha de lui et dit : « S'il te plaît, Monseigneur, permets que ton serviteur fasse entendre un mot aux oreilles de Monseigneur, sans que ta colère s'enflamme contre ton serviteur, car tu es vraiment comme Pharaon ! [19] Monseigneur avait posé cette question à ses serviteurs : ' Avez-vous encore un père ou un frère ? ' [20] Et nous avons répondu à Monseigneur : ' Nous avons un vieux père et un cadet, qui lui est né dans sa vieillesse; le frère de celui-ci est mort, il reste le seul enfant de sa mère et notre père l'aime ! ' [21] Alors tu as dit à tes serviteurs : ' Amenez-le moi, que mon regard se pose sur lui[c]. ' [22] Nous avons répondu à Monseigneur : ' L'enfant ne peut pas quitter son père; s'il quitte son père, celui-ci en mourra. ' [23] Mais

---

a) Cela ne veut pas dire qu'ils avouent le vol qu'ils n'ont pas commis, ni même qu'ils songent à leur ancien crime contre Joseph : le coup qui les frappe leur paraît venir de la colère de Dieu et signifie qu'ils sont en état de péché.

b) Le discours pathétique de Juda est le sommet de ce grand récit. Le rappel de la tendresse de Jacob pour Benjamin, la peine que lui a causée la perte de Joseph, l'annonce de sa mort si le plus jeune ne revient pas, l'offre généreuse de Juda sont autant d'appels au cœur de Joseph, qui vont précipiter le dénouement. On notera la déférence avec laquelle Juda parle à Joseph, mais aussi le désespoir poignant qu'il exprime. Il n'y a guère de passage plus émouvant dans tout l'A. T.

c) De la part d'un grand, ou de Dieu, c'est un signe de bienveillance, Jr **39** 12; **40** 4; Ps **33** 18; **34** 17.

tu as insisté auprès de tes serviteurs : ' Si votre plus jeune
frère ne descend pas avec vous, vous ne serez plus admis
en ma présence. ' [24] Donc, lorsque nous sommes remontés
chez ton serviteur, mon père, nous lui avons rapporté les
paroles de Monseigneur. [25] Et lorsque notre père a dit :
' Retournez pour nous acheter un peu de vivres ', [26] nous
avons répondu : ' Nous ne pouvons pas descendre. Nous
ne descendrons que si notre plus jeune frère est avec nous,
car il n'est pas possible que nous soyons admis en présence
de cet homme sans que notre plus jeune frère soit avec
nous. ' [27] Alors ton serviteur, mon père, nous a dit :
' Vous savez bien que ma femme ne m'a donné que deux
enfants : [28] l'un m'a quitté et j'ai dit : Il a été dépecé comme
une proie[a] ! et je ne l'ai plus revu jusqu'à présent. [29] Que
vous preniez encore celui-ci d'auprès de moi et qu'il lui
arrive malheur et vous feriez descendre dans la peine mes
cheveux blancs au shéol. ' [30] Maintenant, si j'arrive chez
ton serviteur, mon père, sans que soit avec nous l'enfant à
l'âme duquel son âme est liée, [31] dès qu'il verra que l'enfant
n'est pas avec nous, il mourra, et tes serviteurs auront fait
descendre dans l'affliction les cheveux blancs de ton serviteur, notre père, au shéol. [32] Et ton serviteur s'est porté
garant de l'enfant auprès de mon père, en ces termes : ' Si
je ne te le ramène pas, j'en serai coupable envers mon père
toute ma vie[b]. ' [33] Maintenant, que ton serviteur reste
comme esclave de Monseigneur à la place de l'enfant et que
celui-ci remonte avec ses frères. [34] Comment, en effet,
pourrais-je remonter chez mon père sans que l'enfant soit

---

44 31. « *n'est pas avec nous* » Sam G ; « *n'est pas* » H.

---

a) Voir **37** 33.
b) Voir **43** 9.

avec moi ? Je ne veux pas voir le malheur qui frapperait mon père[a]. »

**Joseph
se fait reconnaître**[b].

45. [1] Alors Joseph ne put se contenir devant tous les gens de sa suite et il s'écria : « Faites sortir tout le monde d'auprès de moi »; et personne ne resta auprès de lui pendant que Joseph se faisait connaître à ses frères, [2] mais il pleura tout haut et tous les Égyptiens entendirent, et la nouvelle parvint au palais de Pharaon.

[3] Joseph dit à ses frères : « Je suis Joseph ! Mon père vit-il encore ? » et ses frères ne purent lui répondre, car ils étaient bouleversés de le voir[c]. [4] Alors Joseph dit à ses frères : « Approchez-vous de moi ! » et ils s'approchèrent. Il dit : « Je suis Joseph, votre frère, que vous avez vendu en Égypte. [5] Mais maintenant ne soyez pas chagrins et ne vous fâchez pas de m'avoir vendu ici, car c'est pour préserver vos vies que Dieu m'a envoyé en avant de vous[d]. [6] Voici, en effet, deux ans que la famine est installée dans le pays et il y aura encore cinq années sans

---

45 2. « *et tous les Égyptiens* » G ; « *et l'Égypte* » H. — « *et la nouvelle parvint au palais de Pharaon* » G cf. v. 16; « *et le palais du Pharaon entendit* » H. *Si ce texte est bon, les mots sont un doublet de ce qui précède.*

---

a) C'est le dernier coup, qui amène Joseph à se découvrir.

b) Des doublets et des répétitions, vv. 3 et 4, 9 et 13... montrent que les deux traditions « élohiste » et « yahviste » sont combinées dans cette scène où se dénoue l'histoire de Joseph.

c) Effroi des frères, qui craignent une vengeance; cf. **50** 15 s.

d) Dans ces vv. 5-8 éclatent la générosité de Joseph et son sens religieux : non seulement il pardonne, mais il voit dans son aventure la main de Dieu, qui a utilisé la faute de ses frères et son propre malheur pour le bien de toute leur race. Conception profonde de la Providence qui, sans intervenir d'une manière éclatante comme dans d'autres récits de la Genèse, dirige à son but les événements les plus triviaux ou les plus déconcertants. Avec **50** 20, ces versets donnent la clé de l'histoire de Joseph, voir la note au début du ch. **37**.

labour ni moisson. [7] Dieu m'a envoyé en avant de vous pour assurer la permanence de votre race dans le pays et sauver la vie à beaucoup d'entre vous. [8] Ainsi, ce n'est pas vous qui m'avez envoyé ici, c'est Dieu, et il m'a établi comme père[a] pour Pharaon, comme maître sur toute sa maison, comme gouverneur dans tout le pays d'Égypte.

[9] « Remontez vite[b] chez mon père et dites-lui : ' Ainsi parle ton fils Joseph : Dieu m'a établi maître sur toute l'Égypte. Descends auprès de moi sans tarder. [10] Tu habiteras dans le pays de Goshèn[c] et tu seras près de moi, toi-même, tes enfants, tes petits-enfants, ton petit et ton gros bétail, et tout ce qui t'appartient. [11] Là, je pourvoirai à ton entretien, car la famine durera encore cinq années, pour que tu ne sois pas dans l'indigence, toi, ta famille et tout ce qui est à toi. ' [12] Vous voyez de vos propres yeux et mon frère Benjamin voit que c'est ma bouche qui vous parle. [13] Racontez à mon père toute la gloire que j'ai en Égypte et tout ce que vous avez vu, et hâtez-vous de faire descendre ici mon père. »

[14] Alors il se jeta au cou de son frère Benjamin et pleura. Benjamin aussi pleura à son cou. [15] Puis il baisa tous ses frères et pleura en les embrassant. Après quoi, ses frères s'entretinrent avec lui[d].

L'invitation de Pharaon. [16] La nouvelle parvint au palais de Pharaon que les frères de Joseph étaient venus, et Pharaon comme ses officiers virent cela d'un bon œil.

---

a) « Père » est un titre du vizir, cf. Is **22** 21; additions à Esther, **3** 13[f]; **8** 12[l].

b) Cette hâte de Joseph, encore le v. 13, aura pour parallèle l'empressement de Jacob, v. 28, et est commandée par le même motif : il faut que le père et le fils se revoient avant la mort imminente du vieux Jacob.

c) Région orientale du Delta, aux environs de Faqous; les Israélites y séjourneront en effet, **46** 28 s; **47** 1-6; Ex **8** 18; **9** 26.

d) Leur effroi du v. 3 est dissipé et ils retrouvent la parole.

[17] Pharaon parla ainsi à Joseph : « Dis à tes frères : ' Faites ceci : chargez vos bêtes et allez-vous en au pays de Canaan. [18] Prenez votre père et vos familles et revenez vers moi ; je vous donnerai le meilleur de la terre d'Égypte et vous vous nourrirez de la graisse du pays. ' [19] Pour toi, donne-leur cet ordre : ' Agissez ainsi : emmenez du pays d'Égypte des chariots pour vos petits enfants et vos femmes, prenez votre père et venez. [20] N'ayez pas un regard de regret pour ce que vous laisserez, car ce qu'il y a de mieux dans toute l'Égypte sera pour vous '. »

Le retour en Canaan. [21] Ainsi firent les fils d'Israël. Joseph leur procura des chariots selon l'ordre de Pharaon, et les munit de provisions de route. [22] A chacun d'eux il donna un habit de fête, mais à Benjamin il donna trois cents sicles d'argent et cinq habits de fête[a]. [23] De la même manière, il envoya à son père dix ânes chargés des meilleurs produits d'Égypte[b] et dix ânesses portant du blé, du pain et des victuailles pour le voyage de son père. [24] Puis il congédia ses frères qui partirent, non sans qu'il leur eût dit : « Ne vous excitez pas[c] en chemin ! »

[25] Ils remontèrent donc d'Égypte et arrivèrent au pays de Canaan, chez leur père Jacob. [26] Ils lui annoncèrent : « Joseph est encore vivant, c'est même lui qui gouverne tout le pays d'Égypte ! » Mais son cœur resta inerte, car il ne les crut pas. [27] Cependant, quand ils lui eurent répété

---

19. « *donne-leur cet ordre* » ṣawwéh 'otâm zo't *cf. G Vulg ;* « *tu as reçu cet ordre* » ṣuwwêtâh zo't *H.*

a) Nouvelle marque de prédilection, cf. **43** 34, avec le même chiffre cinq.

b) En magnifique retour du modeste cadeau de Jacob à l'Inconnu, **43** 11.

c) Le texte ne dit pas plus et le sens reste incertain : inquiétudes ? disputes ? précipitation ?

toutes les paroles que Joseph leur avait dites, quand il vit
les chariots que Joseph avait envoyés pour le prendre,
alors l'esprit de Jacob, leur père, se ranima*[a]*. ²⁸ Et Israël
dit : « Cela suffit ! Joseph, mon fils, est encore vivant !
Que j'aille le voir avant que je ne meure *[b]* ! »

**Départ de Jacob
pour l'Égypte***[c]*.

46. ¹ Israël partit avec
tout ce qu'il possédait. Arrivé
à Bersabée, il offrit des sacrifices au Dieu de son père
Isaac ² et Dieu dit à Israël dans une vision nocturne :
« Jacob ! Jacob ! » et il répondit : « Me voici. » ³ Dieu
reprit : « Je suis Dieu, le Dieu de ton père *[d]*. N'aie pas peur
de descendre en Égypte, car là-bas je ferai de toi un grand
peuple. ⁴ C'est moi qui descendrai avec toi en Égypte, c'est
moi aussi qui t'en ferai remonter *[e]*, et Joseph te fermera les
yeux. » ⁵ Jacob partit de Bersabée, et les fils d'Israël firent
monter leur père Jacob, leurs petits enfants et leurs femmes
sur les chariots que Pharaon avait envoyés pour le prendre.
⁶ Ils emmenèrent leurs troupeaux et tout ce qu'ils

---

46 2. « *une vision* » G Syr ; « *des visions* » H.

---

a) Jacob est un vieillard ordinairement inconscient, v. 26, mais il
reprend ses sens devant des détails concrets. La figure du vieux Jacob a
toujours été présente à l'arrière-plan, avec l'éventualité de sa mort pro-
chaine, **37** 35 ; **42** 38 ; **43** 7, 27 ; **44** 20, 29, 31 ; **45** 3 ; le récit en prend un
nouvel intérêt : le père reverra-t-il son fils avant de mourir ?

b) C'est le trait final : la gloire de Joseph, ses richesses, les présents qu'il
envoie n'importent pas. C'est assez qu'il soit vivant : il faut partir aussitôt,
sans bavarder ni tarder davantage.

c) Deux traditions sont harmonisées dans ce morceau : d'après le v. 1,
Jacob-Israël part de la région d'Hébron où l'avait laissé **37** 14 ; d'après le
v. 5, il part de Bersabée.

d) La fondation du sanctuaire de Bersabée est attribuée à Isaac dans
26 23 s. — C'est la dernière théophanie de l'époque patriarcale. De même
qu'un oracle divin avait conduit Abraham en Canaan, **12** 1, une apparition divine enjoint à Jacob d'en sortir.

e) Plutôt qu'une allusion au transfert des restes de Jacob, **50** 4 s, c'est
une annonce de l'Exode et du retour de ses descendants.

avaient acquis au pays de Canaan et ils vinrent en Égypte,
Jacob et tous ses descendants avec lui : [7] ses fils et les fils
de ses fils, ses filles et les filles de ses fils, bref tous ses
descendants, il les emmena avec lui en Égypte.

[8] Voici les noms des fils ‖ Nb **26** 5 s

La famille de Jacob[a].　　d'Israël qui vinrent en Égyp-
te (Jacob et ses fils). Ruben,
l'aîné de Jacob, [9] et les fils de Ruben : Hénok, Pallu,
Heçrôn, Karmi. [10] Les fils de Siméon : Yemuel, Yamîn,
Ohad, Yakîn, Çohar et Shaûl, le fils de la Cananéenne.
[11] Les fils de Lévi : Gershôn, Qehat, Merari. [12] Les fils de
Juda : Er, Onân, Shéla, Péreç et Zérah (mais Er et Onân
étaient morts au pays de Canaan), et les fils de Péreç,
Heçrôn et Hamul. [13] Les fils d'Issachar : Tola, Puvva,
Yashub et Shimrôn. [14] Les fils de Zabulon : Séred, Élôn,
Yahléel. [15] Tels sont les fils que Léa avait enfantés à Jacob
en Paddân-Aram, en plus sa fille Dina, en tout, fils et
filles, trente-trois personnes.

[16] Les fils de Gad : Çephôn, Haggi, Shuni, Eçbôn, Éri,
Arodi et Aréli. [17] Les fils d'Asher : Yimna, Yishva,
Yishvi, Beria et leur sœur Sérah; les fils de Beria : Héber
et Malkiel. [18] Tels sont les fils de Zilpa, donnée par Laban
à sa fille Léa; elle enfanta ceux-là à Jacob, seize personnes.

[19] Les fils de Rachel, femme de Jacob : Joseph et Benjamin. [20] Joseph eut pour enfants en Égypte Manassé et

---

13. « *Yashub* » *Sam G cf. Nb* **26** 24; 1 *Ch* **7** 1; « *Job* » *H*.
16. « *Çephôn* » *Sam G cf. Nb* **26** 15; « *Çiphyôn* » *H*.

---

a) Le rédacteur « sacerdotal » insère ici un tableau de la famille de Jacob.
Cette liste des descendants immédiats du Patriarche ne concernait pas
originairement la descente en Égypte : Er et Onân, v. 12, sont déjà morts,
Joseph et ses fils, vv. 19-20, ne sont pas descendus avec Jacob, Benjamin,
qui est tout jeune d'après les ch. **42-45**, a déjà de nombreux enfants, v. 21.
C'est une composition érudite, qui s'inspire de listes plus anciennes,
notamment de celle de Nb **26**, le recensement des Israélites au désert.

Éphraïm, nés d'Asnat, fille de Poti-Phéra, prêtre d'On.
²¹ Les fils de Benjamin : Béla, Béker, Ashbel, Géra, Naa-
mân, Éhi, Rosh, Muppim, Huppim et Ard. ²² Tels sont
les fils que Rachel enfanta à Jacob, en tout quatorze
personnes. ²³ Les fils de Dan : Hushim. ²⁴ Les fils de Nephtali : Yah-
çéel, Guni, Yéçer et Shillem. ²⁵ Tels sont les fils de Bilha,
donnée par Laban à sa fille Rachel; elle enfanta ceux-là
à Jacob, en tout sept personnes.

²⁶ Toutes les personnes de la famille de Jacob, issues
de lui, qui vinrent en Égypte, sans compter les femmes
des fils de Jacob, étaient en tout soixante-six. ²⁷ Les fils
de Joseph qui lui naquirent en Égypte étaient au nombre
de deux. Total des personnes de la famille de Jacob qui
vinrent en Égypte : soixante-dix[a].

L'accueil de Joseph. ²⁸ Israël envoya Juda en
avant vers Joseph pour que
celui-ci parût devant lui en
Goshèn, et ils arrivèrent à la terre de Goshèn. ²⁹ Joseph
fit atteler son char et monta à la rencontre de son père
Israël en Goshèn. Dès qu'il parut devant lui, il se jeta à
son cou et pleura longtemps en le tenant embrassé.
³⁰ Israël dit à Joseph : « Pour lors, je puis mourir, après
que j'ai revu ton visage et que tu es encore vivant ! »
³¹ Alors Joseph dit à ses frères et à la famille de son père :

---

28. « *parût* » lᵉhérâ'ôt *Sam Syr ;* « *indiquât* (*le chemin ?*) » lᵉhôrot *H ;* « *ren-
contrât* » lᵉhiqqârôt *G. Texte incertain.*

---

a) Le chiffre original de 70 représentait tous les descendants mâles de
Jacob, incluant Er et Onân, mais excluant Jacob lui-même. Le chiffre
de 66, v. 26, est adapté à l'usage fait de la liste dans ce contexte : il exclut
Er et Onân, Joseph et ses deux fils, mais inclut Dina. Pour retrouver
le chiffre de 70, v. 27, on ajoute Joseph et ses deux fils, et Jacob lui-même.
Comparer Ex **1** 5 ; Dt **10** 22. La version grecque ajoute cinq descendants
d'Éphraïm et de Manassé, ce qui porte le total à 75, chiffre retenu par
Ac **7** 14.

« Je vais monter avertir Pharaon[a] et lui dire : ' Mes frères et la famille de mon père, qui étaient au pays de Canaan, sont arrivés auprès de moi. [32] Ces gens sont des bergers — ils se sont occupés de troupeaux — et ils ont amené leur petit et leur gros bétail et tout ce qui leur appartient. ' [33] Aussi, lorsque Pharaon vous appellera et vous demandera : ' Quel est votre métier ? ' [34] vous répondrez : ' Tes serviteurs se sont occupés de troupeaux depuis leur plus jeune âge jusqu'à maintenant, nous-mêmes comme déjà nos pères. ' Ainsi vous pourrez demeurer dans la terre de Goshèn[b]. » En effet, les Égyptiens ont tous les bergers en horreur[c].

47. L'audience de Pharaon[d]. [1] Donc Joseph alla avertir Pharaon : « Mon père et mes frères, dit-il, sont arrivés du pays de Canaan avec leur petit et leur gros bétail et tout ce qui leur appartient; les voici dans la terre de Goshèn. » [2] Il avait pris cinq de ses frères, qu'il présenta à Pharaon. [3] Celui-ci demanda à ses frères : « Quel est votre métier ? » et ils répondirent : « Tes serviteurs

---

a) Est-ce l'écho d'une autre tradition d'après laquelle les fils de Jacob sont venus sans l'assentiment de Pharaon, 45 16 s ? Plutôt, Pharaon sait qu'ils doivent venir, mais il faut les installer. La diplomatie de Joseph leur procure un établissement dans les pâturages de la zone frontière, d'où ils pourront plus facilement repartir; déjà l'Exode se prépare.

b) Voir note sur 45 10.

c) Cela signifie seulement que les Égyptiens ne cohabitent pas avec les bergers, cf. la même expression à 43 32. Ainsi les Israélites ne seront pas installés à l'intérieur du pays, mêlés aux Égyptiens. On n'a pas d'autre témoignage de cette répulsion des Égyptiens pour les bergers. Il est possible que ce soit le souvenir déformé de la haine des Égyptiens pour les Hyksos, les « Pasteurs » étrangers, expulsés plus tard du pays. Ou bien, c'est simplement l'opposition entre sédentaires et nomades (ou semi-nomades) plus accentuée en Égypte, où le nomadisme n'existait pas.

d) Continuation de 46 31-34, qui met en contraste l'habileté de Joseph et la lourdeur de Pharaon : celui-ci ne voit pas qu'on lui force la main et, non satisfait d'accepter les immigrants, il leur confie des charges importantes !

sont des bergers, nous-mêmes comme déjà nos pères[a]. »
[4] Ils dirent aussi à Pharaon : « Nous sommes venus séjourner dans le pays, car il n'y a plus de pâture pour les troupeaux de tes serviteurs : la famine, en effet, accable le pays de Canaan. Permets maintenant que tes serviteurs demeurent dans la terre de Goshèn. » [5a] Alors Pharaon dit à Joseph : [6b] « Qu'ils habitent la terre de Goshèn et, si tu sais qu'il y a parmi eux des hommes capables, place-les comme régisseurs de mes propres troupeaux. »

Autre récit[b].   [5b] Jacob et ses fils vinrent en Égypte auprès de Joseph.

Pharaon, roi d'Égypte, l'apprit et il dit à Joseph : « Ton père et tes frères sont arrivés près de toi. [6a] Le pays d'Égypte est à ta disposition : établis ton père et tes frères dans la meilleure région. » [7] Alors Joseph introduisit son père Jacob et le présenta à Pharaon, et Jacob salua[c] Pharaon. [8] Pharaon demanda à Jacob : « Combien comptes-tu d'années de vie ? » [9] et Jacob répondit à Pharaon : « Ma vie errante a été de cent trente ans, mes années ont été brèves et malheureuses et n'ont pas atteint l'âge de mes pères, les années de leur vie errante[d]. » [10] Jacob salua Pharaon et prit congé de lui.

---

47 5-6. *On suit l'ordre de G, qui met* 6[b] *avant* 5[b]-6[a] *et qui ajoute, au début de* 5[b], « *Jacob et ses fils... dit à Joseph* ».

---

a) Voir **46** 34. Il faut entendre : nous *ne* sommes *que* des bergers qui ne nuiront pas aux intérêts des gens du pays.

b) Tradition « sacerdotale » de l'établissement en Égypte : Pharaon prend l'initiative de recevoir les nouveaux venus et les fait installer dans la région que Joseph jugera la meilleure. Il donne audience à Jacob seul et non à plusieurs de ses fils.

c) Litt. « bénit », de même au v. 10, ce qui ne signifie ici pas plus que « présenta ses compliments » comme dans 1 S **13** 10 ; 2 R **4** 29. Mais cette remarque n'enlève rien à la simple grandeur de cette rencontre entre le vieux Patriarche et le souverain de toute l'Égypte.

d) Abraham 175 ans, **25** 7, Isaac 180 ans, **35** 28. Paradoxe divin : les trois grands Patriarches auront toujours vécu en étrangers dans la Terre Promise.

¹¹ Joseph établit son père et ses frères et il leur donna un bien-fonds au pays d'Égypte, dans la meilleure région, la terre de Ramsès*ᵃ*, comme l'avait ordonné Pharaon.

¹² Joseph procura du pain à son père, à ses frères et à toute la famille de son père, selon le nombre des personnes à charge.

Politique agraire de Joseph*ᵇ*. ¹³ Il n'y avait pas de pain dans tout le pays, car la famine était devenue si dure que le pays d'Égypte et le pays de Canaan languissaient de faim. ¹⁴ Joseph ramassa tout l'argent qui se trouvait au pays d'Égypte et au pays de Canaan en échange du grain qu'on achetait et il livra cet argent au palais de Pharaon.

¹⁵ Lorsque fut épuisé l'argent du pays d'Égypte et du pays de Canaan, tous les Égyptiens vinrent à Joseph en disant : « Donne-nous du pain ! Pourquoi devrions-nous mourir sous tes yeux ? car il n'y a plus d'argent. » ¹⁶ Alors Joseph leur dit : « Livrez vos troupeaux et je vous donnerai du pain en échange de vos troupeaux, s'il n'y a plus d'argent. » ¹⁷ Ils amenèrent leurs troupeaux à Joseph et

---

16. « *du pain* » *Vers.*; *omis par H.*

---

a) Lieu de la corvée à laquelle furent astreints les Hébreux, Ex **1** 11, et point de départ de l'Exode, Ex **12** 37, la ville de Ramsès est identifiée avec Tanis ou avec Qantir. Elle n'a pu recevoir le nom de « Ramsès » que de Ramsès II, postérieurement à l'entrée des Israélites en Égypte; l'emploi est ici anachronique et le lien est assez lâche entre cette terre de Ramsès et la terre de Goshèn.

b) Ce paragraphe interrompt l'histoire des fils de Jacob et se rattache mieux au récit du ch. **41**. Les Israélites, chez qui la propriété individuelle était la règle, s'étonnaient du système foncier de l'Égypte, où presque toutes les terres étaient des biens de la couronne. Leur tradition faisait honneur à Joseph de cet accaparement, qui paraît remonter au Nouvel Empire. Il serait abusif de porter sur cette « nationalisation » un jugement moral, qui est hors des perspectives de l'auteur.

celui-ci leur donna du pain pour prix des chevaux[a], du
petit et du gros bétail et des ânes; il les nourrit de pain,
cette année-là, en échange de leurs troupeaux.

[18] Lorsque fut écoulée cette année-là, ils revinrent vers
lui l'année suivante et lui dirent : « Nous ne pouvons le
cacher à Monseigneur : vraiment l'argent est épuisé et
les bestiaux sont déjà à Monseigneur, il ne reste à la disposition de Monseigneur que notre corps et notre terroir. [19] Pourquoi devrions-nous mourir sous tes yeux, nous
et notre terroir ? Acquiers donc nos personnes et notre
terroir pour du pain, et nous serons, avec notre terroir, les
serfs de Pharaon. Mais donne-nous de quoi semer pour
que nous restions en vie et ne mourions pas et que notre
terroir ne soit pas désolé. »

[20] Ainsi Joseph acquit pour Pharaon tout le terroir
d'Égypte, car les Égyptiens vendirent chacun son champ,
tant les pressait la famine, et le pays passa aux mains de
Pharaon. [21] Quant aux gens, il les réduisit en servage,
d'un bout à l'autre du territoire égyptien. [22] Il n'y eut que
le terroir des prêtres qu'il n'acquit pas, car les prêtres
recevaient une rente de Pharaon et vivaient de la rente
qu'ils recevaient de Pharaon. Aussi n'eurent-ils pas à
vendre leur terroir[b].

[23] Puis Joseph dit au peuple : « Donc, je vous ai maintenant acquis pour Pharaon, avec votre terroir. Voici pour
vous de la semence, pour ensemencer votre terroir.

---

21. « *il les réduisit en servage* » hè‘ĕbîd 'otô la‘ăbâdîm *Sam G ;* « *il les
déporta dans les villes* » hè‘ĕbîr 'otô lè‘ârîm *H.*

---

a) Le cheval fut introduit en Égypte par les conquérants hyksos; c'est
ici sa première mention dans la Bible.
b) Les grands domaines sacerdotaux et les livraisons annuelles de grain
aux temples sont attestés par des textes égyptiens du Nouvel Empire et,
plus tard, par les historiens grecs.

²⁴ Mais, sur la récolte, vous devrez donner un cinquième à Pharaon, et les quatre autres parts seront à vous, pour la semence du champ, pour votre nourriture et celle de votre famille, pour la nourriture des personnes à votre charge. » ²⁵ Ils répondirent : « Tu nous as sauvé la vie ! Puissions-nous seulement trouver grâce aux yeux de Monseigneur, et nous serons les serfs de Pharaon. » ²⁶ De cela, Joseph fit une règle, qui vaut encore aujourd'hui pour le terroir d'Égypte : on verse le cinquième à Pharaon*a*. Seul le terroir des prêtres ne fut pas à Pharaon.

Dernières volontés de Jacob.

²⁷ Les Israélites demeurèrent au pays d'Égypte dans la terre de Goshèn. Ils y acquirent des propriétés, furent féconds et devinrent très nombreux. ²⁸ Jacob vécut dix-sept ans au pays d'Égypte et la durée de la vie de Jacob fut de cent quarante-sept ans*b*. ²⁹ Lorsqu'approcha pour Israël le temps de sa mort, il appela son fils Joseph et lui dit : « Si j'ai ton affection, mets ta main sous ma cuisse*c*, montre-moi bienveillance et bonté : ne m'enterre pas en Égypte ! ³⁰ Quand je serai couché avec mes pères, tu m'emporteras d'Égypte et tu m'enterreras dans leur tombeau*d*. » Il répondit : « Je ferai comme tu as dit. » ³¹ Mais son père insista : « Prête-moi serment », et il lui prêta

---

26. « *on verse le cinquième à Pharaon* » lᵉḥammēš lᵉparʿoh *G* ; « *à Pharaon pour un cinquième* » lᵉparʿoh laḥomēš *H*.

a) Les textes égyptiens ne parlent pas de ce fermage. Il ne paraît pas excessif si l'on compare les redevances foncières exigées plus tard par les Ptolémées en Égypte et par les Séleucides en Syrie, 1 M **10** 29-30.
b) Cf. le v. 9.
c) Voir déjà **24** 2.
d) Cf. **49** 29 s et **50** 5.

serment, pendant qu'Israël se prosternait sur le chevet de son lit[a].

48. [1] Il arriva, après ces événements, qu'on dit à Joseph : « Voici que ton père est malade ! » et il emmena avec lui ses deux fils, Manassé et Éphraïm. [2] Lorsqu'on eut annoncé à Jacob : « Voici ton fils Joseph qui est venu auprès de toi », Israël rassembla ses forces et se mit assis sur le lit. [3] Puis Jacob dit à Joseph : « El Shaddaï m'est apparu à Luz, au pays de Canaan, il m'a béni [4] et m'a dit : ' Je te rendrai fécond et je te multiplierai, je te ferai devenir une assemblée de peuples et je donnerai ce pays en possession perpétuelle à tes descendants après toi[c]. ' [5] Maintenant, les deux fils qui te sont nés au pays d'Égypte avant que je ne vienne auprès de toi en Égypte, ils seront miens ! Éphraïm et Manassé seront à moi au même titre que Ruben et Siméon[d]. [6] Quant aux enfants que tu as engendrés après eux, ils seront tiens; ils porteront le nom de leurs frères pour l'héritage[e].

Jacob adopte et bénit les deux fils de Joseph[b].

---

a) Sans quitter son lit, le vieillard se prosterne en action de grâces, cf. 1 R 1 47. Par suite d'une confusion entre *miṭṭâh* « lit » et *maṭṭèh* « bâton », la version grecque représente Jacob se prosternant sur sa canne. Ce texte est cité, d'après le grec, par He **11** 21.

b) Chapitre composite : les répétitions et les heurts du récit indiquent qu'il combine plusieurs traditions. Elles veulent expliquer pourquoi Manassé et Éphraïm, fils de Joseph, sont devenus pères de tribus au même titre que les fils de Jacob, pourquoi ces deux tribus ont prospéré, pourquoi la tribu d'Éphraïm a surpassé celle de Manassé. Ces traditions s'accordent à rapporter de tels développements aux dernières dispositions de Jacob, qui a adopté les deux fils de Joseph et les a bénis spécialement avant tous ses fils, mettant Éphraïm avant Manassé.

c) Rappel de l'apparition de Béthel, **35** 11 s, dont l'ancien nom était Luz, **35** 6; sur le nom divin El Shaddaï, voir **17** 1.

d) Jacob adopte les deux fils de Joseph; Ruben et Siméon sont nommés comme étant ses deux aînés.

e) C'est-à-dire qu'ils compteront comme enfants d'Éphraïm et de

[7] « Lorsque je revenais de Paddân[a], ta mère Rachel est morte, pour mon malheur, au pays de Canaan, en route, encore un bout de chemin avant d'arriver à Éphrata, et je l'ai enterrée là, sur le chemin d'Éphrata — c'est Bethléem[b]. »

[8] Israël vit les deux fils de Joseph et demanda : « Qui sont ceux-là ? » — [9] « Ce sont les fils que Dieu m'a donnés ici », répondit Joseph à son père, et celui-ci reprit : « Amène-les moi, que je les bénisse. » [10] Or les yeux d'Israël étaient usés par la vieillesse, il n'y voyait plus, et Joseph les fit approcher de lui, qui les baisa et les embrassa. [11] Et Israël dit à Joseph : « Je ne pensais pas revoir ton visage et voici que Dieu m'a fait voir même tes descendants ! » [12] Alors Joseph les retira de son giron et se prosterna, la face contre terre[c].

[13] Joseph les prit tous deux, Éphraïm de sa main droite pour qu'il soit à la gauche d'Israël, Manassé de sa main gauche pour qu'il soit à la droite d'Israël, et il les fit approcher de celui-ci. [14] Mais Israël étendit sa main droite et la posa sur la tête d'Éphraïm, qui était le cadet, et sa main

---

48 7. « *ta mère* » *Sam G ; omis par H.*

Manassé. Cela s'accorde difficilement avec le début du v., où ils semblent exclus de l'héritage de Jacob. On ne sait d'ailleurs rien de plus sur les autres fils de Joseph.

a) Évidemment Paddân-Aram, la Haute-Mésopotamie, voir **25** 20.

b) Voir **35** 16-20, qui est résumé ici. Toute l'histoire de Jacob est traversée par son amour pour Rachel et les deux fils qu'il eut d'elle, amour toujours douloureux : servitude chez Laban, mort de Rachel, enlèvement de Joseph, angoisses pour Benjamin. Ce rappel sur son lit de mort est émouvant, mais il est étranger au contexte actuel : est-ce le débris d'une tradition selon laquelle Jacob aurait souhaité d'être enseveli auprès de son épouse préférée ? Comme à **35** 19, la mention de Bethléem est une glose.

c) Les enfants ont été mis sur le giron — litt. « entre les genoux » — de Jacob, ce qui doit faire partie du rite d'adoption, voir **30** 3. Joseph les en retire et se prosterne pour recevoir, avec eux, la bénédiction de son père.

gauche sur la tête de Manassé, en croisant[a] ses mains —
en effet Manassé était l'aîné. 15 Il bénit ainsi Joseph :

« Que le Dieu devant qui ont marché mes pères Abraham et Isaac,
que le Dieu qui fut mon pasteur[b] depuis que je vis jusqu'à maintenant,
16 que l'Ange[c] qui m'a sauvé de tout mal bénisse ces enfants,
que survivent en eux mon nom et le nom de mes ancêtres, Abraham et Isaac,
qu'ils croissent et multiplient sur la terre ! »

17 Cependant Joseph vit que son père mettait sa main droite sur la tête d'Éphraïm et cela lui déplut. Il saisit la main de son père pour la détourner de la tête d'Éphraïm sur la tête de Manassé, 18 et Joseph dit à son père : « Pas comme cela, père, car c'est celui-ci l'aîné : mets ta main droite sur sa tête[d]. » 19 Mais son père refusa et dit : « Je sais, mon fils, je sais : lui aussi deviendra un peuple, lui aussi sera grand. Pourtant, son cadet sera plus grand que lui, sa descendance deviendra une multitude de peuples[e]. »

20 En ce jour-là, il les bénit ainsi :

« Soyez en bénédiction dans Israël et qu'on dise :

---

20. « *Soyez* » G. Targ ; « *Sois* » H.

---

a) C'est évidemment le sens et les versions l'ont reconnu, mais la valeur propre du terme hébreu est indécise.
b) Dieu est pasteur d'Israël, **49** 24 (glose); Ps **23** 1; **28** 9; **80** 2 et ailleurs.
c) Manifestation visible de Dieu, voir sur **16** 7.
d) Les gestes de bénédiction sont efficaces en eux-mêmes et la main droite apporte plus que la gauche. Joseph avait placé ses enfants de sorte que l'aîné fût à la droite de Jacob, comme a précisé le v. 13.
e) De même les Bénédictions de Moïse opposent les « myriades d'Éphraïm » aux « milliers » de Manassé, Dt **33** 17. Éphraïm deviendra en effet la tribu la plus importante du groupe du nord, le noyau du futur royaume d'Israël.

Que Dieu te rende semblable à Éphraïm et à Manassé^a ! »

mettant ainsi Éphraïm avant Manassé.

²¹ Puis Israël dit à Joseph : « Voici que je vais mourir, mais Dieu sera avec vous et vous ramènera au pays de vos pères. ²² Pour moi, je te donne un Sichem^b de plus qu'à tes frères, ce que j'ai conquis sur les Amorites par mon épée et par mon arc. »

Bénédictions de Jacob^c. **49.** ¹ Jacob appela ses fils et dit : « Réunissez-vous, que je vous annonce ce qui vous arrivera dans la suite des temps.

---

a) Voir **12** 3 et la note.

b) L'hébreu joue sur le mot *šᵉkèm* qui signifie « épaule » et désigne aussi la ville et le district de Sichem, qui seront dévolus aux fils de Joseph et où Joseph lui-même sera enterré, Jos **24** 32. Jacob est imaginé partageant la Terre Sainte comme le père de famille ou l'officiant distribue les parts du repas sacrificiel, 1 S **1** 4 s, l'épaule étant une pièce de choix, 1 S **9** 23-24. C'est une tradition isolée sur le partage de Canaan par Jacob et sur une conquête par les armes du pays de Sichem, où, d'après **33** 19, Jacob avait seulement acheté un champ.

c) Ce titre est traditionnel et s'inspire du v. 28, mais Joseph seul est explicitement béni, Juda est seulement loué, Ruben, Siméon et Lévi sont blâmés. Ce sont plutôt des oracles, cf. le v. 1 : le Patriarche dévoile — et détermine par ses paroles — le destin de ses fils, c'est-à-dire des tribus qui portent leurs noms. Les oracles font sans doute allusion à des événements de l'époque patriarcale (Ruben, Siméon, Lévi), mais ils décrivent une situation postérieure. La prédominance donnée à Juda et l'honneur fait à la maison de Joseph (Éphraïm et Manassé) indiquent une époque où ces tribus jouaient ensemble un rôle prépondérant dans la vie nationale : le poème, sous sa forme dernière, ne peut pas être plus tardif que le règne de David, mais beaucoup de ses éléments sont antérieurs à la monarchie. On ne peut l'attribuer sûrement à aucune des trois grandes « sources » de la Genèse, où il a été inséré assez tard. L'ordre des oracles suit — avec quelques différences — l'ordre dans lequel naquirent les fils de Jacob, d'après les ch. **29-30** : les six fils de Léa, les quatre fils des servantes, les deux fils de Rachel. On comparera le tableau des tribus donné dans le Cantique de Débora, Jg **5**, qui est plus ancien, et dans les Bénédictions de Moïse, Dt **33**, qui sont plus récentes. Les formules énigmatiques, qui sont une loi du genre oraculaire, l'archaïsme de la langue, le mauvais état du texte rendent la traduction souvent incertaine.

2 « Rassemblez-vous, écoutez, fils de Jacob,
écoutez Israël, votre père,

3 Ruben[a], tu es mon premier-né,
ma vigueur, les prémices de ma virilité,
comble de fierté et comble de force,
4 un débordement comme les eaux : tu ne seras pas comblé,
car tu es monté sur le lit de ton père,
alors tu as profané ma couche, contre moi !

5 Siméon et Lévi[b] sont frères,
ils ont mené à bout la violence de leurs intrigues.
6 Que mon âme n'entre pas en leur conseil,
que mon cœur ne s'unisse pas à leur groupe,
car dans leur colère ils ont tué des hommes,
dans leur dérèglement, mutilé des taureaux.
7 Maudite leur colère pour sa rigueur,
maudite leur fureur pour sa dureté.
Je les diviserai dans Jacob,
je les disperserai dans Israël.

---

49 4. « *contre moi* » ʿalî *conj.*; « *il est monté* » ʿâlâh *H* ; « *tu es monté* » ʿalîtâ *G Syr Targ. Texte incertain.*
    5. « *ils ont mené à bout la violence de leurs intrigues* » killû ḥamas mikrotêhèm *cf. VetLat ;* « *des armes de violence sont leurs poignards* (?) » kᵉlê ḥâmâs mᵉkérotêhèm *H. Texte incertain.*

---

a) Ruben, premier-né de Jacob, **29** 32, perd la prééminence en châtiment de son inceste avec Bilha, **35** 22. La tribu est encore importante dans le Cantique de Débora, Jg **5** 15-16; mais dans les Bénédictions de Moïse, elle n'a qu'un petit nombre de guerriers, Dt **33** 6.
b) Siméon et Lévi sont maudits ensemble, pour leur attaque traîtresse contre Sichem, **34** 25-31, à quoi l'oracle fait allusion. Les tribus seront dispersées en Israël : celle de Siméon s'éteignit très tôt, absorbée surtout par Juda, et les Bénédictions de Moïse l'omettent; la tribu de Lévi disparut comme tribu profane, mais ses membres, répartis dans les autres tribus, y exercèrent un office religieux que notre poème passe sous silence mais dont les Bénédictions de Moïse lui font honneur, Dt **33** 8-11.

⁸ Juda*ᵃ*, toi, tes frères te loueront*ᵇ*,
   ta main est sur la nuque de tes ennemis
   et les fils de ton père s'inclineront devant toi.
⁹ Juda est un jeune lion;
   de la proie, mon fils, tu es remonté;
   il s'est accroupi, s'est couché comme un lion,
   comme une lionne : qui le ferait lever ?
¹⁰ Le sceptre ne s'éloignera pas de Juda,
    ni le bâton de chef d'entre ses pieds
    jusqu'à ce que le tribut lui soit apporté*ᶜ*
    et que les peuples lui obéissent.
¹¹ Il lie à la vigne son ânon,
    au cep le petit de son ânesse,

---

10. « *le tribut lui soit apporté* » yûbâ' šay lô *conj.*; « *vienne Shiloh* » yâbo'
šiloh *H.* — « *lui obéissent* » *litt.* « *à qui l'obéissance* » yiqhat *H* (*terme rare*);
les Vers. ont lu tiqwat « *espérance* » *qui explicite le sens messianique du passage.*

---

a) Le morceau le plus long, avec celui qui concerne Joseph. A l'annonce
de la primauté et de la force de Juda, vv. 8-9, s'ajoute un oracle messianique, vv. 10-12. D'après les Bénédictions de Moïse, au contraire, Juda
vit séparé de son peuple, Dt **33** 7 : le schisme est accompli et les Bénédictions sont rédigées dans le Royaume du Nord.

b) En hébr. *yôdû,* qui joue avec le nom de Juda, cf. **29** 35.

c) L'énigmatique *šiloh* de l'hébreu a été interprété, surtout, de trois
manières : 1) « *son prince* », comme un emprunt à l'akkadien où *šilu*
signifierait « chef, prince »; mais le mot n'a jamais ce sens en akkadien;
2) « *celui à qui il (le sceptre) est* », en lisant *šellô ;* mais cela est grammaticalement incorrect, il faudrait au moins *šellô hû'* pour faire une phrase;
3) la ville de Silo, qui a été le centre de la fédération des tribus et qui
serait ici un symbole de puissance; mais le nom de la ville n'est jamais écrit
šiloh dans la Bible où il est cité 31 fois, il est difficile que Silo soit devenu
un symbole de la domination sur les tribus et il est impossible que les
« peuples » de la suite du v. soient les autres tribus d'Israël. La solution
que nous adoptons et qui a été proposée par W. L. Moran, S.J. évite ces
difficultés et s'accorde avec le contexte. La bénédiction se rapporte à
David, fondateur d'un empire, mais elle a une plus grande portée : David
est le type du Messie et l'abondance qui régnera en Juda, vv. 11-12, est
celle des temps messianiques. Si l'on veut trouver dans Ez **21** 10 une
référence à Gn **49** 10 et s'en servir pour appuyer la lecture *šellô*, il faut au
moins reconnaître qu'Ézéchiel a transformé d'une manière étonnante la
promesse en un oracle de malheur.

il lave son vêtement dans le vin,
son habit dans le sang des raisins,
[12] ses yeux sont troubles de vin,
ses dents sont blanches de lait.

[13] Zabulon[a] réside au bord de la mer,
il est matelot sur les navires,
il a Sidon à son côté.

[14] Issachar[b] est un âne robuste,
couché au milieu des enclos.
[15] Il a vu que le repos était bon,
que le pays était agréable,
il a tendu son échine au fardeau,
il est devenu esclave à la corvée.

[16] Dan[c] juge son peuple,
comme chaque tribu d'Israël.
[17] Que Dan soit un serpent sur le chemin,
un céraste[d] sur le sentier,
qui mord le cheval au jarret
et son cavalier tombe à la renverse !

---

13. « *matelot* » ḥobél *conj.*; *H* rèpète « *au bord* », *texte corrompu.*

---

a) De Zabulon, l'oracle ne signale que sa situation géographique sur la côte, près de la Phénicie (Sidon), et ses navires. Jg **5** 18 loue sa bravoure, mais Dt **33** 18-19 ne parle que de son commerce maritime.
b) Tribu forte sous Débora, Jg **5** 15, Issachar, installé dans la riche plaine d'Esdrelon, s'est amolli et a accepté le joug des Cananéens. Dt **33** 18-19 le joint à Zabulon comme tribu commerçante.
c) « Dan juge » *dân yâdîn,* jeu de mots comme à **30** 6. Petite tribu émigrée à l'extrême nord de la Terre Sainte, Jg **18**, à une croisée de grandes routes d'échanges, Dan s'est acquis l'indépendance et, par sa ruse, supplée à sa faiblesse.
d) La dangereuse vipère cornue.

¹⁸ En ton salut j'espère, ô Yahvé[a] !

¹⁹ Gad[b], des détrousseurs le détroussent,
et lui, détrousse et les talonne.

²⁰ Asher[c], son pain est gras,
il fournit des mets de roi.

²¹ Nephtali[d] est une biche rapide,
qui donne de beaux faons.

²² Joseph[e] est un plant fécond près de la source,
dont les tiges franchissent le mur.
²³ Les archers l'ont exaspéré,
ils ont tiré et l'ont pris à partie.

19-20. « *les talonne. Asher* » *Vers.*; « *talonne. D'Asher* » *H.*
21. « *faons* » 'imm⁼rê *conj.*; « *paroles* » 'imrê *H.*
22. *H répète* « *plant fécond* » *au début du v.* : *litt.* « *fils d'arbre fruitier* (?). *Joseph, fils d'arbre fruitier* (?), *les filles ont marché sur le mur* ». *Texte probablement corrompu.*

---

a) Exclamation psalmique, qui marque à peu près le milieu du poème.
b) Le court oracle n'est presque qu'une suite d'allitérations : *gâd g⁼dûd y⁼gûdènnû… yâgud.* Installé en Transjordanie, Gad devait se défendre contre les razzias des nomades.
c) Asher a un territoire fertile; d'après Dt **33** 24, il « baigne son pied dans l'huile ».
d) Nephtali, chanté pour sa valeur dans Jg **5** 18, « comblé de bénédictions » dans Dt **33** 23, ne reçoit ici qu'un oracle énigmatique. Le texte est incertain et, d'après le grec, on pourrait lire : « Nephtali est un térébinthe branchu, qui donne de belles tiges. »
e) Joseph représente les deux tribus issues de lui, Éphraïm et Manassé. Il y a des rapports précis entre cet oracle et les Bénédictions de Moïse, Dt **33** 13-17, mais le texte a beaucoup souffert et défie parfois la traduction, voir les notes critiques. Le v. 22 est traduit conjecturalement par d'autres : « Joseph est un jeune taureau, un jeune taureau près d'une source, ses pas se dirigent vers une fontaine. »

²⁴ Mais leur arc a été brisé par un puissant,
les nerfs de leurs bras ont été rompus
par les mains du Puissant de Jacob,
par le Nom de la Pierre d'Israël*ᵃ*,
²⁵ par le Dieu de ton père, qui te secourt,
par El Shaddaï*ᵇ* qui te bénit :
Bénédictions des cieux en haut,
bénédictions de l'abîme couché en bas*ᶜ*,
bénédictions des mamelles et du sein,
²⁶ bénédictions des épis et des fleurs,
bénédictions des montagnes antiques,
attirance des collines éternelles,
qu'elles viennent sur la tête de Joseph,
sur le front du consacré d'entre ses frères !

²⁷ Benjamin*ᵈ* est un loup rapace,
le matin il dévore une proie,
jusqu'au soir il partage le butin. »

24ᵃ. *D'après G ;* « *Et son arc est resté ferme, et furent agiles* (?) *les bras de ses mains* » *H.*
24ᵇ. « *par le Nom* » miššém *cf. G Syr Targ ;* « *de là* » miššâm *H. — Avant* « *la Pierre* », *H ajoute* « *le Pasteur* ».
25. « *El Shaddaï* » *Vers.;* « *avec* ('ét) *Shaddaï* » *H.*
26. « *bénédictions des épis et des fleurs* » birkôt 'âbîb wᵉgib'ol *conj.;* « *les bénédictions de ton père surpassèrent* » birkôt 'âbîkâ gabrû 'al *H. —* « *montagnes antiques* » harărê 'ad *G cf. Dt* **33** 15; hôray 'ad- *H corrompu.*

---

a) Équivalent du « Rocher d'Israël », une épithète de Yahvé, 2 S **23** 3; Is **30** 29, et cf. Dt **32** 4 et 30, et souvent dans les Psaumes.
b) Voir **17** 1.
c) La masse des eaux inférieures, source de fertilité, Dt **8** 7, est représentée comme un monstre accroupi dans les profondeurs : c'est l'Abîme, une figure de la mythologie orientale.
d) Cet aspect guerrier et féroce de Benjamin n'est préparé par rien des récits qui précèdent, mais est justifié par l'histoire de la tribu, Jg **3** 15 s; **5** 14; **19-20**. Avec Saül, elle boute les Philistins hors du pays.

[28] Tous ceux-là forment les tribus d'Israël, au nombre de douze, et voilà ce que leur a dit leur père. Il les a bénis : à chacun il a donné une bénédiction qui lui convenait[a].

Derniers moments et mort de Jacob[b].

[29] Puis il leur donna cet ordre : « Je vais être réuni aux miens. Enterrez-moi près de mes pères, dans la grotte qui est dans le champ d'Éphrôn le Hittite, [30] dans la grotte du champ de Makpéla, en face de Mambré, au pays de Canaan, qu'Abraham a achetée à Éphrôn le Hittite comme possession funéraire. [31] Là furent ensevelis Abraham et sa femme Sara, là furent ensevelis Isaac et sa femme Rébecca, là j'ai enseveli Léa. [32] C'est le champ et la grotte y comprise, qui furent acquis des fils de Hèt. »

[33] Lorsque Jacob eut achevé de donner ses instructions à ses fils, il ramena ses pieds sur le lit[c], il expira et fut réuni aux siens.

Funérailles de Jacob[d].

50. [1] Alors Joseph se jeta sur le visage de son père, le couvrit de larmes et le baisa. [2] Puis Joseph donna aux médecins qui étaient à son service l'ordre d'embaumer son père, et les méde-

---

28. « *à chacun* » 'îš 'îš *conj. cf. quelques Mss G Syr* ; « *l'homme qui* » 'îš 'ăšèr *H*.
29. « *aux miens* » 'ammay *cf. v.* 33 ; « *à mon peuple* » 'ammi *H*.
30. *Après* « *achetée* » *H rèpète* « *le champ* ».
32. *Le v. manque dans Vulg.*

---

a) Verset rédactionnel.
b) Conclusion de la vie de Jacob, d'après la tradition « sacerdotale », sauf le v. 33. L'insistance sur la grotte de Makpéla et sur la légitimité de sa possession nous renvoie au ch. **23**.
c) Le trait rejoint **48** 2 : Jacob, qui s'était assis sur son lit pour bénir Éphraïm et Manassé, se recouche pour mourir.
d) Le ch. mêle les traditions « yahviste » et « élohiste », avec une touche « sacerdotale » aux vv. 12-13.

cins embaumèrent Israël. ³ Cela dura quarante jours, car telle est la durée de l'embaumement[a].

Les Égyptiens le pleurèrent soixante-dix jours[b]. ⁴ Quand fut écoulé le temps des pleurs, Joseph parla ainsi au palais de Pharaon : « Si vous avez de l'amitié pour moi, veuillez rapporter ceci aux oreilles de Pharaon : ⁵ mon père m'a fait prêter ce serment : ' Je vais mourir, m'a-t-il dit, j'ai un tombeau que je me suis creusé au pays de Canaan, c'est là que tu m'enterreras. ' Qu'on me laisse donc monter pour enterrer mon père, et je reviendrai. » ⁶ Pharaon répondit : « Monte et enterre ton père, comme il te l'a fait jurer. »

⁷ Joseph monta enterrer son père, et montèrent avec lui tous les officiers de Pharaon, les dignitaires de son palais et tous les dignitaires du pays d'Égypte, ⁸ ainsi que toute la famille de Joseph, ses frères et la famille de son père. Ils ne laissèrent en terre de Goshèn que les impotents[c], le petit et le gros bétail. ⁹ Avec lui montèrent aussi des chars et des charriers : c'était un cortège très imposant.

¹⁰ Étant parvenus jusqu'à Gorèn-ha-Atad[d], — c'est au

---

a) Commandé aux Égyptiens par leurs croyances funéraires, l'embaumement était, pour les Israélites, une pratique curieuse. Le chiffre de 40 jours n'est pas attesté par les documents égyptiens (cf. la note suivante) et la phrase est probablement une glose.

b) Diodore de Sicile dit que les Égyptiens faisaient pour leur roi un deuil de 72 jours : Jacob eut vraiment des funérailles royales, voir encore les vv. 7-9. Il faut cependant noter que 70 jours est le temps usuel indiqué pour l'embaumement par les textes égyptiens et c'est à ces cérémonies que se réfèrent la Genèse comme l'historien grec.

c) On traduit « les petits enfants », mais le terme hébreu a certainement, ici et dans quelques autres passages, un sens plus large : tous ceux qui ne se suffisent pas à eux-mêmes, les personnes à charge, comme nous avons traduit **43** 8; **47** 12; **50** 21.

d) Le nom signifie « Aire de l'Épine », lieudit impossible à localiser. D'après le v. 11, on le chercherait en Canaan, près de la frontière égyptienne, donc en Palestine du sud; ce ne serait donc pas au delà du Jourdain, comme disent les vv. 10 et 11, mais ces notes sont peut-être des gloses. L'identité avec Abel-Miçrayim, v. 11, si elle est réelle, n'éclaire rien, car ce

delà du Jourdain, — ils y firent une grande et solennelle lamentation, et Joseph célébra pour son père un deuil de sept jours. [11] Les habitants du pays, les Cananéens, virent le deuil à Gorèn-ha-Atad et ils dirent : « Voilà un grand deuil pour les Égyptiens »; et c'est pourquoi on a appelé ce lieu Abel-Miçrayim[a] — c'est au delà du Jourdain.

[12] Ses fils agirent à son égard comme il leur avait ordonné [13] et ils le transportèrent au pays de Canaan et l'ensevelirent dans la grotte du champ de Makpéla, qu'Abraham avait acquise d'Éphrôn le Hittite comme possession funéraire, en face de Mambré[b].

[14] Joseph revint alors en Égypte, ainsi que ses frères et tous ceux qui étaient montés avec lui pour enterrer son père.

De la mort de Jacob à la mort de Joseph[c]. [15] Voyant que leur père était mort, les frères de Joseph se dirent : « Si Joseph allait nous traiter en ennemis et nous rendre tout le mal que nous lui avons fait ? » [16] Aussi envoyèrent-ils dire à Joseph : « Avant de mourir, ton père a exprimé cette volonté : [17] ʿVous parlerez ainsi à Joseph : Ah ! pardonne à tes frères leur crime et leur

---

50 13. *Après « acquise » H répète « le champ », cf.* **49** 30.

14. *A la fin H ajoute « après qu'il eut enterré son père »; omis par G, glose.*

---

site est également inconnu : les Byzantins le plaçaient près de Jéricho, ce qui est tout à fait improbable. Il est plus important de noter ici les vestiges d'une tradition différente de celle de Makpéla, car les vv. 12-13 sont d'une autre source, les funérailles semblent accomplies à Gorèn-ha-Atad et Joseph retourne ensuite en Égypte, v. 14. Voir déjà **48** 7 et ici le v. 5 : Jacob s'est préparé un tombeau personnel.

a) Le nom signifie « Prairie des Égyptiens », comparer les toponymes analogues, Abel-hash-Shittim, Abel-Mehola, etc. Le texte joue sur les mots ʾâbél « prairie » et ʾébél « deuil ».

b) Rapprocher **49** 29-32 et ch. **23**, de la tradition « sacerdotale ».

c) La crainte des frères, oppressés par le souvenir de leur faute, est un des thèmes de l'histoire de Joseph, **42** 21 s, 28 s; **43** 18; **44** 13; elle donne au héros l'occasion de se montrer généreux une fois de plus.

péché, tout le mal qu'ils t'ont fait ! ' Et maintenant, veuille pardonner le crime des serviteurs du Dieu de ton père ! » Et Joseph pleura aux paroles qu'ils lui adressaient.

¹⁸ Ses frères eux-mêmes vinrent et, se jetant à ses pieds, dirent : « Nous voici pour toi comme des esclaves ! » ¹⁹ Mais Joseph leur répondit : « Ne craignez point ! Vais-je me substituer à Dieu ? ²⁰ Le mal que vous aviez dessein de me faire, le dessein de Dieu l'a tourné en bien, afin d'accomplir ce qui se réalise aujourd'hui : sauver la vie à un peuple nombreux*a*. ²¹ Maintenant, ne craignez point : c'est moi qui vous entretiendrai, ainsi que les personnes à votre charge. » Il les consola et leur parla affectueusement.

²² Ainsi Joseph et la famille de son père demeurèrent en Égypte, et Joseph vécut cent dix ans *b*. ²³ Joseph vit les arrière-petits-enfants qu'il eut d'Éphraïm, de même les enfants de Makir, fils de Manassé, naquirent sur les genoux*c* de Joseph. ²⁴ Enfin Joseph dit à ses frères : « Je vais mourir, mais Dieu vous visitera et vous fera remonter de ce pays dans le pays qu'il a promis par serment à Abraham, Isaac et Jacob. » ²⁵ Et Joseph fit prêter ce serment aux fils d'Israël : « Quand Dieu vous visitera, vous emporterez d'ici mes ossements*d*. »

²⁶ Joseph mourut à l'âge de cent dix ans, on l'embauma et on le mit dans un cercueil*e* en Égypte.

---

a) Ainsi s'éclairent la signification et la portée de l'histoire de Joseph : Dieu tourne tout au bien de ses élus, voir déjà **45** 5.

b) D'après les sages égyptiens, c'est le terme extrême d'une vie heureuse.

c) Rite d'adoption, cf. **48** 12.

d) Le vœu sera exaucé, Ex **13** 19, et Joseph aura son tombeau à Sichem, Jos **24** 32.

e) Encore une coutume égyptienne, étrangère aux Israélites. La Genèse s'achève doucement par la mort sereine de Jacob et de Joseph, et l'histoire patriarcale, ouverte par l'entrée d'Abraham en Canaan, se clôt par l'annonce du retour d'un peuple nombreux dans la Terre Promise.

TABLE

ACHEVÉ D'IMPRIMER SUR LES
PRESSES DE L'IMPRIMERIE
DARANTIERE A DIJON, LE
VINGT NOVEMBRE M. CM. LXII

Numéro d'édition 5 190
Dépôt légal 4ᵉ trimestre 1962